Du même auteur, à la même librairie :

Les Celtes et la civilisation celtique
7e édition 1981

L'Épopée celtique d'Irlande
1971. Petite Bibliothèque Payot n° 172.
2e édition 1979.

L'Épopée celtique en Bretagne
1971. Petite Bibliothèque Payot n° 174.
2e édition 1975.

La femme celte
Mythe et histoire
Collection « Le regard de l'histoire ».
6e édition 1982.

La tradition celtique en Bretagne armoricaine
Collection « Le regard de l'histoire ».
3e édition 1978.

Isabeau de Bavière
1982. Bibliothèque historique.

Le roi Arthur et la société celtique
Collection « le regard de l'histoire ».
2e édition 1983.

La sagesse de la terre (en collaboration avec Pierre-Jakez Hélias), 1978.
Petite Bibliothèque Payot n° 331.

ALIÉNOR D'AQUITAINE

Bibliothèque Historique

JEAN MARKALE

La vie, la légende, l'influence d' ALIÉNOR comtesse de Poitou, duchesse D'AQUITAINE

Reine de France, puis d'Angleterre

Dame des Troubadours et des bardes bretons

PAYOT, PARIS

106, BOULEVARD SAINT-GERMAIN

—

1983

—

E seu sai ren dir ni faire,
Ilh n'aja. I grat, que sciensa
M'a donat, et conoissensa,
Per qu'eu suis gais e chantaire...

(Et si je sais dire et faire,
d'elle me vient, car science
m'a donnée, et connaissance,
par quoi je suis gai et chantant...)

Peire VIDAL.

Cet ouvrage reproduit tel quel le texte de la première édition, parue en 1979.

Avant-propos

L'histoire et ses héros

De quelque côté qu'on l'examine, qu'elle soit un simple récit documentaire, qu'elle soit événementielle, ou qu'elle obéisse aux lois les plus rigoureuses de la recherche structurale, l'Histoire est non seulement un réservoir de mythes, le plus important peut-être, mais encore une gigantesque machine à glorifier les héros. Cette situation est inhérente au phénomène historique puisque les événements qui le constituent sont provoqués par l'action humaine. Et comme le processus de simplification joue à plein dans la relation d'un passé obligatoirement révolu, la mémoire ne garde guère que des personnages privilégiés, à l'exclusion des autres acteurs de cette grande fresque dramatique.

Dans la plupart des cas, c'est évidemment le chef, celui à qui incombe, croit-on, les responsabilités de l'événement, qui se trouve placé sur le devant de la scène. C'est une injustice, en ce sens qu'un chef n'est rien sans ceux qui le suivent, mais l'Histoire ne peut retenir que le schéma de l'événement, et ce schéma s'incarne facilement dans la personne qui en assure la coordination. En fait, comme la tendance de la mémoire humaine est d'intégrer les faits dans un ensemble symbolique, le chef, en tant que héros, prend valeur de symbole, et son image reste gravée, éliminant par la même occasion les détails qui pourraient disperser l'attention et nuire à la cohérence de la démonstration. C'est dire l'importance du héros dans le récit historique : il en constitue le pivot, autour duquel s'articule l'histoire d'un peuple ou d'un groupe social.

A ce compte, on peut dire que l'Histoire est alors très proche de l'Epopée. On a souvent mis en lumière leur commune origine, le désir de conserver les prouesses de l'ancien temps dans un récit structuré, le tout dans une atmosphère de nationalisme exacerbé, pour ne pas dire de racisme. Il est vrai que l'Epopée a pu être la forme archaïque de l'Histoire, en un temps où seule comptait la volonté d'assurer une permanence d'une mentalité collective opposée à d'autres mentalités collectives. Les buts étant les mêmes, on ne voit guère comment on pourrait différencier l'Epopée de l'Histoire primitive, sinon que la première est spontanée, populaire, instinctive, tandis que la seconde a déjà des prétentions à l'objectivité et se présente, quoi qu'on dise, comme une œuvre intellectuelle. A la réflexion, l'Epopée fait partie d'une culture populaire, et l'Histoire appartient à la culture savante. Mais les procédés employés par l'une et par l'autre sont souvent identiques, tandis que le héros en est parfois le même.

C'est cette place du héros dans l'Histoire, comme dans l'Epopée, qui pose le plus de problèmes irritants. Si l'Epopée est le récit des événements supposés, mais considérés comme réels, qui ont marqué la genèse et l'évolution d'un groupe social déterminé, on ne peut douter un seul instant que le héros qui y est glorifié ne soit l'émanation de ce groupe, qu'il en soit non seulement le symbole, mais l'incarnation pure. Peu importe alors qu'il ait existé réellement ou non, sa seule place dans l'Epopée lui sert d'acte de naissance, et il ne viendrait à l'idée de personne de douter de lui. L'Epopée n'a pas à être vraie ou fausse : elle se contente d'*être*, et cette absence de dilemme caractérise une donnée immédiate de la conscience collective, car chacun de ceux qui écoutent une épopée en est un peu le héros, et incarne avec lui les valeurs traditionnelles du groupe auquel il appartient. En fait, l'Epopée serait du domaine du vécu, mais d'un vécu perpétuellement réactualisé, permettant ainsi d'atteindre à une véritable permanence. C'est un défi à la mort, une constante progression vers la réalisation des désirs collectifs, une stabilisation idéale dans le processus des événements qui se succèdent à un rythme défiant les lois les plus élémentaires de la chronologie pour ne plus constituer qu'un éternel présent. Là, le héros sera donc immuable dans ses transformations, éternel dans ses métamorphoses, transcendantal dans son éphémérité.

Mais le héros de l'Histoire n'est qu'un instant privilégié de la succession des événements dont on veut garder le souvenir. Il n'a pas ce caractère intemporel du héros épique parce qu'il a un état civil bien déterminé. Il pénètre, parfois par surprise, dans l'Histoire à une date précise, et il en sort à une autre date non moins précise. Et pourtant, pendant le court laps de temps qui sera nécessaire à son action, il dévore tout, éclipse ses contemporains, joue les démiurges et se hausse au même degré extrême que le héros épique. Il semble que le héros de l'Histoire ait repris à son compte le caractère permanent du héros épique, ou plutôt qu'on ait voulu faire de lui l'équivalent de ce héros, à une période où il n'était plus possible de croire en l'Epopée et où il fallait la remplacer par un récit objectif et daté. Est-ce à dire que l'Epopée parle mieux le langage du peuple que l'Histoire avec ses classifications scientifiques, ses doutes et ses réserves, sa prétention à l'objectivité et son manque de chaleur humaine?

La réponse ne peut être qu'affirmative. On pourrait facilement faire la liste des héros historiques qui sont devenus épiques, non seulement par le jeu des traditions orales, comme Charlemagne, dont le personnage des Chansons de Geste qui porte ce nom n'est plus que le reflet lointain, mais par le jeu de la cristallisation et de l'idéalisation, comme Napoléon, dont la légende maintient une image nécessairement fausse mais tellement plus compatible avec ce que l'inconscient collectif voit en lui. Et à ce moment, où la confusion est extrême, on est en droit de se poser une redoutable question : est-ce que c'est le Héros qui fait l'Histoire, en agissant sur les événements, ou est-ce que c'est l'Histoire qui sécrète ses héros?

On a cru longtemps que des personnages hors du commun étaient capables d'influer sur le déroulement de l'Histoire, *qu'ils avaient fait* l'Histoire d'un peuple ou d'un groupe de peuples. Ainsi rend-on Alexandre le Grand responsable, indirectement, de l'éclosion d'une civilisation néo-grecque, cette civilisation dite hellénistique qui syncrétise harmonieusement la philosophie aristotélicienne et les inventions « barbares » des peuples de l'Orient. Mais il faudrait savoir dans quelle mesure Alexandre n'était pas pressé par l'Histoire elle-même lorsqu'il se lançait dans des expéditions sans fin vers les pays où le soleil se lève. Peut-être faut-il voir dans l'aventure d'Alexandre le résultat d'une forte poussée du monde grec vers l'extérieur pour échapper à l'asphyxie qui le guettait depuis que la logique méditerranéenne s'était sclérosée autour du syllogisme déductif? Peut-être faut-il comprendre qu'Alexandre ne pouvait faire autre chose que de briser les frontières orientales pour découvrir de nouveaux débouchés à l'économie grecque chancelante depuis que le centralisme macédonien avait remplacé le particularisme autarcique des anciennes cités grecques? Le culturel et l'économique sont tellement liés qu'il est difficile de savoir exactement quelles sont les motivations profondes d'un acte politique décidé apparemment par un seul homme, même si cet homme a tout pouvoir de décision sur un peuple. Et puis, les phénomènes économiques échappent à l'analyse historique tant qu'on se borne à examiner les événements historiques sous l'angle de l'idéologie pure. Cette idéologie, qui existe, qui n'est pas niable, est nécessaire pour entraîner les populations, pour leur faire croire au patriotisme et à toutes ces inventions aliénantes qui font « marcher » et non penser. L'idéologie n'est elle-même qu'un moyen utilisé par le pouvoir, quel qu'il soit, pour opérer une concentration des forces latentes et les diriger ensuite vers un but qui échappe au commun des mortels, mais que connaissent bien ceux qui détiennent la réalité de ce pouvoir, généralement des individus en marge de la scène politique et qui agissent par personnages interposés, par *héros* interposés.

C'est alors que le héros prend toute sa valeur et toute sa signification. Il n'est que le porte-drapeau d'un groupe de pression, il tire à lui les énergies dont lui-même ne profite pas, puisqu'il n'est que l'exécutant d'une opération montée de toutes pièces et réglée en fait en dehors de sa volonté. Voilà pourquoi les héros sont toujours désintéressés et excitent l'admiration des foules : ils se battent pour la gloire ou pour imposer au monde une idée, généreuse en apparence. Napoléon ne massacrait-il pas l'Europe pour établir partout une république de justice et de fraternité humaines? A-t-on jamais dénoncé le complot bourgeois et capitaliste qui a permis à Bonaparte de devenir empereur et de dominer une large fraction de l'Europe pour le profit de certains groupes économiques? L'Histoire n'est pas pavée que de bonnes intentions. En fait, il s'agit d'une lutte perpétuelle où les plus forts écrasent les plus faibles au nom de n'importe quelle idéologie. L'essentiel est que les plus forts ne soient jamais vus dans leur véritable rôle, car alors ils perdraient ce pouvoir occulte qui fait leur puissance et qui les rend bénéficiaires de l'héroïsme des autres.

Certes, à démystifier ainsi le héros et à montrer *ce qui se cache derrière lui,* on le fait singulièrement basculer de son piédestal, et, ce qui est plus grave, on le réduit au rang de parfait crétin. Ce n'est pas qu'il ne soit pas nécessaire de démontrer que l'héroïsme est très souvent de l'inconscience pure pour ne pas dire de la bêtise, mais il est des valeurs auxquelles on ne s'attaque pas impunément car elles concernent tout un peuple, tout un groupe social, et leurs destructions peuvent conduire à des désagrégations complètes des corps sociaux envisagés.

En fait, le Héros, qu'il soit historique ou qu'il soit épique, appartient au mythe. Quand on y touche, on s'attaque au mythe lui-même, et ce mythe est la chose la plus importante que l'humanité ait à sa disposition pour continuer ou modifier le cours des événements. Car, à y réfléchir, ce n'est pas le héros qui fait l'Histoire, c'est l'Histoire qui le porte à accomplir des actions, lesquelles, ensuite, se répercuteront sur le déroulement de l'Histoire. Nous avons là les éléments d'une dialectique marxienne : le Réel provoque l'intervention de la pensée qui, elle-même, se retourne sur le Réel et le transforme. Le monde sécrète les Idées. Les Idées transforment le monde. Or le Héros appartient au domaine des idées. C'est le mythe qui s'incarne à l'occasion de tel ou tel événement du quotidien, parce que le mythe, ayant une existence en soi, équivaut au néant s'il n'est pas intégré dans la matière. Donc le Héros est le point de jonction entre l'abstrait et le Réel, entre le domaine des idées pures qui circulent sans ordre dans la pensée collective et le domaine des réalisations concrètes qui supposent une organisation rigoureuse et une articulation autour d'une idéologie. Le Héros, en dépit de lui-même et en dépit de l'analyste qui s'acharne à en démonter le mécanisme, appartient au peuple qui ne saurait s'en passer et qui, s'il en est privé, le reconstitue aussitôt sous une autre forme, sous un autre nom, en des transferts absolument inconscients.

L'apparition d'un Héros dans l'Histoire ou dans l'Epopée n'est pas due au hasard et elle n'est jamais gratuite. Les mécanismes psychologiques qui président à l'élaboration du Héros sont complexes et ne sont jamais transmis en clair dans le récit tel qu'il est vécu ou tel qu'il est répété par la tradition. C'est avant tout une projection totale des pulsions individuelles, projection qui tente d'unifier les contraires et opère la synthèse des mouvements hétéroclites qui s'amorcent devant une circonstance donnée. Le

Héros trouve nécessairement la solution des problèmes qui se posent au moment où il surgit. Il est l'homme de la situation, l'homme providentiel tant de fois dénoncé et toujours aussi vivant dans la mentalité collective. A lui seul, le Héros est chaque individu d'un groupe social et chacun de ces individus se reconnaît en lui, non pas tel qu'il est réellement mais tel qu'il voudrait être idéalement.

C'est pour cela que le Héros apparaît comme un personnage hors du commun, un personnage fantastique, doué de pouvoirs qu'on lui envie mais qui font peur, un personnage surnaturel et quasi divin. Le Héros brise les limites du Réel, il ouvre les portes du paradis perdu : il tente l'impossible. Et s'il ne réussit pas, ce n'est pas de sa faute : ce sont les puissances mauvaises, toujours latentes, qui l'ont empêché d'aller jusqu'au bout de son action.

Mais en lui-même, le mythe, incarné par le Héros, est un absolu qui n'a aucun sens. Cette disponibilité du mythe, on la constate dans la façon dont sont traités les récits épiques et les contes populaires oraux : tous s'appuient sur le schéma initial mythologique, mais ils témoignent d'une prise de position fondamentale de la part du locuteur, lequel peut donner au récit originel le sens qui lui convient ou qui convient au moment où il parle. Le mythe échappe toujours à ceux qui veulent s'en emparer : il n'est qu'un *devoir-être* dont la réalité n'est discernable que dans le récit légendaire. Or, dans le cas du héros historique, le problème est le même. Un personnage qui, par suite des circonstances, est amené à jouer un rôle, incarne un mythe préexistant dont il ne soupçonne même pas la puissance, et le réalise pour les autres et pour lui, lui donnant ainsi son sens et sa signification.

Par exemple, les saints du Christianisme, qui sont des héros en leur genre, sont tous voués à ce qu'on appelle le Bien : ils donnent au mythe originel une direction positive et réalisent dans leur vie et par leur exemple la perfection idéale qui serait incompréhensible si elle n'était incarnée en eux. Mais on dit que le Diable rôde toujours auprès des grands saints, pour les tenter, affirment les légendes, en fait par nécessité, car l'existence d'un bien incarné ne peut se concevoir sans la présence d'un mal lui-même incarné. C'est absolument logique dans la mesure où le mythe n'étant ni bon ni mauvais, parce qu'il est en dehors du temps et de l'espace, se charge automatiquement d'un sens positif ou négatif dès qu'il pénètre dans le monde des faits. Un personnage historique comme Hitler, en qui on a vu l'incarnation du Mal, le Diable en personne, est de la même trempe : lui aussi résume un idéal de perfection, mais le sens du mythe semble inversé par rapport à ce qui se passe pour les saints du Christianisme. A sa manière, il a exprimé et cristallisé certaines tendances humaines, les plus douteuses, peut-être, mais parfaitement réelles. Au reste, le mythe de la race élue n'est pas une invention national-socialiste : l'Histoire l'a toujours connu et il s'est incarné dans bien des personnages, suscitant çà et là le lot habituel d'atrocités en tous genres que provoque obligatoirement un concept de supériorité d'une caste sur les autres.

Et le Héros est un acteur prodigieux de la scène qui se déroule dans le temps. Qu'il soit guerrier, qu'il soit roi, qu'il soit saint, qu'il soit redresseur de torts, qu'il soit le Diable en personne, il se charge de toutes les potentialités d'être qui font de lui une puissance réelle et parfois redoutable, car il suffit d'une parole ou d'un geste pour qu'il entraîne les autres à sa suite : ceux-ci n'ont même pas à réfléchir pour savoir s'ils doivent ou non se lancer dans l'aventure, puisque le Héros pense pour eux, agit pour eux, et qu'en fait ils sont eux-mêmes le Héros.

Ce pouvoir redoutable du Héros lui vient du fait qu'il est nécessaire à un moment donné de l'Histoire. Il est suscité par les événements, projeté en avant par un groupe social déterminé dont il représente les aspirations ou les intérêts. Alors une véritable *machine* se met en marche, et personne ne peut l'arrêter, surtout pas le Héros. Lui-même ne s'appartient plus. Il n'est plus un individu, mais une totalité représentée par *un.* D'où son isolement apparent : il n'est pas comme tout le monde. Qu'on se souvienne du magnifique poème d'Alfred de Vigny dans lequel Moïse, n'en pouvant plus d'être *puissant et solitaire,* demande à Dieu de lui procurer *le sommeil de la terre,* tout en passant en revue les actes par lesquels sa vie a été différente de celle d'un individu « normal ». On ne l'a jamais aimé vraiment, car il a inspiré trop de crainte, la crainte étant une forme de la vénération. Et surtout, il a été en proie à une affreuse solitude. Et qu'est donc cette solitude de Moïse, sinon la solitude du peuple hébreu qu'il représente en totalité?

C'est la situation paradoxale du Héros, qu'il soit historique ou qu'il soit épique. Il est à la fois *seul* et émanation du groupe. Il n'est plus un individu mais il est toujours un être humain. Et c'est par là qu'il peut réellement marquer les événements dont il est l'acteur : car il ne perd jamais sa personnalité, et souvent ses actions, ses décisions, bien qu'elles soient dictées par des phénomènes collectifs inconscients, sont infléchies par sa propre réaction, sa propre pensée. Voilà pourquoi on ne peut jamais dire qu'avec un autre Héros l'Histoire eût été identique. Le facteur humain joue toujours son rôle dans les manifestations inter-individuelles. C'est un autre paradoxe, car si on a coutume de dire que nul n'est irremplaçable, on oublie qu'il n'existe pas deux êtres humains absolument semblables et que par conséquent le sens de l'Histoire peut quand même être modifié d'une façon quelconque, imprévisible. La machine qui a été mise en marche tourne, mais nul ne sait exactement comment elle va tourner.

Il faut donc ne pas être dupe du caractère collectif du Héros. Certes, il est toujours l'incarnation du groupe, mais il a la possibilité d'apprécier, de juger, de trancher et d'imposer ses propres vues. Il modifie le comportement du groupe, lequel, après son passage, ne peut jamais être exactement le même. Ce n'est pas sans raison qu'on a, dans toutes les sociétés et sous toutes les latitudes, rendu hommage à ceux qui ont fait un pays, à ceux qui ont transformé la vie, à ceux qui ont changé le sens de l'Histoire. Le Héros a son importance non seulement en vertu des composantes qui l'animent, mais également en vertu de son pouvoir discrétionnaire qui le met en dehors du commun et l'oblige à une conscience individuelle.

C'est dans cette optique qu'il convient d'étudier les héros de l'Histoire ou de l'Epopée. Il est indispensable de chercher à quoi ils correspondent, à quelles pulsions sociales profondes ils obéissent, à quelles motivations culturelles ou économiques ils doivent leur apparition. Mais cette analyse ne serait pas complète si on ne tenait pas compte de la personnalité du Héros et de son influence sur les hommes et les événements. La science historique, ou plutôt ce qu'on essaye de tenir pour une science, ne peut négliger aucun facteur d'où qu'il vienne. Faire de l'Histoire une succession d'événements datés et repérés ne suffit pas. Il faut expliquer les causes et porter un jugement sur les conséquences. Jusqu'à présent, on a trop négligé le Mythe comme valeur motivante des actions humaines, et il importe de le réintégrer dans toute étude historique. Le Héros, qui est l'incarnation du

Mythe, nous en donne une belle occasion, car à travers son image se profile le véritable visage de l'époque ou de la civilisation considérée.

C'est d'autant plus vrai lorsqu'il s'agit non pas d'un *héros*, mais d'une *héroïne*. Le fait n'est pas si courant dans l'Histoire, qui a généralement sacrifié la femme au point de vue androcratique. A connaître l'ancien temps, on peut se demander s'il a existé des femmes, tant leur rôle est passé sous silence. Bien sûr, quelques-unes ont survécu, mais on remarquera que bien souvent ces personnages historiques féminins sont dépréciés : on en fait généralement des femmes fatales, tout au moins des symboles d'une sensualité dangereuse pour l'équilibre masculin des sociétés en question. Quand on parle de Cléopâtre, c'est évidemment pour rappeler sa liaison avec César et celle avec Marc-Antoine, tout en insistant sur sa coquetterie et sa vanité. Quand on parle de la grande Catherine de Russie, c'est évidemment pour dénoncer sa nymphomanie. On ne finit par voir, dans les femmes célèbres de l'Histoire, que des obsédées sexuelles, ou tout au moins des instruments de perdition pour l'humanité.

Là encore, nous retrouvons le mythe. Ce n'est ni plus ni moins que celui de la Grande Prostituée, la Femme divine qui dispense son pouvoir aux nombreux amants qu'elle choisit et qui sont les exécutants de ses volontés suprêmes. Le parfum de scandale qui émane de la personne et de la vie des grandes femmes de l'Histoire est presque une justification de leur présence sur le devant de la scène. Et l'on en profite pour diminuer leur influence, critiquer leur intelligence : elles ont réellement tenu les rênes du pouvoir, mais par des moyens secondaires, bien féminins en vérité, et qui ne peuvent en aucun cas se comparer avec les méthodes utilisées par les héros authentiques de l'Histoire, c'est-à-dire les hommes. Tout cela est inscrit dans les récits, marqué dans la cire de la tradition. Une société entièrement bâtie sur des principes androcratiques, appuyée en plus sur une théocratie nettement masculine, ne peut admettre sans réserve les entorses à la loi générale. Et pourtant, ce mythe de la Grande Prostituée a survécu, il s'actualise de temps à autre, même s'il déchaîne le scandale : il a sa propre logique, et s'il se manifeste ainsi dans les événements, c'est qu'il y est nécessaire.

Or si un personnage actualise nécessairement un mythe, c'est que les circonstances l'exigent, et plus le personnage se trouve héroïsé, plus la tension exercée par les circonstances est forte. Les héros les plus connus de l'Histoire ont vécu à des moments privilégiés, marqués par des événements importants, des guerres, des cataclysmes, des révolutions. En période de paix, ou tout simplement de laxisme, les Héros sont insignifiants, et par réaction, les vieux mythes, toujours intacts dans les mémoires, s'actualisent et s'animent dans les récits épiques, qui sont une sorte de compensation au manque de Héros réels. Parfois on croit même que les mythes ont disparu, mais ils surgissent de nouveau au moment où on s'y attend le moins. Puis, un jour, les circonstances étant telles que la poussée devient insupportable, l'état de tension provoque l'apparition du héros que tout le monde souhaitait sans se l'avouer.

C'est un peu ce qui s'est passé pour Aliénor d'Aquitaine, la deux fois reine de deux royaumes différents. Elle a dominé largement le XIIe siècle, à la fois par son comportement, par les événements auxquels elle a été mêlée, par deux de ses fils qui furent rois, et par sa légende. Car elle est née à un moment creux de l'Histoire, à un moment où, précisément, les vieux mythes étaient en train de renaître sous forme épique, mythes celtiques notamment, et parmi ceux-ci, le mythe de la Femme toute-puissante. Or Aliénor était une femme. En même temps que se développait dans toute l'Europe chrétienne le culte de la Vierge, modèle parfait de la Femme, et que les troubadours commençaient à répandre leurs chants enflammés à la gloire de la beauté féminine, le personnage d'Aliénor d'Aquitaine émergeait de la brume des temps féodaux, symbole d'une féminité perdue et retrouvée. Il n'est alors pas étonnant de constater l'abondance des légendes qui, de son vivant même, circulèrent sur la comtesse de Poitiers, duchesse d'Aquitaine, légendes dont le fonds mythologique est évident, et qui ont fait sensation par le scandale qu'elles provoquaient.

Si l'on veut étudier la personne et le rôle d'Aliénor d'Aquitaine, il ne suffit certes pas de raconter sa vie en accumulant à plaisir les épisodes pittoresques qui ne manquent pas. Ces épisodes ont fait la joie des auteurs de romans historiques, et même parfois des historiens eux-mêmes. Mais ils n'ont d'intérêt que par le contexte qui les a provoqués ou par la signification qu'on peut en donner. Car Aliénor est l'*Héroïne* à travers laquelle se dessinent tous les traits de la civilisation occidentale du XIIe siècle, à une période où les mutations seront si radicales qu'elles amèneront un changement complet de cap pour la société. Sur le plan religieux, en dehors de l'épanouissement du culte marial, on peut remarquer les débuts d'une philosophie scolastique originale par rapport au modèle aristotélicien, la création de nouveaux ordres religieux qui vont littéralement inonder le monde chrétien, le renforcement de la puissance temporelle des papes, la poursuite des Croisades, dont les conséquences seront incalculables dans tous les domaines. Sur le plan économique, le renouveau de l'agriculture, mais surtout le prodigieux essor du commerce, font basculer la vieille société féodale : au courant commercial continental représenté par l'axe Rhône-Seine, allant de l'Italie du Nord à la Flandre, axe jalousement surveillé par les Capétiens, répond un nouveau courant maritime dans l'Atlantique et dans la Manche, chasse gardée des Anglo-Normands avec le concours des Aquitains et des Bretons, courant commercial moderne sur lequel la dynastie anglo-angevine va bâtir un empire. Sur le plan politique, qui n'est, une fois de plus, que la conséquence de l'essor économique, la rupture est totale, non seulement entre le royaume de France et celui d'Angleterre, mais également entre le tiers occidental de la France et le reste du pays. Cela n'est d'ailleurs qu'un prélude à la grande explication qui aura lieu un siècle et demi plus tard entre les deux royaumes. Sur le plan social, l'émancipation des villes provoque la naissance d'une nouvelle caste, économiquement riche et politiquement forte, la bourgeoisie, tandis que la hiérarchie féodale vacille au profit de la puissante caste des chevaliers. On peut même voir dans ces transformations de la société les débuts du capitalisme occidental dans les villes, avec la naissance d'un véritable prolétariat résultant de l'assouplissement du sort des serfs et de leur émancipation dans de nombreux cas. Sur le plan culturel enfin, c'est un âge « béni ». On constate l'épanouissement du style roman, l'apparition du style improprement nommé « gothique », la renaissance des lettres latines que l'on avait eu trop tendance à oublier les siècles précédents, la création de nombreuses écoles dues à l'influence prépondérante de l'Eglise, la diminution considérable du nombre des nobles illettrés, et surtout la création d'une nouvelle littérature grâce à la fusion de l'esprit occitan, des traditions celtiques, de la solidité normande et de la disponibilité des pays de langue d'oïl.

Mais ces changements se produisent de façon peu visible, par étapes successives, sans bouleversement tapageur. Les mœurs vont s'adoucir considérablement, passant parfois de la barbarie la plus sombre au raffinement le plus précieux. L'art de vivre va devenir l'art de « bien vivre ». Et le personnage d'Aliénor d'Aquitaine résume admirablement toutes ces mutations parce qu'elle se trouve au centre même du creuset où s'opère la fusion : elle cristallise en elle-même tout ce que le XIIe siècle a apporté d'innovations et de métamorphoses dans la civilisation occidentale.

A la charnière de deux mondes, héritière d'une pensée occitane nettement plus avancée que celle du Nord, très tôt placée devant d'énormes responsabilités, n'oubliant jamais, en n'importe quelle circonstance, qu'elle était femme avant tout, Aliénor est un de ces personnages de l'Histoire qui ne peuvent laisser indifférent. Si elle est bien évidemment l'émanation de ce siècle en mouvement, si elle incarne les métamorphoses de la société, elle a joué aussi un rôle personnel incontestable, par son intelligence et par son tempérament. Par son attitude à la cour capétienne, par son divorce, par son mariage avec Henry Plantagenêt, par son ambition démesurée, par sa passion des arts et des lettres, elle fut véritablement une révolutionnaire à une époque où ce mot n'existait pas. Or toute révolution, consciente ou non, sécrète ses héros. La deux fois reine Aliénor est donc l'héroïne d'une révolution par laquelle le Moyen Age allait se réveiller de sa torpeur. N'a-t-elle pas servi de modèle au romancier Chrétien de Troyes, puis à ses successeurs, pour le personnage fameux de la reine Guénièvre, parangon de toutes les beautés et de toutes les vertus, image divinisée de la Femme toute-puissante dans sa féminité enfin retrouvée ?

Le mythe n'est pas loin. Aliénor a incarné ce mythe de la reine idéale que les légendes celtiques avaient conservé dans les mémoires, et qui n'attendait qu'une occasion pour refaire surface. Comme Guénièvre, Aliénor a déchaîné des passions, réelles ou supposées. Comme Guénièvre et ses archétypes celtiques, Aliénor a, mieux que personne, incarné la *Souveraineté* sans laquelle aucun homme, fût-il le plus grand roi, n'est capable de gouverner le monde.

Il y a un long chemin entre la petite fille qu'on maria à Louis de France, toute frêle et encore plongée dans les rêves que lui murmuraient les troubadours, ses compagnons habituels, et la vieille femme, d'une énergie sans faille, qui, de sa retraite de Fontevrault, veillait encore sur son dernier fils Jean afin d'éviter qu'il ne commît le pire. Ce long chemin est marqué par de nombreux carrefours. Il a fallu qu'elle choisisse les visages qu'elle devait montrer aux autres. Il a fallu qu'elle choisisse la direction à prendre. C'est à travers cette longue route de quatre-vingt-deux ans que s'est écrite l'une des plus brillantes pages de l'Histoire.

Bieuzy-Lanvaux, 1978.

1

La deux fois Reine

Aliénor d'Aquitaine naquit probablement en 1122 — les chroniqueurs hésitent entre 1120 et 1122 —, fille de Guillaume X d'Aquitaine (Guillaume VIII de Poitiers) et d'Aenor de Châtellerault. On prétend que le nom qui lui fut donné signifie « l'autre Aenor » (*Alia-Aenor*). C'est en tout cas la forme occitane d'Elléonore, et les Anglais l'appellent Eleanor et Ellinor. Elle eut un frère, mort en bas âge, et une jeune sœur, Pétronelle. De ce fait, elle était l'héritière du comté de Poitiers et du duché d'Aquitaine, c'est-à-dire de tout le sud-ouest de la France actuelle.

Son grand-père avait été un grand personnage, pittoresque, redoutable combattant, politique retors, peu scrupuleux mais fin lettré : il s'agit en effet de Guillaume IX (*Guilhelm* en occitan), le premier en date de nos troubadours et l'un des plus originaux. Guillaume IX n'avait pas été un seigneur de tout repos : non seulement il avait eu des histoires avec ses voisins ou ses vassaux, mais de plus il avait eu maille à partir avec l'Eglise, notamment à cause des scandales de sa vie privée. C'était en effet le plus terrible coureur de filles de son époque. Sa personnalité était double, mêlant le mysticisme le plus sincère à la sensualité la plus débridée. Il avait l'habitude d'invoquer saint Julien chaque fois qu'il entreprenait une affaire galante quelque peu douteuse pour que celui-ci lui procurât un heureux succès. Pendant la croisade qu'il fit aux côtés de Godefroy de Bouillon, il prenait le temps de composer des poèmes dont l'obscénité ne pouvait être mise en doute A Niort, c'est un détail qui caractérise parfaitement le personnage, après avoir ordonné la fondation de divers monuments religieux, il fit bâtir un bordel luxueux où les filles devaient obligatoirement revêtir l'habit monastique. Et la chronique ajoute qu'il en fut le premier client. Mais où il dépassa la mesure — c'est-à-dire la tolérance des clercs —, c'est quand il afficha sans réserve sa liaison tumultueuse avec Dangerosa, comtesse de Châtellerault, qu'on appelait « la Maubergeonne », et qui était la mère d'Aenor qu'il fit épouser à son fils Guillaume X, lequel n'avait d'ailleurs guère apprécié la situation et s'était brouillé avec le Troubadour. Il n'avait pas hésité à installer purement et simplement sa maîtresse dans le donjon tout neuf qu'il venait de faire construire pour le palais ducal et qu'on nommait la Tour Maubergeon (d'où le surnom de Maubergeonne donné à la comtesse), après avoir chassé sa femme légitime Philippa de Toulouse. A la suite de cet exploit, Guillaume IX fut excommunié, et lorsque l'évêque de Poitiers vint lui signifier officiellement qu'il était exclu de l'Eglise, il entra dans une folle colère et s'apprêta à frapper le prélat d'un coup d'épée. L'évêque lui dit alors calmement de le frapper, car il était en état de grâce et ne craignait pas de paraître devant le Créateur. Ces paroles eurent le don de calmer Guillaume. Il rengaina son arme en disant : « Je ne vous aime pas assez pour vous envoyer en Paradis ! » Mais tout cela n'empêcha pas le turbulent Troubadour de se réconcilier avec l'Eglise et même, aux approches de la vieillesse, de s'amender considérablement. Il est vrai qu'il n'avait jamais perdu la foi. Il s'était contenté d'en prendre à son aise avec les règles de la morale et aussi de défier avec orgueil ceux qui prétendaient le faire obéir. Un jour que l'évêque d'Angoulême l'exhortait à faire preuve de soumission, il lui avait lancé une bordée d'injures en lui recommandant de « compter là-dessus et de se passer un peigne ». Or le digne prélat était complètement chauve.

Son fils, Guillaume X, n'était pas de la même trempe. Il avait eu cependant, lui aussi, des démêlés avec l'Eglise, mais pas pour les mêmes raisons que le Troubadour. Il avait en effet reconnu l'autorité de l'antipape Anaclet au lieu de celle d'Innocent II, élu légitimement, ce qui déclencha les protestations du clergé de ses états. Comme saint Bernard de Clairvaux était venu le conjurer de rentrer dans l'orthodoxie, il fit renverser l'autel où le moine avait dit la messe. Mais cela ne suffisant pas pour calmer sa colère, il voulut s'élancer sur saint Bernard, et celui-ci ne dut son salut qu'à une fuite rapide. Cela montre la violence familiale. On avait beau être lettré, soucieux des convenances, amateur d'art et de belle architecture, on n'en était pas moins prompt à la colère et prêt à tous les coups de tête. C'est dans cette atmosphère que fut élevée Aliénor d'Aquitaine.

Il faut dire qu'on ne négligea rien pour lui procurer une éducation soignée, digne en tous points de son rang et des prétentions de la maison d'Aquitaine à être parmi les plus évoluées et les plus raffinées du temps. On lui fournit, ainsi qu'à sa sœur Pétronelle, des précepteurs habiles. Elle apprit le latin et la langue du nord, probablement d'autres langues. Elle prit l'habitude de fréquenter les troubadours, d'écouter leurs chants et leurs récits. La cour de Poitiers, que plus tard elle rendra célèbre par ses fameuses « cours d'amour », était depuis longtemps le rendez-vous de toute une faune intellectuelle venue de pays différents. On y voyait aussi bien, dans ce pays-frontière entre la langue d'oc et la langue d'oïl, des troubadours que des trouvères, des bardes armoricains ou bretons insulaires, voire des musulmans venus d'Espagne. Le milieu culturel qui a été celui d'Aliénor pendant son enfance et son adolescence explique tout l'intérêt qu'elle portera plus tard aux arts et aux lettres, et aussi sa brillante intelligence personnelle.

Cependant, son père Guillaume X avait perdu Aénor et s'était peu après remarié. Il ne fut guère heureux en ménage, sa nouvelle femme le trompant allégrement. Dégoûté, mais aussi rongé par une crise de mysticisme, il décida de s'en aller à Saint-Jacques-de-Compostelle, confiant la garde de ses deux filles à son jeune frère Raymond de Poitiers. Raymond, que nous retrouverons plus tard dans la vie d'Aliénor, était à peine plus âgé que sa nièce. De toute évidence, les deux jeunes gens, qui se connaissaient depuis toujours, étaient amoureux l'un de l'autre, car pendant ce temps où Aliénor fut placée sous la tutelle directe de Raymond, ils ne se quittèrent guère. On raconte même qu'un soir, après une longue randonnée en barque sur la Garonne, près de La Réole, Aliénor et Raymond durent demander asile à un prieuré bénédictin. Le Père chambrier, qui avait mal compris le nom de ses hôtes, leur offrit une chambre à un seul lit. Raymond aurait pris la chose en riant, disant que Satan s'était déguisé en moine pour conduire en inceste un oncle et sa nièce.

Quoi qu'il en soit, les relations entre les deux jeunes gens prêtèrent à de nombreux commentaires. La légende de la duchesse Aliénor, nouvelle Messaline, ne faisait que commencer. Pourtant, on prétend aussi qu'Aliénor et Raymond s'étant avoué leur amour mutuel, ce fut précisément Aliénor qui ne voulut pas aller plus loin. Elle aurait usé de l'argument le plus simple qui fût : ne pouvant devenir la femme de son oncle, elle ne pouvait donc pas en devenir la maîtresse. S'en souviendra-t-elle, plus tard, lorsque, jeune reine de France, elle retrouvera Raymond en Terre Sainte ?

C'est alors, en avril 1137, qu'on annonça la mort de Guillaume X, survenue à Compostelle. Tout n'est pas éclairci sur cet événement. On prétend en effet que Guillaume, ayant résolu de fuir le monde, avait élaboré toute une mise en scène. Il aurait fait célébrer ses fausses funérailles le vendredi saint et serait allé à Jérusalem obtenir le pardon de ses fautes avant de se retirer dans une forêt, près du bourg de Castillon (1). Tout cela sent un peu trop le roman, mais comment savoir ce qui s'est réellement passé ?

Toujours est-il que Guillaume avait disparu, laissant un testament qui, lui aussi, a donné lieu à de nombreuses discussions quant à son authenticité. Ce testament disait notamment : « Je mets mes filles sous la protection de monseigneur le Roi, à qui je donne Aliénor en mariage si mes barons le jugent bon, en léguant à cette chère fille l'Aquitaine et le Poitou. » Le roi de France était Louis VI, le Gros, et son fils héritier n'était pas encore marié. Il est fort probable que la possibilité de cette union avait été envisagée bien auparavant et même que des négociations avaient eu lieu. C'était une bonne affaire pour les Capétiens puisque cela leur permettait de rattacher directement à la Couronne un territoire grand comme dix-neuf de nos départements actuels. Il faut d'ailleurs remarquer que le testament, authentique ou non, ne changeait pas grand-chose à la situation, car d'après l'usage féodal, le roi était tenu, à la mort d'un de ses vassaux dépourvus d'héritier mâle, d'exercer la tutelle sur la fille aînée du défunt. De toute façon, c'est à Louis le Gros qu'il revenait de décider du destin d'Aliénor.

Il ne perdit pas de temps à tergiverser. Il se sentait malade et voulait sans plus tarder régler les affaires de son fils qu'il avait déjà fait sacrer et qu'il avait associé au trône en 1131,

(1) Jusqu'au XVIe siècle, il fut honoré sous le nom de Saint-Guillaume dans le Bréviaire de Bordeaux.

selon la coutume des premiers Capétiens ([2]). Le conseiller du roi, Suger, comprenant qu'il ne fallait pas rater une si belle occasion, pressa le mouvement, et après quelques discussions, après de solides promesses aux évêques d'Aquitaine, le mariage d'Aliénor et de Louis fut célébré le 25 juillet 1137 en la cathédrale Saint-André de Bordeaux. Suger et les plus hautes personnalités du royaume y assistaient.

Il est inutile de préciser que les deux époux se voyaient pour la première fois. Louis avait seize ans et Aliénor quinze, ce qui ne l'empêchait pas, aux dires de l'historien contemporain Guillaume de Neubourg, d'être « fougueuse ». Et Louis, très impressionné par la beauté et le charme d'Aliénor, en devint très amoureux au point de s'en montrer très jaloux par la suite. Quant à Aliénor, le fait qu'elle ait dit et répété par la suite que son époux était « presque un moine » prouve qu'elle ne trouva pas dans ce mariage sinon son épanouissement, du moins ce qu'elle était en droit d'attendre. De toute façon, les mariages des princes sont rarement dictés par le sentiment : celui-ci était parfaitement politique, et de plus très avantageux pour la Couronne, ce qui n'alla pas sans provoquer quelques remous chez les vassaux directs de la duchesse d'Aquitaine. C'est d'ailleurs pourquoi Suger fit partir tout de suite les jeunes mariés de Bordeaux afin d'éviter des incidents.

Quelques jours plus tard, on apprenait la mort du roi Louis VI. Aliénor et le jeune roi furent couronnés duchesse et duc d'Aquitaine le 8 août à Poitiers, comme il était d'usage, et c'est en tant que reine et roi qu'ils firent ensuite leur entrée à Paris.

On peut facilement imaginer les impressions que ressentit Aliénor sous le ciel de l'Ile de France, au milieu d'une population qui parlait un langage rude, dans une cour austère si différente de ce qu'elle avait connu dans sa jeunesse. Pour une Occitane, Paris était encore à un état primitif, presque barbare. Mais elle allait y mettre bon ordre. Elle fit aussitôt venir auprès d'elle des chevaliers aquitains et poitevins, des troubadours aussi, ce qui n'est pas sans avoir une grande influence sur la pensée

([2]) A l'origine, chez les Carolingiens comme chez les Capétiens, la monarchie, en tant que telle, n'était pas héréditaire : le roi, qui était seulement comte de Paris et seigneur de l'Ile de France, héritait de ce seul domaine, mais comme roi, c'est-à-dire suzerain des autres nobles, il était théoriquement élu par ses pairs, d'où cette coutume instaurée par les rois de faire sacrer leur fils de leur vivant.

française, et puis elle imposa un nouveau genre de vie à la cour, de nouvelles modes inspirées de celles du sud, en particulier à propos du vêtement et des distractions.

D'après des témoignages contemporains, on sait en effet qu'Aliénor, pendant les douze années de sa présence à la cour de France, encouragea le luxe et une certaine sensualité. Les hardis décolletés font leur apparition, les corsages des femmes s'échancrent, épousant les formes du corps. Les épaules et le haut des seins se dévoilent. Les étoffes sont choisies avec soin, et les couleurs jettent les feux de toutes leurs nuances, du jaune-souci à la fleur de pêcher en passant par le vert-herbeux. Les hommes rasent leurs barbes « fleuries ». Louis VI lui-même, après beaucoup de réticence, finit par raser la sienne, mais on raconte qu'Aliénor rit beaucoup de le voir glabre.

Aliénor organise des jeux nouveaux. Parmi ceux-ci, on peut remarquer le « Prêtre à confesse » qui s'accompagne de pénitences bizarres et d'expiations joviales, le « Roi qui ne ment », consistant en questions indiscrètes et nécessairement équivoques, le « Jeu du Pèlerin » dans lequel on faisait des offrandes comiques à saint Coisne avec des grimaces destinées à faire rire celui qui tenait le rôle du saint. Ce dernier jeu fut d'ailleurs interdit en 1240 par le synode de Worcester, car en voulant faire rire à tout prix, les mains des joueurs s'égaraient quelque peu.

Mais ces jeux donnent faim. Aliénor se plaît à participer à des collations recherchées où l'on mange des gaufres, des échaudés, des fruits secs venus des rives de la Garonne, des confitures, des gingembres confits qui valent fort cher et qui sont vendus par des marchands vénitiens. Aliénor surprend ses hôtes qui, finalement, prennent goût à ces nouvelles modes et les répandent autour d'eux. On ne dira jamais assez l'influence qu'a eue personnellement Aliénor dans l'évolution des mœurs du Nord, en cette époque du XIIe siècle où la France n'est qu'un royaume théorique en train de chercher sa personnalité. Et comme Aliénor est une raffinée dans tous les domaines, on n'oublie pas les plaisirs de l'esprit : les troubadours viennent vanter aux hommes du Nord, plus préoccupés de chasse et de guerre, les plaisirs de la *fine amor,* autrement dit de l'*amour courtois,* qui est une lente initiation au couronnement des désirs refoulés. On écoute aussi des trouvères qui narrent les aventures de héros de l'ancien temps : mais ces héros ne sont plus les insipides et brutaux personnages de la Geste de Charlemagne, ce sont les héros plus ou moins féeriques de la tradition bretonne. Et le roi Arthur commence à faire son apparition dans des récits qu'on ne comprend pas toujours bien mais qui font rêver un auditoire avide de nouveautés, de bravoure et d'amours étranges. Certes, tout cela est bien sérieux : heureusement, quelques trouvères racontent des *sornettes*, les aventures facétieuses de Renard et de son ennemi Ysengrin, quelques fabliaux où l'on rit aux dépens des femmes et des ecclésiastiques. Il y a toujours quelques relents d'anticléricalisme autour d'Aliénor. Il faut dire que c'est une tradition dans la famille d'Aquitaine !

Et puis, Aliénor ne répugne pas à participer aux fêtes populaires. La reine s'ennuie. Elle fréquente la foire du Lendit et toutes les occasions lui sont bonnes pour se mêler à la foule bruyante et bigarrée qui vit plus dans la rue que dans les maisons, parce que c'est dans la rue, comme en Occitanie, que tout se passe. De plus, comme nous voici en plein essor de la caste des chevaliers, il ne faudrait pas oublier les tournois où ces héros d'un nouveau style acquièrent gloire, réputation ou richesse. Aliénor préside des tournois et y prend un grand plaisir, aux dires des contemporains.

On raconte à ce sujet des anecdotes invérifiables, mais significatives à bien des égards quant à l'influence d'Aliénor et au symbole qu'elle incarne, symbole de sensualité et même de dépravation.

Dans ces tournois, en effet, tous les jeunes gens se disputent l'honneur de combattre pour la jeune reine qui est si belle et qui devient peu à peu le parangon de toutes les vertus et de tous les désirs de bonheur absolu. On dit qu'un jour, elle aurait proclamé : « Celui-là seul sera mon chevalier qui consentira à combattre entièrement nu sous une de mes chemises contre un adversaire bardé de fer. » Bien entendu, un chevalier aurait relevé le défi, un certain Saldebreuil, qui aurait déclaré : « S'il m'en advient trépas, je serai consolé de mourir en votre linge. » Il est évident que ce fétichisme va plus loin que la simple excitation sexuelle. C'est tout un système amoureux qui se dessine à travers cette anecdote, qu'elle soit vraie ou fausse d'ailleurs, ce n'est pas ce qui importe. Saldebreuil se serait donc battu et aurait été blessé. Aliénor l'aurait alors fait transporter dans ses appartements et l'aurait tendrement soigné. Puis, fort en retard au souper, elle aurait fait son apparition, vêtue de façon étrange : la chemise déchirée et sanglante par-dessus sa robe de soirée. Et on ajoute que le roi en fut fort choqué ([3]).

De toute façon, même si le roi était fort amoureux d'Aliénor, l'attitude de celle-ci et de sa suite choquait terriblement les Français du Nord. Comme le dit Reto Bezzola, « à la civilisation cléricale et érudite du Nord, bornée, en dehors du monde de l'Eglise, sans doute à des milieux très restreints, le Sud opposait une civilisation toute profane, dont la mollesse et les extravagances choquèrent toujours le Nord, depuis Louis le Pieux, dont l'Astronome vante l'aversion pour les mœurs détestables d'Aquitaine, jusqu'aux contemporains de Robert le Pieux, si scandalisés par l'accoutrement de la reine Constance » ([4]). Il y avait là une différence fondamentale de sensibilité, un fossé entre deux civilisations.

Mais il ne faudrait pas croire que l'influence d'Aliénor se fit sentir seulement dans les domaines de la mode, des mœurs, de la littérature et des divertissements. On peut prétendre à juste titre, bien que les textes contemporains soient très discrets à cet égard, qu'Aliénor eut une grande emprise sur son mari. Louis VII n'était pas de la même étoffe que son père : il était, malgré les apparences, extrêmement influençable, et la politique qu'il suivit, aux premiers temps de son mariage avec Aliénor, porte indiscutablement la marque de celle-ci. D'abord Louis VII écarta des affaires le moine Suger qui avait été le conseiller et la cheville ouvrière de l'action de Louis VI. La reine-mère fut envoyée se faire voir ailleurs. L'Eglise du Nord, qui avait des prétentions réformatrices, fut priée de mettre un frein à ses désirs. On ne manqua d'ailleurs pas d'accuser Aliénor d'être responsable de cette mise en sommeil à cause de son anticléricalisme personnel et de la longue tradition hostile à l'Eglise qui avait caractérisé la famille d'Aquitaine. Pourtant Aliénor avait des appuis parmi le clergé. On s'en aperçut à propos du mariage de sa sœur

([3]) Il existe une variante de cette histoire : Saldebreuil, chenapan paresseux mais porte-parole des écoliers de Paris, aurait fait un discours de bienvenue à la reine visitant l'Université. Aliénor, très satisfaite et très flattée, lui aurait donné une bourse bien garnie. Au cours du repas qui suivait, on aurait amené l'écolier sur une civière, blessé par un de ses compagnons jaloux de son succès. La reine l'aurait alors soigné avec beaucoup de bienveillance.

([4]) *Romania,* LXVI, p. 160.

Pétronelle. Celle-ci avait accompagné la reine à la cour de France et avait semé la zizanie entre les frères du roi, ceux-ci se la disputant âprement. Mais, en dépit de son âge, elle était singulièrement précoce, et tournant le dos à la jeunesse, elle préféra succomber à l'expérience d'un quinquagénaire, le sénéchal Raoul de Vermandois, qui en plus était borgne et déjà marié. Leur liaison fut l'occasion d'un beau scandale, et comme Pétronelle, vraisemblablement soutenue par sa sœur, ne voulait pas renoncer à son amant, on en vint à envisager la solution du mariage. Aliénor s'arrangea avec quelques dignitaires de l'Eglise, toujours sensibles aux biens matériels : le mariage antérieur de Raoul fut déclaré nul et celui-ci put épouser la belle-sœur du roi.

Déjà en 1141, Aliénor, qui cherchait à faire revivre les prétentions des comtes de Poitou sur les domaines des comtes de Toulouse, avait décidé son mari à entreprendre une expédition contre cette partie de l'Occitanie qui était restée indépendante. L'expédition s'était soldée par un échec, et pourtant Louis VII ne l'avait pas envisagée à contrecœur : cela lui donnait l'espoir de pouvoir étendre davantage les possessions de la Couronne.

Mais le mariage de Pétronelle avec Raoul de Vermandois allait déclencher une autre guerre, avec la Champagne cette fois, car le comte de Champagne, oncle de la première épouse de Raoul, avait considéré la répudiation de celle-ci comme une injure. Louis VII dut faire intervenir ses troupes, et au cours de la campagne de 1143, le roi de France investit Vitry-le-François et incendia la ville, massacrant ainsi de nombreux habitants. Cet événement, qui pesa lourdement sur l'humeur de Louis VII, bourrelé de remords, n'allait pas arranger les choses avec le pape Innocent II et avec saint Bernard, son principal conseiller et son inspirateur. Louis VII eut bien du mal à se tirer d'affaire. Il ne fut vraiment hors de cause qu'après avoir abandonné publiquement la cause de Raoul de Vermandois, et surtout après la mort d'Innocent II en 1144. Mais l'attitude de Louis n'arrangeait pas Aliénor. Raoul de Vermandois était toujours sous le coup d'une excommunication qu'Aliénor essayait de faire lever, et elle insistait pour empêcher toute réconciliation entre son époux et Thibaud, comte de Champagne.

Cette même année, en 1144, eurent lieu des fêtes solennelles à Saint-Denis, lors de l'inauguration et de la consécration du nouveau chœur de l'abbaye, dont Suger, rappelons-le en passant, était l'abbé. Aliénor assista à ces fêtes et elle y rencontra saint Bernard de Clairvaux, l'homme à tout faire des papes, véritable Machiavel ecclésiastique, fouinard et combinard de génie, prêt à tout pour assurer la grandeur du Royaume du Christ (sous-entendez : et d'abord la puissance temporelle de la papauté). Cette rencontre entre Bernard de Clairvaux et Aliénor, telle qu'elle est racontée dans la *Vita Bernardi*, est sans aucun doute capitale. Comprenant que le comportement de Louis VII était dû en grande partie à l'influence de sa troublante épouse, l'abbé de Clairvaux, qui avait des dons de psychanalyste (à l'époque, on disait « directeur de conscience »), s'arrangea pour faire parler la duchesse d'Aquitaine. Et il apprit quelque chose de fort utile : Aliénor se lamentait secrètement que son union avec le roi de France demeurât stérile. En près de sept ans de mariage, elle n'avait eu qu'un espoir de maternité qui s'était terminé par une fausse couche. Elle se demandait avec angoisse si quelque malédiction ne pesait pas sur elle. Bernard de Clairvaux profita habilement de cet état d'esprit : il enjoignit à la reine de ne plus encourager son mari à la révolte : en échange, il implorerait le ciel d'exaucer le désir d'Aliénor de donner le jour à un héritier. Aliénor promit. Un accord fut bientôt conclu entre le roi et le comte de Champagne. Et le plus fort, c'est que les prières de Bernard semblèrent porter leur fruit : en 1145, Aliénor d'Aquitaine mettait un enfant au monde. Le seul ennui, c'est que c'était une fille, Marie, celle qui, par coïncidence ou par calcul, on ne sait, sera plus tard comtesse de Champagne.

Néanmoins, Aliénor avait fait la preuve qu'elle n'était pas stérile. Et ce n'était pas seulement une satisfaction politique, c'était, aux dires des témoins, un vrai bonheur pour elle. Elle en oublia de s'intéresser aux affaires du royaume et se consacra aux joies de la maternité. Louis VII commença un règne plus personnel et écouta plus volontiers les conseils de Suger.

En 1146, l'infatigable Bernard de Clairvaux fit à Vézelay, où s'était rassemblée toute la fine fleur du royaume à l'occasion des fêtes de Pâques, un sermon enthousiaste qui était un appel pour une deuxième croisade. Sans doute, le subtil moine n'eut-il point de peine à persuader le pieux Louis VII que d'aller massacrer les Infidèles musulmans lui assurerait le pardon pour la grave faute qu'il avait commise en massacrant les Chrétiens de Vitry-le-François. Le roi décida donc de se croiser, et dans l'enthousiasme général, de nombreux barons l'imitèrent. Il est vrai que la noblesse de l'époque commençait à voir ses revenus baisser fâcheusement : une croisade, en plus de l'assurance de la rémission des péchés, leur apportait l'espoir de conquérir, sinon de riches domaines, du moins un abondant butin. Et, à la surprise générale, la reine Aliénor décida d'accompagner son époux en Terre Sainte. Elle et le roi renouvelèrent solennellement leur vœu à Saint-Denis, en juin 1147, la veille du départ de l'armée.

On s'est beaucoup interrogé sur cette décision d'Aliénor. On a même été jusqu'à prétendre qu'après avoir séduit tous les chevaliers du royaume, elle voulait éprouver ceux d'Outre-Mer. On a prétendu aussi, qu'étant très amoureuse de Louis, elle ne se résolvait pas à le quitter, mais que témoignant au contraire de son amour pour lui, elle allait ainsi partager les périls auxquels il s'exposerait. Ces touchantes interprétations du geste d'Aliénor seraient certainement intéressantes s'il n'y avait pas un texte du chroniqueur contemporain Guillaume de Neubourg qui est généralement bien informé, et digne de foi. Voici ce que relate Guillaume : « Au moment où allait s'ébranler cette fameuse expédition, le roi, animé d'une fougueuse jalousie à l'égard de sa toute jeune épouse, jugea qu'il ne devait à aucun prix la laisser, mais qu'il convenait à celle-ci de l'accompagner au combat. Cet exemple fut suivi par beaucoup d'autres nobles qui emmenèrent avec eux leurs épouses : et comme celles-ci ne pouvaient se passer de chambrières, une grande quantité de femmes vécut dans le camp chrétien qui aurait dû être chaste ([5]) : de là le scandale qu'offrit notre armée ([6]). »

Or si le roi de France se montrait jaloux de son épouse, c'est qu'il avait quelques soupçons quant à sa légèreté, ce qui ne veut absolument pas dire qu'elle fût coupable. On a, à partir de ce moment-là, affublé la reine de nombreux favoris, sans aucune preuve : cela montre d'ailleurs qu'Aliénor n'était pas tellement aimée d'une certaine catégorie de clercs, ou tout au moins que son attitude offusquait les bonnes âmes toujours prêtes à en rajouter. Il semble, au contraire, que nous n'ayons aucune raison de soupçonner Aliénor de légèreté ou d'infidélité *avant* l'expédition

([5]) Jeu de mots, en latin, entre *castris*, camp et *casta*, chaste.
([6]) Guillaume de Neubourg, I, p. 92-93.

en Orient. Pendant celle-ci, et après, c'est un tout autre problème.

Quoi qu'il en soit, les motivations politiques n'ont pas dû manquer à cette décision qui est celle du roi et non d'Aliénor. Michelet avance l'hypothèse que la présence d'Aliénor était peut-être nécessaire pour assurer la fidélité et l'obéissance des Poitevins et des Gascons, lesquels n'avaient pas toujours accepté l'entrée de leurs pays dans la mouvance française et se considéraient uniquement comme les vassaux de leur duchesse-comtesse. Cela n'a rien d'invraisemblable. De même, la participation des épouses des nobles pouvait encourager ceux-ci à accompagner le roi. Et en tout état de cause, ce ne fut certainement pas, en dépit de tout ce qu'on a pu raconter à ce sujet, une partie de plaisir pour les femmes de l'expédition.

En effet, il fallait d'abord traverser l'Europe centrale. La route était longue, de Metz où s'était rassemblée l'armée jusqu'à Constantinople en passant par Ratisbonne, Belgrade et Andrinople. A Byzance, on put enfin se reposer et profiter de l'invitation de l'empereur Manuel Comnène, hôte empressé, mais obséquieux et quelque peu inquiétant par certains aspects de sa personnalité. C'était un grand amateur de guerre et de tournois, mais également un homme raffiné, passionné de théâtre, de médecine et de théologie. Sa richesse était considérable, et ses mœurs n'étaient pas irréprochables : son ivrognerie n'était que bien peu de chose à côté des parties fines, style Régence, qu'il organisait, et il scandalisait même son entourage par la liaison qu'il affichait avec sa nièce Théodora.

Ce fut là le premier contact d'Aliénor avec l'Orient, un Orient quelque peu dissolu, vestige décadent d'un grand empire, mais malgré tout auréolé d'un prestige inégalable. Qu'on se souvienne des étranges descriptions du *Pèlerinage de Charlemagne*, cette Chanson de Geste qui ressemble davantage, par l'atmosphère et les aventures, à un roman arthurien : on y trouve, vu par des yeux émerveillés, le spectacle de l'Autre-Monde celtique avec ses richesses et ses féeries. Byzance, aux yeux d'Aliénor comme aux yeux du trouvère anonyme, devait revêtir un aspect irréel : c'était comme la matérialisation de tous les rêves et de tous les désirs d'une humanité harcelée par les réalités du quotidien.

La référence au *Pèlerinage de Charlemagne* n'est d'ailleurs pas gratuite : on sait que les Chansons de Geste sont souvent bâties à partir d'un fait historique sur lequel se greffe une aventure qui récupère d'anciens mythes. Or le sujet de départ du *Pèlerinage de Charlemagne* est le suivant : un jour, à Saint-Denis, le roi Charles met sa couronne et demande à son épouse si elle connaît un roi à qui la couronne aille mieux. La reine répond, un peu étourdiment, qu'elle en connaît effectivement. Charles entre dans une violente colère et menace même de décapiter sa femme si elle ne lui révèle pas le nom de son rival. Après bien des discussions, elle déclare que c'est le roi Hugues le Fort qui règne à Constantinople. Alors Charles décide d'aller juger sur place, et en profite pour faire un pèlerinage à Jérusalem.

Ce peut être une simple coïncidence, mais il est certain que le couple royal commença à se disloquer au moment de la Croisade. Quelles ont été exactement les motivations de cette mésentente, laquelle va s'accentuer au cours des mois suivants? Nul ne le sait, ou tout au moins aucun témoin de l'époque n'en a donné de relation valable. L'hypothèse selon laquelle Louis VII aurait emmené Aliénor avec lui à la fois par jalousie et pour lui faire voir par elle-même qu'il était capable de porter dignement la couronne est absolument plausible. Et l'on raconte aussi qu'au concile de Sens qui avait à juger des doctrines d'Abélard, un vieillard nommé Jean d'Etampes avait fait allusion aux Prophéties de Merlin en déclarant qu'Aliénor était le grand aigle dont parlait Merlin, étendant ses deux ailes à la fois sur la France et sur l'Angleterre. Aliénor, si l'anecdote est vraie, ne put qu'être flattée par ces paroles. Mais elle dut se rendre à l'évidence : ce n'était pas Louis VII, brave homme mais quelque peu fallot et dénué d'ambitions, qui lui permettrait d'ajouter une autre couronne à la sienne. D'ailleurs, à cette époque, ne commençait-elle pas à répandre partout le bruit qu'*elle avait épousé un moine et non un homme.* Voilà beaucoup d'éléments qui militent en faveur d'une mésentente croissante entre Aliénor et le roi de France. Il est probable que le séjour à Constantinople n'arrangera pas les choses. Aliénor se retrouvait dans une atmosphère raffinée, plus proche d'elle que celle de la cour de France, et elle devait reconnaître dans cet Orient, tant de fois décrit par les Troubadours, le pays idéal où ses propres ambitions et sa sensualité pouvaient s'exprimer. Le personnage de Manuel Comnène était envoûtant, et s'il est hors de question de conclure à une intrigue entre elle et l'empereur de Constantinople, on peut cependant admettre qu'il fit réfléchir la belle et troublante duchesse d'Aquitaine, et surtout qu'il lui donna l'occasion de faire des comparaisons avec son « moine d'époux ».

Cependant Manuel Comnène n'était pas un roi de l'Age d'Or. Il avait bien trop les pieds sur terre, et la survie de son empire, il la devait en grande partie aux arrangements plus ou moins secrets qu'il lui arrivait de conclure avec les Turcs. Les conseillers de Louis VII avertirent le roi qu'il tramait quelque chose et qu'il était donc urgent de partir. Et en prenant congé de son hôte, Louis VII s'entendit annoncer que l'empereur Conrad d'Allemagne, beau-frère de Manuel, qui s'était déjà lancé dans la Croisade, venait d'obtenir une grande victoire sur les Turcs.

C'était faux. Peu après l'armée du roi de France rencontra les rescapés de l'armée de Conrad. Celui-ci avait été égaré et abandonné par ses guides byzantins en plein désert d'Anatolie et les Turcs avaient eu beau jeu de harceler une armée affaiblie, manquant de vivres et peu habituée à ce climat rude. La preuve était faite que Manuel Comnène trahissait les Occidentaux pour respecter le *modus vivendi* qui sauvegardait l'Empire d'Orient. Louis VII, pour éviter un sort semblable à son armée, décida de prendre un chemin plus long, mais plus sûr. Pendant cette longue marche, on ne sait rien des activités d'Aliénor. C'est pour cela que de nombreux chroniqueurs, ont, par la suite, essayé de combler cette lacune en brodant sur le thème de la « reine-amazone ». On l'a même décrite chevauchant à la tête d'une troupe de femmes vêtues comme elle d'une solide armure, et participant aux combats! En fait, si elle chevauchait, c'était sûrement à l'écart de la troupe guerrière, en compagnie des femmes qui se trouvaient dans l'expédition, et cette cohorte de femmes devait être solidement encadrée et protégée par les Croisés.

On arriva ainsi en Paphlagonie, non loin du Mont Cadmos. C'est alors que se produisit un engagement contre les Turcs, et cela faillit tourner au désastre : l'armée subit de très lourdes pertes et le roi lui-même manqua de peu d'être prisonnier ou d'être tué. Geoffroy de Rancon, qui commandait l'avant-garde, s'était éloigné prématurément du gros de la troupe, permettant ainsi aux Turcs d'attaquer en profitant d'une meilleure situation stratégique. Or Geoffroy de Rancon était un chevalier saintongeais, vassal d'Aliénor. Il n'en fallut pas plus aux mauvaises langues pour prétendre que tout cela était la faute de la reine. Certains racontèrent que c'est elle-même qui avait donné à

Geoffroy l'ordre de s'éloigner. D'autres précisent même que Geoffroy était le favori inséparable de la reine et qu'il lui était tout dévoué. En réalité, d'après les témoins oculaires de l'événement, personne ne sut exactement ce qui s'était passé, mais on peut voir dans ces interprétations un effet de la malveillance des auteurs à l'égard d'Aliénor, ceux-ci s'acharnant à la montrer comme une Messaline de bas étage et une femme incapable de prendre des décisions valables.

Le désastre de Cadmos fit réfléchir Louis VII. On ne pouvait se fier aux Byzantins, toujours prêts à trahir. La route par voie de terre était périlleuse. Il décida donc que l'armée emprunterait la voie maritime pour aller jusqu'à Antioche. Et c'est le 19 mars 1148 qu'Aliénor et Louis VII abordèrent au petit port de Saint-Siméon, qui était comme le Pirée d'Antioche.

Là ils furent accueillis par une vieille connaissance d'Aliénor, son oncle Raymond de Poitiers, devenu, après des aventures plutôt rocambolesques et un mariage de circonstance, le maître tout-puissant de la Principauté d'Antioche.

Louis VII et Aliénor ne restèrent que dix jours à Antioche, mais il semble bien que ces dix jours aient constitué un moment capital de leur existence et qu'ils aient eu des répercussions inattendues sur la vie politique européenne. C'est également à Antioche que la réputation de la reine fut définitivement mise à mal. Mais tout cela baigne dans le mystère le plus complet : nous n'avons guère que des allusions, quelques phrases rapportées, et beaucoup de légendes qui, si elles se développèrent par la suite, n'en sont pas moins révélatrices de certaines réalités historiques.

On se souvient de l'attirance qu'éprouvaient l'un pour l'autre Raymond de Poitiers et Aliénor. De là à imaginer ces retrouvailles plus intimes qu'il ne le fallait, il n'y avait qu'un pas, qui a été vite franchi, mais sans preuve. Pourtant, tout n'est pas clair dans cette période d'Antioche. Et d'abord pour des raisons politiques et militaires.

Le but avoué de Louis VII était d'aller en pèlerinage à Jérusalem, c'était pour cela qu'il s'était croisé. Mais Raymond avait d'autres intérêts. Dès les premiers entretiens qu'il eut avec le roi de France, voulant profiter des renforts de troupe que lui offrait l'armée française, il essaya de le convaincre de négliger Jérusalem pour l'instant et de concentrer tous les efforts militaires contre Alep et Hama. Son argumentation, passée au crible de la critique historique, ne manquait pas de sagesse. Alep et Hama, forteresses turques placées à des points stratégiques de la Terre Sainte, constituaient des dangers réels, non seulement pour la principauté d'Antioche, mais pour tous les royaumes chrétiens. Prendre Alep et Hama aurait donc consolidé considérablement la puissance franque au Moyen-Orient et aurait certainement permis une longue période de paix. Mais Louis VII ne voulut rien entendre, et ses conseillers non plus. Il voulait aller à Jérusalem le plus tôt possible. Il est probable que le massacre de Vitry pesait lourdement sur la conscience du roi de France.

Mais Raymond, ne pouvant faire entendre raison à Louis VII, se tourna vers Aliénor qu'il sut certainement convaincre du bien-fondé de son plan. C'est évidemment à ce moment-là qu'on commence à parler d'une intrigue entre l'oncle et la nièce. Quoi qu'il en soit, Aliénor entreprit immédiatement d'essayer de convaincre son époux d'accepter ce que proposait Raymond. Louis VII s'obstina et se mit même en colère. Il faut dire qu'il écoutait beaucoup les conseils d'un de ses secrétaires, Thierry Galéran, qui avait déjà été le conseiller de son père, le roi Louis VI. Or. Aliénor haïssait Thierry Galéran et lui décochait souvent des réflexions méchantes et quelque peu déplacées, car Thierry était eunuque. Mais il le lui rendait bien, et il suffisait qu'Aliénor proposât quelque chose pour que Thierry dît immédiatement le contraire. C'est de là que date véritablement la brouille entre Louis VII et Aliénor, quelles qu'en aient été les motivations intimes. Car Aliénor, furieuse de ne pas être écoutée, déclara qu'elle resterait à Antioche avec ses propres vassaux et qu'elle ne suivrait pas son époux à Jérusalem avant d'avoir réalisé le projet de Raymond. Le ton ne pouvait que monter. Louis déclara à Aliénor que son devoir d'épouse était de le suivre partout où il irait. Et le roi de France s'entendit alors répliquer vertement qu'en fait de droit d'époux il devrait réfléchir un peu plus : Louis et elle ne pouvaient plus vivre ensemble parce qu'ils étaient parents à un degré prohibé par les lois canoniques, et que leur mariage était donc entaché de nullité.

C'était parfaitement exact, du moins si on prenait les lois canoniques à la lettre, ce qu'on ne faisait généralement que lorsqu'on voulait annuler un mariage. L'Eglise a toujours été accommodante, et il y avait des dispenses faciles à obtenir. De plus, Aliénor et Louis étaient parents au neuvième degré, ce qui n'était pas un empêchement insurmontable. Mais pourquoi, furieuse, et à bout d'arguments, Aliénor avait-elle lancé cette menace sur le roi? Comment n'y avait-elle pas pensé plus tôt? Et surtout, pensait-elle vraiment à ce qu'elle disait?

Sur ce dernier point, il semble bien que la réponse doit être affirmative. Et les auteurs d'ajouter des légendes à propos de l'amour qu'elle aurait eu pour le sultan Saladin — qu'elle n'avait jamais vu — à cause de sa bravoure et de ses grandes qualités. On reconnaît là un des thèmes les plus fréquents de la poésie des troubadours, celui de l'*Amour lointain,* si bien chanté par Jauffré Rudel et quelques autres. On ajoute même qu'elle aurait donné rendez-vous à Saladin pour qu'il vînt l'enlever, et que le roi Louis VII, prévenu à temps, aurait devancé son rival et enlevé lui-même sa femme.

Tout cela est ridicule. A l'époque, Saladin n'avait que dix ans. Il ne pourrait s'agir que du sultan Nour-ed-Din, et en toute logique, ce serait hautement improbable, et de plus contradictoire avec la liaison supposée d'Aliénor avec Raymond de Poitiers. En fait, on a essayé de *salir* le plus possible la reine de France à ce moment-là. Mais comme il n'y a pas de fumée sans feu, il faut admettre que le problème du divorce s'est posé en termes précis et clairs à Antioche, au cours du séjour du couple royal. *Il s'est nécessairement passé quelque chose.* La jalousie et l'empressement de Louis VII à quitter Antioche en font foi. Et les légendes concernant Aliénor ne sont pas dues au hasard. On doit donc conclure que la brouille entre Louis et Aliénor (le roi pensa un moment se séparer de son épouse et ce fut Thierry Galéran qui l'en empêcha, lui représentant le scandale qui s'ensuivrait) est survenue à Antioche en juin 1148, à cause, d'une part, de divergences de vues politiques et militaires, d'autre part, de relations adultères que la reine a pu avoir, mais on ne sait avec qui, probablement son oncle Raymond de Poitiers, prince d'Antioche (7).

(7) Voici ce que dit l'historien le plus impartial de l'époque, Jean de Salisbury : « La familiarité du prince (Raymond) auprès de la reine, et ses entretiens fréquents avec elle, presque sans interruption, donnèrent des soupçons au roi. » Guillaume de Tyr va plus loin. Il écrit en 1180 : « Dès que Raymond vit qu'il n'aboutissait à rien, il changea de propos et se mit ouvertement à tendre des embûches au roi. Il se proposa en effet d'enlever, soit de force, soit par d'obscures intrigues, l'épouse de celui-ci, *laquelle y consentait :* elle était du nombre des femmes folles. Oui, dis-je,

Une page d'histoire est tournée, même si le scandale n'éclate pas. Louis de France emmène son épouse Aliénor vers Jérusalem. L'armée franco-occitane, mal dirigée, mal conseillée, et surtout commençant à perdre confiance, s'épuise en luttes stériles contre les Damasquins qui auraient pu être les alliés des royaumes latins. La suite des événements allait donner raison à Raymond de Poitiers et le danger musulman fut plus que jamais redoutable. Conrad, l'empereur d'Allemagne, rembarqua dès le 8 septembre 1148, sans avoir rien pu faire. Louis insista, ne voulant pas admettre l'incohérence de sa stratégie. Ne pouvant s'appuyer sur les Byzantins qui, au lieu de fournir aux Croisés le reste de leur flotte, l'avaient purement et simplement livré aux Turcs, il fit alliance avec le roi de Sicile, Roger, lequel était d'ailleurs l'ennemi acharné de Raymond de Poitiers. Mais les résultats furent bien maigres : la seconde Croisade se terminait sur un échec, et cette expédition avait pourtant coûté bien des vies humaines.

Le roi de France repartit à Pâques 1149. Mais il ne voyagea pas dans le même navire qu'Aliénor, ce qui peut être très significatif. La traversée ne fut pas de tout repos, car la flotte française se trouva en plein cœur du conflit qui opposait alors Roger de Sicile à Manuel Comnène. Le vaisseau de la reine fut capturé par les Byzantins, qui, enchantés de leur prise et voulant se servir d'Aliénor comme otage, cinglèrent vers Constantinople. Mais les Normands de Sicile délivrèrent la reine et la firent débarquer à Palerme. Le roi, lui, avait atteint un port de Calabre. Les deux époux se retrouvèrent en Sicile où ils furent reçus avec beaucoup d'honneur par le roi normand. C'est là qu'ils apprirent la mort de Raymond de Poitiers, tué le 29 juin précédent, à Maaratha, dans

---

c'était une femme inconsidérée, ainsi qu'elle le manifesta *et avant et après cela* de façon évidente. Contrairement à la dignité royale, elle fit peu de cas des lois du mariage et elle oublia le lit conjugal. » L'accusation est nette. Il faut savoir que Guillaume de Tyr, comme tous les Anglais, haïssait Aliénor, et en écrivant cela en 1180, au moment où Aliénor était enfermée par le roi Henry II, il ne pouvait qu'être agréable à celui-ci. Mais enfin, cet archevêque, généralement bien informé, n'aurait pas osé accuser aussi ouvertement l'ex-reine de France devenue reine d'Angleterre d'adultère répété (*et avant et après cela*) si la conduite d'Aliénor avait été irréprochable. Quant à l'historien Gervais de Tilbury, qui est plus tardif, il est plus prudent. Mais sa prudence en dit long : selon lui, la brouille entre Louis VII et Aliénor provint de « certaines choses qui arrivèrent pendant ce voyage et *qu'il est préférable de taire* ». De toute façon, ce mystère qui entoure l'événement n'a fait qu'exciter les commentaires et préparer la voie à toutes les légendes concernant Aliénor.

un combat contre Nour-ed-Din. Puis le couple royal fit route à travers l'Italie.

Cependant Aliénor tomba malade au cours de ce voyage et l'on dut s'arrêter à Monte-Cassino. Ce n'est que vers la mi-octobre que le couple royal put être reçu par le pape Eugène III, qui tenait alors sa cour à Tusculum. Le pape avait été tenu au courant par Suger des démêlés conjugaux de Louis et d'Aliénor, et il fit tout pour réconcilier les époux, faisant bien comprendre que leur consanguinité était très éloignée et que l'Eglise se montrait tolérante à cet égard. Il semble que le pape ait réussi, du moins provisoirement, à rétablir la paix entre Louis et sa turbulente épouse ([8]). Là encore, une Chanson de Geste, *Girart de Roussillon,* transpose cette scène de réconciliation. L'auteur anonyme de cette chanson était originaire de l'Angoumois et vivait dans l'entourage d'Aliénor. Il est à peu près certain qu'il a pris la reine-duchesse comme modèle de l'épouse de Charlemagne que celui-ci pense à répudier : il en est détourné par le pape. La similitude est trop frappante pour qu'il s'agisse d'une coïncidence ([9]). Et de toute façon, peu après leur retour en France, en 1150, Aliénor donna naissance à une deuxième fille qu'on appela Aélis ([10]).

([8]) Voici ce que rapporte Jean de Salisbury à ce sujet : « Quant à la querelle qui avait pris naissance à Antioche entre le roi et la reine, le Pape l'apaisa après avoir écouté séparément les doléances des deux époux. Il leur interdit de faire davantage allusion à quelque parenté existant entre eux et, confirmant leur union tant oralement que par écrit, il défendit sous peine d'anathème d'écouter quiconque se prévaudrait de cette parenté pour critiquer leur mariage. Ce mariage ne devait être rompu sous aucun prétexte. Cette décision parut plaire infiniment au roi. Le pape les fit coucher en un même lit, orné de très précieuses étoffes par ses soins. Pendant les quelques jours qu'ils demeurèrent là, il travailla, par des entretiens privés, à faire renaître leur mutuelle tendresse. Il les combla de cadeaux, et quand ils prirent congé, cet homme plutôt austère ne put retenir ses larmes. A leur départ, il bénit leurs personnes et le royaume de France » (*Historia Pontificalis,* p. 537). On peut en conclure que le désaccord entre Louis et Aliénor devait être particulièrement grave, puisque le pape en personne intervenait en médiateur et confirmait l'union malgré la consanguinité canonique.

([9]) « Le pape en jure par le dieu du ciel : tu ne peux trouver meilleure femme, ni pour l'intelligence, ni pour la beauté, ni pour l'allure. Va donc, prends ta femme et que Dieu te donne joie par elle » (*Girart de Roussillon,* v. 385-388). On peut lire à ce sujet la très intéressante thèse de René Louis, *De l'Histoire à la Légende, Girart, comte de Vienne,* tome I, p. 370, notamment.

([10]) Les chroniqueurs ne donnent pas de date pour la naissance d'Aélis. Certains ont avancé qu'il pouvait s'agir d'un fruit adultérin, mais cette opinion ne tient pas : le Pape n'aurait pas réconcilié Louis avec une Aliénor enceinte des suites d'un

Cependant les choses ont bien changé pour Aliénor. Ce n'est plus la jeune reine triomphante et agissante d'autrefois. Il est probable que Louis la tient à l'écart de toutes les affaires du royaume. D'ailleurs le roi est retombé entièrement sous la coupe de l'abbé Suger, justifiant ainsi la parole de son épouse : « J'ai épousé un moine! » Et puis, le choc a été très dur. Si le couple royal est apparemment uni, les blessures ne sont pas guéries, ni d'un côté, ni de l'autre. Aliénor a tout son temps pour méditer : les rives de la Seine ne sont pas les rives de l'Oronte, et l'austérité de la cour de France ne peut soutenir la comparaison avec les fastes de l'Orient, que ce soit de Constantinople ou d'Antioche. Mais Raymond de Poitiers est mort. Les rêves de la reine ne correspondent pas à la réalité du moment. Que se passe-t-il exactement dans l'esprit d'Aliénor? Il est bien difficile d'affirmer quoi que ce soit, mais on peut être sûr que la reine est alors une femme déçue par la vie.

Or, en janvier 1151, Louis VII devait perdre son conseiller, l'abbé Suger. L'Histoire reconnaît l'importance de ce personnage et son rôle éminent sous les règnes de Louis VI et de Louis VII. Il a tout fait pour la grandeur des Capétiens auxquels il avait voué sa vie en même temps qu'au service de Dieu. Homme intègre et intelligent, il avait toujours su discerner où était l'intérêt du royaume, et cela sans aucune compromission. Suger disparu, Louis VII était livré à lui-même. En réalité, le roi de France n'était rien sans l'abbé de Saint-Denis, et la suite des événements allait le montrer.

L'été 1151 fut l'occasion d'un procès à la cour de France, procès dans lequel l'accusé était Geoffroy Plantagenêt, comte d'Anjou, qui avait acquis, en 1144, la couronne ducale de Normandie. Pendant que le roi était encore à la Croisade, il avait mis la main sur un officier royal, Giraud Berlay, et refusait de le libérer bien qu'il fût sous le coup d'une excommunication pour faute grave envers son suzerain, le roi de France. Il était venu à la cour du roi, accompagné de son fils Henry, alors âgé de 18 ans, et en imposa à tous par sa beauté — on le surnommait Geoffroy le

---

amour coupable. Il faut plutôt admettre que l'enfant fut conçu à Tusculum au moment de la réconciliation bénie par Eugène III, réconciliation qui, on le sait, n'eut guère de profondeur.

Bel —, par sa ténacité et aussi par sa violence. Bernard de Clairvaux s'entremit et réussit à faire la paix entre Louis VII et son turbulent vassal. Giraud Berlay fut libéré et Henry prêta hommage pour le duché de Normandie. Aliénor participa à cette cour exceptionnelle où elle vit pour la première fois le futur roi d'Angleterre. Geoffroy, elle le connaissait déjà pour l'avoir rencontré à la Croisade, et les mauvaises langues ajoutaient qu'elle ne le connaissait que trop bien. Il est vrai que Geoffroy le Bel correspondait fort opportunément à l'idéal masculin d'Aliénor : c'était un aventurier intransigeant et arriviste qui, encore adolescent, avait épousé la fille du roi d'Angleterre, Mathilde, qu'on appelait toujours l'*Impératrice* parce qu'elle était veuve de l'empereur d'Allemagne Henry V. Mathilde, de quinze ans plus âgée que Geoffroy, avait une personnalité exceptionnelle, et continuait à réclamer le trône d'Angleterre dont s'était emparé son cousin Etienne, comte de Blois, petit-fils de Guillaume le Conquérant. Cela n'allait pas sans troubles en Angleterre, et les partisans de l'une et de l'autre se livraient une véritable guerre civile, quelque peu attisée par le roi de France, qui, après avoir respecté une stricte neutralité, venait de prendre parti pour Etienne de Blois qu'il jugeait plus docile.

L'épisode de la visite des deux Plantagenêt à Paris est importante sur le plan politique puisqu'il réglait une situation difficile. En capitulant devant le roi de France, le comte d'Anjou avait désormais les mains libres en Angleterre, et l'alliance de fait entre Louis VII et Etienne de Blois devenait immorale, Louis VII n'ayant plus rien à reprocher à son vassal repenti. Mais cet épisode a dû jouer un rôle encore plus important dans la vie d'Aliénor, et par conséquent dans la vie des deux royaumes de France et d'Angleterre. Car plusieurs témoignages font état d'une préméditation d'Aliénor quant à son mariage futur avec Henry Plantagenêt. Et ces mêmes témoignages nous font comprendre que la rencontre d'Aliénor avec le jeune Henry provoqua chez elle une forte impression ([11]). Cela n'empêcha pas Aliénor et le roi d'entreprendre une grande randonnée à travers leurs Etats. Mais les chroniqueurs insistent sur l'atmosphère tendue qui régnait

([11]) Guillaume de Neubourg écrit que, dégoûtée de son mari, Aliénor se mit à songer qu'une union avec Henry conviendrait mieux à son tempérament.

entre les époux et reparlent de la jalousie du roi à l'égard de sa femme ([12]).

C'est au début de l'automne qu'ils apprirent la mort de Geoffroy le Bel, disparu prématurément d'une maladie contractée après un bain pris dans le Loir un jour de grande chaleur. C'est Henry qui recueillait l'héritage angevin en même temps que le duché de Normandie et les prétentions à la couronne d'Angleterre. Poursuivant leur voyage, Louis VII et Aliénor tinrent la cour de Noël 1151 à Limoges, et celle de la Chandeleur 1152 à Saint-Jean-d'Angély, sur les territoires de la duchesse d'Aquitaine. A lire les témoignages de cette époque, on a l'impression d'assister à une liquidation en bonne et due forme. En effet, le roi relève toutes les troupes qu'il a placées en Aquitaine comme pour faire place nette à celles de la duchesse. Et un mois à peine après leur retour, la nouvelle parcourt tout le royaume : un concile est assemblé à la hâte à Beaugency, en Orléanais, afin de se prononcer sur la nullité du mariage du roi et de la reine de France.

De toute évidence, Aliénor et Louis VII avaient décidé depuis longtemps de se séparer. Il est même hautement probable que c'est Aliénor qui a pris l'initiative de cette séparation. Suger n'était plus là pour plaider la conciliation et faire comprendre au roi tout ce qu'il pouvait y avoir de suites fâcheuses à cette séparation. D'autre part, l'entourage du roi haïssait Aliénor et l'accusait plus ou moins ouvertement de mener une vie dissolue; cela ne pouvait qu'influencer le faible Louis VII, déjà profondément mortifié par ce qui s'était passé, et superstitieusement inquiet parce qu'Aliénor ne lui avait pas donné d'héritier mâle. Et puis, en dépit de l'interdiction faite par le pape Eugène III d'utiliser le motif de la consanguinité, la crainte d'un scandale étant toujours possible, vu le caractère d'Aliénor, le roi se laissa, semble-t-il, aisément convaincre. Il fallait donc obtenir l'annulation du mariage puisque aucun autre moyen légal de séparation n'existait.

Le concile s'assembla le 21 mars 1152. Y participaient de nombreux prélats, et non des moindres, en particulier les archevêques de Rouen, de Sens et de Bordeaux, avec leurs suffragants, et une assez grande quantité de barons. Il est piquant de constater que l'archevêque de Bordeaux, Geoffroy du Lau-

([12]) Par exemple l'auteur de la Chronique de Tours.

roux, était le même que celui qui, quinze ans plus tôt, avait béni l'union qu'il s'agissait maintenant de déclarer nulle ([13]). Le procès se déroula selon les formes, mais bien entendu, il y eut complaisance de la part des témoins qui affirmèrent tous par serment la consanguinité. Même si la chose était vraie, on peut s'étonner d'une telle franchise aussi tardive et surtout fort bien orchestrée ([14]). Personne ne tint compte des paroles prononcées en 1149 par le pape Eugène III. On dit d'ailleurs que Bernard de Clairvaux, lequel avait une grande influence sur le pape, lui-même cistercien, avait, en désespoir de cause, autorisé le roi à demander cette annulation ([15]). Les débats furent de courte durée et la nullité du mariage proclamée, avec cette restriction que les deux filles qu'avaient eues Aliénor étaient reconnues officiellement comme enfants légitimes ([16]).

Aliénor ne perdit pas de temps. Aussitôt l'acte officiel rédigé et signé, elle abandonna, avec beaucoup d'indifférence, semble-t-il, ses deux filles âgées de sept ans et de dix-huit mois, quittant la cour pour ses domaines aquitains qu'elle récupérait intégralement puisque son mariage avait été déclaré nul. Elle était enfin libre, comme elle l'avait voulu, mais pour combien de temps?

En effet, le voyage qu'elle fit de Beaugency à Poitiers ne fut pas de tout repos. Elle n'avait emmené avec elle qu'une petite escorte et avait décidé de faire halte à Blois pour se reposer. On était à la veille des Rameaux. Or, en pleine nuit, elle donna le signal d'un départ précipité mais discret. Elle venait d'apprendre que le comte de Blois, Thibaud V, plus connu sous le nom de Thibaud le Tricheur, avait fait le projet de l'enlever et de l'épouser de

([13]) Avant d'accuser celui-ci de duplicité ou de vénalité, il faut se souvenir que dans le cas d'un mariage, l'Eglise n'est pas *parti actif :* le prêtre se contente d'être le témoin du sacrement que se donnent les deux époux, il enregistre leur consentement et bénit leur union, c'est tout. Cela permet d'arguer de la bonne foi de tout le monde, mais c'est surtout un souvenir des premiers temps du Christianisme où le mariage n'a été que toléré par l'Eglise.

([14]) Gervais de Canterbury parle d'un « serment bien spécieux ».

([15]) Il est probable que Bernard de Clairvaux s'inquiétait de voir le roi de France sans descendance mâle. On peut aussi parler de craintes de la part de l'Eglise : Aliénor, selon Robert de Thorigny, abbé du Mont Saint-Michel, qui fut l'intime de Louis VII et de Henry II, avait prémédité de partir avec Henry. Il fallait donc éviter le scandale à tout prix.

([16]) En vertu de la bonne foi de Louis et d'Aliénor qui s'étaient mariés soi-disant dans l'ignorance de leur consanguinité.

force [17]. Il est inutile de dire que ce projet de Thibaud était motivé non pas par l'amour qu'il portait à la duchesse d'Aquitaine, mais par l'ambition qu'il avait de s'approprier de vastes domaines : Aliénor devenait un parti intéressant.

Le retour vers Poitiers devenait donc une fuite. Rendue prudente par ce qui avait été comploté à Blois, elle envoya des éclaireurs pour s'informer. Elle avait été bien inspirée : elle apprit ainsi qu'une véritable embuscade était tendue pour elle à Port-de-Piles, à l'endroit même où elle comptait franchir la Creuse. Cette fois, l'instigateur de l'embuscade était Geoffroy d'Anjou, second fils de Geoffroy le Bel, frère d'Henry Plantagenêt, un garçon de seize ans, ambitieux et violent, qui, déçu de ne pas avoir recueilli l'héritage paternel, aurait bien voulu devenir comte de Poitiers et duc d'Aquitaine. Aliénor déjoua le plan en franchissant la Vienne à gué, en aval du confluent avec la Creuse, et brûla les étapes pour atteindre Poitiers. Là, au milieu de ses fidèles, elle ne risquait plus rien des entreprises de ses éventuels soupirants.

On aurait pu croire qu'Aliénor allait profiter de sa liberté et régir ses immenses territoires comme elle l'entendait, profitant en cela de l'expérience de reine qu'elle avait vécue. A vrai dire, elle le fit, s'intéressant à tout ce qui se passait en Aquitaine et en Poitou, confiant des tâches bien définies à certains de ses vassaux. Mais en même temps, elle dépêchait des messagers vers une destination inconnue et recevait des émissaires venus on ne savait d'où. Le secret de toutes ces manigances fut en tout cas fort bien gardé. Le voile ne fut levé que le 18 mai 1152 : moins de deux mois après l'annulation de son mariage avec le roi de France, Aliénor, comtesse de Poitiers et duchesse d'Aquitaine, épousait solennellement à Poitiers son cadet de onze ans, Henry, comte d'Anjou et duc de Normandie.

Aliénor s'était bien gardée de demander l'autorisation de ce mariage à son suzerain légitime, comme il eût été légal de le faire. Mais il est probable que son ex-mari s'y serait farouchement opposé. Et quand Louis VII apprit la nouvelle, il comprit alors les raisons de l'attitude d'Aliénor, mesurant du même coup l'immensité de l'erreur qu'il avait commise en donnant à sa

[17] Thibaud V de Blois était le second fils de ce Thibaud de Champagne avec lequel Aliénor avait eu des ennuis à propos du mariage de sa sœur Pétronelle. Détail piquant : plus tard, Thibaud « le Tricheur » épousera Aélis de France, la deuxième fille d'Aliénor.

femme sa liberté. L'Aquitaine et le Poitou, un instant unis à la couronne de France, échappaient pour de bon à la mouvance capétienne, et les mânes de Suger devaient en frémir dans la tombe de celui-ci.

La rapidité du remariage d'Aliénor peut surprendre comme elle a surpris les contemporains. En fait, nous savons maintenant, par des témoignages formels, que c'est dans cette intention qu'Aliénor avait demandé l'annulation de son premier mariage. Il est plus que probable qu'elle avait eu des contacts avec Henry Plantagenêt à Paris, lorsque celui-ci y était venu, l'année précédente, avec son père Geoffroy le Bel. Tout avait été agencé par elle dans ce but ([18]). Aliénor était certainement très amoureuse d'Henry qui était un fort bel homme correspondant exactement à l'idéal masculin qu'elle avait imaginé. Ce fut incontestablement, de sa part, un mariage d'amour en même temps qu'un savant calcul : elle espérait bien jouer le premier rôle auprès de cet homme plus jeune qu'elle et son ambition personnelle rejoignait celle d'Henry qu'elle savait prêt à tout pour conquérir de nouveaux domaines. Quant à Henry, même si on ne peut à proprement parler qualifier son union avec Aliénor de mariage d'amour, il faut cependant dire qu'il dut être très sensible au charme de la duchesse, dont la beauté est vantée par tous ses contemporains. Et à défaut de mariage d'amour, le Plantagenêt avait une épouse très belle et qui lui apportait tout le sud-ouest du royaume, ce qui, ajouté à ses propres domaines, faisait bien le quart de la France actuelle.

Il ne faut cependant pas négliger le fait que, malgré son âge, Henry Plantegenêt était un homme remarquable. Physiquement rude et viril, infatigable, habile à la chasse et au combat, il était tout le contraire de Louis VII, plus fragile et davantage préparé à la vie monastique qu'à une existence de chef temporel. Cela n'empêchait pas Henry d'être « clerc jusqu'aux dents ». C'était un fin lettré. Il connaissait le latin et plusieurs langues, dont

([18]) « Aliénor envoya secrètement au duc (Henry Plantagenêt) des messagers pour lui annoncer qu'elle était redevenue libre, le pressant de contracter mariage avec elle. On disait en effet que c'était elle, par son habileté, qui avait obtenu cette répudiation pleine d'artifice. Le duc, séduit par la noblesse de cette dame, et surtout envahi du désir de posséder les honneurs qui relevaient d'elle, sans hésiter davantage, prit avec lui seulement quelques compagnons, suivit les chemins les plus courts, et, au bout de très peu de temps, il réalisa ce mariage qu'il avait, déjà auparavant, hautement désiré » (Gervais de Canterbury).

l'occitan. Il protégeait les arts et les lettres, et toute sa vie, il fut entouré de poètes et d'écrivains de grande valeur. Il aimait beaucoup la poésie des troubadours, et il n'y a pas de doute qu'Aliénor se sentit près de lui mieux à sa place dans une société plus raffinée et plus intellectuelle qu'à la cour de France. D'ailleurs, dès son mariage avec Henry, on voit la littérature occitane envahir l'Anjou, la Normandie et l'Angleterre, où elle aura d'ailleurs les plus heureux effets sur les littératures de ces pays. Sur tous ces plans, les deux nouveaux époux étaient parfaitement d'accord. Quant au caractère, si Aliénor était ambitieuse, intelligente, habile en politique, douée d'une redoutable tenacité, Henry ne l'était pas moins. Mais en plus, il avait un caractère autoritaire qui allait jusqu'à la violence et à la colère la plus irréfléchie. Il allait le montrer plus tard dans de nombreuses occasions. Bref, on peut dire qu'Aliénor avait trouvé en Henry Plantagenêt un partenaire à sa taille. Et, en conséquence, la vie du couple allait être secouée de crises à la mesure de la personnalité de chacun.

Aliénor distribua des faveurs à tous ceux qui avaient été ses fidèles serviteurs au temps où elle était reine de France, tel son oncle Raoul de Faye, frère du vicomte de Châtellerault ou Saldebreuil de Sanxay (que les mauvaises langues ajoutent à la liste de ses amants), connétable d'Aquitaine, qu'elle nomma sénéchal ([19]). Elle fit aussi en sorte de confirmer aux abbayes toutes les donations qu'elle avait faites en tant que reine de France. Huit jours après son mariage, elle se rendit à l'abbaye de Montierneuf, et le lendemain à l'abbaye de Saint-Maxent où elle fit commencer l'acte de donation par ces mots : « Moi, Aliénor, par la grâce de Dieu duchesse d'Aquitaine et de Normandie, unie au duc de Normandie, Henri, comte d'Anjou ([20]). » Puis, quelques jours plus tard, elle s'arrêta à l'abbaye de Fontevrault,

([19]) *Senescallus,* l'Ancien, par opposition au *Senior,* le plus âgé, c'est-à-dire le Seigneur. C'est une fonction assez peu précise à cette époque. En fait il s'agit surtout d'une marque d'honneur donnée à un noble familier.

([20]) On remarquera le peu de cas qu'elle fait du roi de France, son suzerain légitime puisqu'elle prétend — comme le duc de Bretagne — détenir son pouvoir de Dieu seul et non de l'octroi d'un fief par le souverain. Le reste de l'acte est assez significatif. Elle veut enterrer définitivement le passé et agir comme une nouvelle bienfaitrice : « Quand j'étais reine avec le roi de France, le roi a fait don du bois de la Sèvre à l'abbaye, et j'ai, moi aussi, donné et concédé ce bois. Mais, depuis que je suis séparée du roi par le jugement de l'Eglise, j'ai repris pour moi le don que j'en qui fut toujours son sanctuaire de prédilection et où elle sera enterrée.

Cette abbaye de Fontevrault, fondée par l'ermite breton Robert d'Arbrissel, était un monastère double d'hommes et de femmes, à l'image de ces monastères irlandais qui avaient fait la grandeur spirituelle et intellectuelle du monachisme celtique, tel celui de Kildare. Et qui plus est, Fontevrault était placé sous l'autorité d'une abbesse qui régissait aussi bien les hommes que les femmes. Cela n'était pas pour déplaire à Aliénor, dont le comportement a toujours été quelque peu féministe avant la lettre. Au moment où elle fut reçue à Fontevrault, l'abbesse, traditionnellement une veuve ([21]), était Mathilde d'Anjou dont l'époux, Guillaume Adelin, fils et héritier du roi d'Angleterre Henri Beauclerc, était mort tragiquement lors du naufrage de *la Blanche Nef* en 1120 ([22]). Mathilde accueillit chaleureusement la nouvelle épouse du duc de Normandie, et celle-ci confirma, par une charte, tous les dons que son père, le duc Guillaume X, et son premier époux avaient octroyés à l'abbaye ([23]).

avais fait. Et sur le conseil d'hommes sages, et à la prière de l'abbé Pierre, ce don que j'avais fait d'abord comme à regret, je le renouvelle aujourd'hui de mon plein gré... »

([21]) L'idée était que l'abbesse devait être la *mère* de tous les moines et de toutes les moniales : par conséquent une veuve, ayant eu des enfants, semblait la mieux placée pour gérer matériellement et psychologiquement cet ensemble mixte. L'origine de cette coutume est typiquement celtique et trouve son épanouissement dans la tentative du XIIe siècle de redonner à la Femme son autorité morale et sa personnalité entière. Il ne faut pas oublier que c'est le siècle qui a vu la naissance de l'Amour Courtois, sorte de divinisation de la Femme, et Aliénor est en grande partie responsable du succès de cet état d'esprit, à la fois par son attitude personnelle et par les encouragements qu'elle prodigua aux troubadours et aux poètes du nord.

([22]) Au cours d'une traversée de Normandie en Angleterre, tous les enfants du roi d'Angleterre périrent dans ce naufrage. Henri Beauclerc ne s'en remit jamais. C'est alors que Mathilde reprit le voile à Fontevrault où elle se trouvait déjà dans sa jeunesse.

([23]) « Après avoir été séparée, pour cause de parenté, de mon seigneur, Louis, le très illustre roi de France, et avoir été unie par le mariage avec mon très noble seigneur, Henry, comte d'Anjou, touchée par une inspiration divine, j'ai souhaité visiter la sainte congrégation des vierges de Fontevrault et, par la grâce de Dieu, j'ai pu réaliser cette intention que j'avais dans l'esprit. Je suis donc venue, conduite par Dieu, à Fontevrault, j'ai franchi le seuil où se rassemblent les moniales et, là, le cœur plein d'émotion, j'ai approuvé, concédé et confirmé tout ce que mon père et mes ancêtres ont donné à Dieu et à l'église de Fontevrault, et notamment cette aumône de cinq cents sous de monnaie poitevine que le Seigneur Louis, au temps où il fut mon époux, et moi-même, nous avions donnée. »

Cependant, après cette visite à différentes abbayes, Aliénor rejoignit Henry Plantagenêt et passa avec lui quelques semaines en Aquitaine. Il semble, d'après les documents que nous possédons, qu'Aliénor dut se rendre à l'évidence : elle avait cru pouvoir dominer facilement son jeune époux, mais celui-ci agissait comme bon lui semblait, en tout cas comme un duc d'Aquitaine, bien décidé à faire valoir son autorité personnelle sur les domaines de sa femme et non à jouer le rôle de prince consort. Mais comme Aliénor était amoureuse, tout se passa bien et sans heurt. Après tout, Aliénor avait épousé *un homme,* c'est ce qu'elle avait voulu, et elle ne pouvait que s'en montrer satisfaite. Pendant ce temps-là, Louis VII réunissait en hâte un conseil qui constata qu'Aliénor avait commis une lourde faute : elle s'était mariée sans demander d'autorisation à son suzerain. Henry et elle furent cités à comparaître devant la cour du roi de France. On se doute que cette citation demeura lettre morte. Alors Louis VII intrigua tant qu'il put et parvint à mettre dans son jeu le frère d'Henry, le jeune Geoffroy le Tricheur, qui prétendait hériter de l'Anjou et en voulait à son aîné de s'être emparé de tous les domaines des Plantagenêt. Et les troupes du roi de France envahirent la Normandie tandis que Geoffroy fomentait des révoltes en Anjou.

Henry ne perdit pas de temps. Avec les barons normands qui lui étaient fidèles, il répondit coup pour coup, et dans l'été 1152, il réussit à reprendre les principales places fortes du duché avant de se retourner contre son frère et de le vaincre à Montsoreau, malgré les diversions opérées du côté de Verneuil-sur-Avre par le comte de Dreux, frère du roi et héritier présomptif du royaume. Louis VII finit par céder et fit la paix avec son vassal. Henry avait maintenant les mains libres pour récupérer le trône d'Angleterre que son père avait en vain réclamé.

Il s'embarqua pour l'Angleterre en janvier 1153, laissant Aliénor enceinte en Normandie. Il semble d'ailleurs qu'il ait voulu, dès ce moment, séparer son épouse des territoires d'Aquitaine et l'obliger à résider dans les domaines propres aux Plantagenêt. C'était certainement un calcul pour faire comprendre à Aliénor qu'elle était maintenant, avant tout, duchesse de Normandie et comtesse d'Anjou, et aussi pour prouver l'autorité grandissante qu'il manifestait sur elle.

En Angleterre, la guerre civile continuait entre les partisans d'Etienne de Blois vieillissant et incapable de gouverner, et les nobles ralliés à l'impératrice Mathilde, donc à Henry. Mais les choses traînèrent en longueur et c'est là qu'Henry apprit qu'Aliénor avait donné le jour à un fils, le 17 août 1153. Le duc de Normandie, à vingt ans, avait déjà un héritier mâle. On se doute que Louis VII reçut cette nouvelle avec une certaine mélancolie, lui qui en presque quinze ans de mariage, n'avait eu d'Aliénor que deux filles.

Aliénor nomma son fils Guillaume, pour reprendre la tradition poitevine et pour marquer sa volonté de continuer l'œuvre de Guillaume X et de Guillaume le Troubadour. Mais le nom n'avait rien pour déplaire à Henry Plantagenêt puisque c'était aussi celui du conquérant de l'Angleterre. C'était en tout cas une sorte de présage heureux, puisque, l'année suivante, à la fin d'octobre 1154, Etienne de Blois mourut après avoir désigné nommément Henry Plantagenêt comme son successeur ([24]).

Henry et Aliénor se précipitèrent à Barfleur pour s'embarquer vers l'Angleterre. Mais le temps épouvantable ne leur permit pas de prendre la mer. Ils durent attendre un mois avant de se retrouver dans cette île tant convoitée par Henry. Au début de décembre 1154, Aliénor, après avoir découvert l'Orient au cours de la seconde Croisade, faisait connaissance avec l'île brumeuse dont elle allait être la reine. Elle et Henry furent bientôt solennellement couronnés sous les voûtes encore romanes de l'abbaye de Westminster, érigée par Edouard le Confesseur un siècle plus tôt. C'était le dimanche 19 décembre 1154. Si l'anecdote relative au concile de Sens où avait assisté Aliénor est vraie, la prophétie qu'aurait formulée Jean d'Etampes à cette occasion ([25]) se révélait exacte : Aliénor étendait ses ailes à la fois sur le continent et sur l'île de Grande-Bretagne.

([24]) Etienne de Blois avait un fils légitime, Eustache, qui était un incapable notoire et un fils bâtard qui se trouvait juridiquement écarté du trône. Eustache était mort en 1153, et sur l'entremise de l'évêque de Winchester, propre frère d'Etienne, le roi avait accepté à contrecœur cette solution. Il ne pouvait faire mieux car il était lui-même malade et abandonné de plus en plus par ses partisans.

([25]) Le vénérable Jean d'Etampes aurait dit à Aliénor : « Noble Dame, on parle de vous depuis longtemps et on en parle plus encore. Vous êtes celle qu'annonçait le prophète Merlin, il y a six cents ans, lorsqu'il vous représentait comme un grand aigle, ses deux ailes à la fois sur la France et sur l'Angleterre. » Aliénor aurait répondu : « Je ne vois pas le roi, mon époux, rééditant dans cette île les exploits de Guillaume le Conquérant. » Alors le vieillard aurait repris : « Il ne s'agit pas du roi Louis. Cet aigle dont il est question dans la prophétie de Merlin, c'est vous, belle

Henry Plantagenêt commença alors, en compagnie d'Aliénor, à accomplir une série de voyages à la fois en Angleterre et sur le continent. Il remettait de l'ordre sur cette île longtemps désolée par la guerre civile et dans laquelle les barons se comportaient trop souvent en tyrans de quartier. Henry remit à l'honneur la justice et l'administration des Normands qui faisaient de ce pays un Etat beaucoup plus centralisé que la France à la même époque. Il récompensa ses bons et loyaux sujets en leur confiant des missions importantes et des charges nouvelles. Il vérifiait la façon dont rendaient la justice les shérifs qu'il avait placés dans chaque comté, et surtout, il savait faire obéir les seigneurs : ceux-ci, en effet, avaient tous, en plus de leurs possessions insulaires, des terres sur le continent, en Normandie notamment, et en Normandie, l'impératrice Mathilde veillait jalousement à ce que tout se passât bien, prête à confisquer les terres des barons qui se seraient montrés un peu trop indépendants.

Mais le travail entrepris était trop considérable pour une seule personne. Henry prit le parti d'envoyer Aliénor dans les domaines où lui-même ne se trouvait pas. Ainsi, quand il était en Angleterre, Aliénor surveillait-elle la Normandie et l'Anjou, en plus de ses domaines aquitains. Lorsque le roi se trouvait sur le continent, c'était Aliénor qui se trouvait en Angleterre, au milieu de l'agitation politique, prenant des décisions elle-même au nom d'Henry II. On ne pouvait alors imaginer couple mieux assorti,

---

reine Aliénor. » Aliénor aurait alors conclu en plaisantant : « Il ne me reste plus qu'à être veuve pour donner raison à Merlin. » Vraie ou fausse, cette anecdote incontrôlable repose certainement sur l'ambition bien connue d'Aliénor. Et ce n'est pas la seule fois où des auteurs du XIIe siècle ont établi des rapprochements entre Aliénor et les pseudo-prophéties de Merlin. On sait que c'est vers 1132 que Geoffroy de Monmouth rédigea ses fameuses *Prophéties de Merlin* incluses ensuite dans son *Historia Regum Britanniae,* sur l'ordre ou le conseil de la dynastie anglo-normande, mais d'après des traditions orales et écrites du Pays de Galles. Geoffroy s'est contenté de faire œuvre littéraire et d'*actualiser* les fumeuses prophéties attribuées au barde-prophète Myrddin, personnage historique du VIe siècle, ayant vécu chez les Bretons du Nord (sur les frontières de l'Ecosse). Il faut également signaler qu'une fois reine d'Angleterre, Aliénor commanda à Robert Wace, chanoine de Bayeux, une adaptation en langue française de l'*Historia Regum Britanniae :* ce fut le fameux *Roman de Brut,* point de départ en France et dans les pays de langue anglo-normande de l'essor littéraire de la légende arthurienne. On pourra lire à ce sujet mon livre sur *Le Roi Arthur et la Société celtique* qui traite, en dehors de la légende même, des circonstances historiques qui ont présidé, avec la bénédiction des Plantagenêt, à l'expansion des romans arthuriens dans toute l'Europe.

chacun des conjoints rivalisant avec l'autre sur le plan de la sagesse politique et de l'ambition. Mais sans doute Aliénor regrettait-elle, au cours de ces voyages sans fin, la tranquillité et le raffinement de la cour qu'elle avait commencé à constituer à Poitiers et qui comprenaient les plus beaux esprits du temps.

Le 28 février 1155 naissait un autre enfant au couple royal : c'était encore un garçon. En hommage à son père, on le nomma Henry. Il fut baptisé dans l'abbaye de Westminster, on lui donna le titre de Comte d'Anjou et on l'appela bientôt « le Jeune Roi ». Cela n'empêcha pas Aliénor de continuer ses courses vagabondes à travers tout l'empire Plantagenêt. Et quinze mois plus tard, elle donna naissance à une fille qui fut nommée Mathilde en hommage à la reine-mère. L'union d'Aliénor et d'Henry paraissait bénie par le Ciel. Cependant, en juin 1156, l'aîné des fils, le jeune Guillaume qu'Aliénor aurait voulu voir comte de Poitiers, mourut. Il avait à peine trois ans. Mais l'année suivante, le 8 septembre 1157, naissait à Oxford un troisième fils, Richard, et encore un an plus tard, le 23 septembre 1158, un quatrième fils, Geoffroy. De toute façon, la postérité des Plantagenêt était assurée. Et Henry courait toujours par monts et par vaux, de chaque côté de la Manche ([26]).

Vers la fin de 1158, Aliénor accompagna son époux au siège de Thouars. Il s'agissait de remettre à la raison Guy de Thouars qui s'était révolté contre le Plantagenêt, et la présence d'Aliénor, suzeraine en titre de Guy, s'imposait. Puis Henry et Aliénor tinrent cour plénière à Cherbourg. Aussitôt après ils traversèrent de nouveau leurs domaines du sud jusqu'à Blaye où eut lieu une importante entrevue, au début de 1159, entre Henry II et Raymond Bérenger IV, comte de Barcelone. Puis ils remontèrent

([26]) « Du matin au soir, sans arrêt, il s'occupe des affaires du royaume. Sauf quand il monte à cheval ou prend ses repas, il ne s'asseoit jamais. Il lui arrive de faire en un jour une chevauchée quatre ou cinq fois plus longue que les chevauchées ordinaires. Il est fort difficile de savoir où il est et ce qu'il fera dans la journée, car il change souvent d'idées. Il met à rude épreuve la constance de sa suite. Tandis que les autres rois se reposent dans leurs palais, il peut surprendre et déconcerter ses ennemis, et il inspecte tout » (Pierre de Blois). Il semble en effet qu'aucun autre roi de cette époque n'ait manifesté une activité aussi fébrile. Henry n'avait pas de capitale, pas de résidence fixe, ce qui peut s'expliquer par la dimension de ses domaines. D'ailleurs, dans un empire aussi disparate, qui allait de la frontière de l'Ecosse aux Pyrénées, il fallait à tout prix sa présence partout — ou celle d'Aliénor — pour maintenir une unité qui, sans cela, aurait été purement nominale. Or jamais empire ne fut mieux géré et mieux centralisé que l'empire anglo-angevin.

à Poitiers où s'assemblait une grande armée destinée à conquérir le comté de Toulouse. On sait qu'Aliénor n'avait pas renoncé à ses droits sur ce territoire. Dix-huit ans plus tôt, elle avait lancé le roi de France contre Toulouse en une expédition qui avait lamentablement échoué. Par ironie du sort, c'est maintenant Louis VII qui se faisait le défenseur de Toulouse contre les prétentions de la duchesse d'Aquitaine. Mais l'expédition anglo-aquitaine n'eut aucun résultat positif.

Henry et Aliénor tinrent cour plénière à Falaise pour Noël 1159. Et comme Henry était encore aux prises avec certains de ses vassaux révoltés, il envoya la reine le représenter en Angleterre où elle dut agir avec les pleins pouvoirs. A l'automne suivant, la situation devint préoccupante dans l'île et Aliénor n'arrivait pas à remettre de l'ordre. Henry la fit revenir à Rouen avec le prince héritier, âgé de cinq ans, et s'embarqua pour l'Angleterre où il réussit à mater ses vassaux. Aliénor séjourna au Mans et à Domfront, et en septembre 1161, elle donna naissance à une autre fille à laquelle elle donnera son nom et qui sera baptisée en présence de Robert de Thorigny, abbé du Mont-Saint-Michel, et précieux chroniqueur de cette époque. La duchesse-reine avait maintenant trente-neuf ans, et les témoins disent qu'elle n'avait rien perdu de sa beauté qui avait tant charmé les imaginations.

Elle demanda à son époux d'ordonner la construction d'une magnifique cathédrale à Poitiers. Celui-ci le lui accorda et les travaux commencèrent immédiatement. On sent qu'Aliénor avait une prédilection pour Poitiers, sa capitale personnelle : elle voulait l'embellir, en faire une ville de prestige et y rassembler toute l'élite des arts et des lettres de son temps. Mais, prise par ses devoirs de reine, et aussi soumise aux volontés exigeantes d'Henry Plantagenêt, elle ne pouvait jamais y demeurer longtemps. Elle passa Noël 1162 à Cherbourg avant de s'embarquer pour l'Angleterre. En 1163 et 1164, elle séjourna dans le Hampshire, le Wiltshire, à Marborough, à Winchester, dans l'île de Wight et dans le Dorset. Elle était accompagnée de ses cinq enfants, mais ne voyait plus guère son mari.

En effet, Henry Plantagenêt n'avait jamais été amoureux d'Aliénor. Celle-ci s'apercevait bien maintenant, avec beaucoup d'amertume, qu'il n'avait épousé en elle que ses domaines et que tout en la respectant, il ne la considérait plus guère que comme la mère de ses enfants légitimes. Il avait de nombreuses liaisons, toutes éphémères, et généralement assez discrètes. Aliénor le savait et en souffrait profondément, car elle était toujours amoureuse de ce prince brutal et raffiné à la fois à qui elle avait tout donné. D'ailleurs, les mauvaises langues, qui lui avaient attribué toute une collection d'amants du temps où elle était reine de France, n'en mentionnèrent plus à partir du moment où elle fut reine d'Angleterre, sauf quelques rares exceptions, en particulier le troubadour Bernard de Ventadour qu'Henry II éloigna d'ailleurs de la cour ([27]).

Cependant, en octobre 1165, Aliénor donna le jour à une autre fille, Jeanne. Elle passa l'hiver à Angers où Henry vint la rejoindre à Pâques, mais six mois plus tard, elle s'embarqua pour l'Angleterre. Là, à Oxford, le 27 décembre 1166, elle accoucha de son dixième enfant, Jean, le huitième de ceux qu'elle eut d'Henry et dont sept demeuraient encore vivants. Aliénor ne régnait plus alors sur le cœur ni sur les sens du roi Plantagenêt, et il semble qu'à cette époque son mari ait tout fait pour l'écarter des responsabilités. Déjà la reine avait vu se dresser en face d'elle le pouvoir d'un homme intelligent qu'Henry II avait choisi pour être son chancelier, Thomas Becket. Elle s'était plusieurs fois heurtée à lui, comme au temps où, reine de France, elle s'était opposée à Suger. Et comme Suger, Thomas Becket, autre homme d'Eglise, ne s'était pas laissé faire.

Cependant, en 1168, après avoir maté de nombreuses révoltes sur le continent et après avoir rasé le château de Lusignan, Henry dut avoir recours à Aliénor pour calmer les Aquitains. Il fallait qu'il partît pour l'Angleterre, aussi laissa-t-il les mains libres à son épouse auprès de ses vassaux. Sans doute espérait-il qu'ils lui obéiraient davantage qu'à lui-même.

Aliénor prit la route de l'Aquitaine. Au cours du voyage, le comte de Salisbury, qui escortait la reine, tomba, mortellement blessé, dans une embuscade tendue par les Lusignan, lesquels ne voulaient pas mettre bas les armes. Aliénor réussit malgré tout à remettre un peu d'ordre dans ce turbulent pays où chaque vassal agissait pour son propre compte et ne voulait pas entendre parler

([27]) Bernard de Ventadour passait pour avoir été amoureux de la châtelaine de Ventadour (il n'était que le fils d'un domestique du château), et il fut exilé par le châtelain jaloux. C'est alors qu'il était allé rejoindre Aliénor à laquelle il dédia de nombreux poèmes. Ce sont ces poèmes qui ont pu faire croire à une aventure possible entre lui et Aliénor.

du roi d'Angleterre. C'était une paix fragile, certes, mais elle était l'œuvre personnelle d'Aliénor, car on ne mettait pas, en Aquitaine, sa légitimité en doute, et d'autre part sa forte personnnalité, sa connaissance parfaite du milieu occitan, sa légende même, lui permettaient d'imposer par la persuasion ce que son mari devait imposer par la force.

Henry Plantagenêt avait compris tout cela. Il décida de s'entendre avec le roi de France. Il lui envoya d'abord Thomas Becket pour négocier une sorte de charte de non-agression, puis il rencontra Louis VII et conclut avec lui les accords de Montmirail. Dès lors, il s'employa à réaliser les réformes de structure qui s'imposaient pour maintenir la dynastie Plantagenêt sur cet immense empire, riche mais disparate. Richard, le deuxième fils des souverains, et aussi incontestablement le préféré d'Aliénor, fut proclamé duc d'Aquitaine à l'âge de douze ans, et placé sous l'autorité directe de sa mère. Celle-ci et Richard s'installèrent donc en Poitou. Ils tinrent un plaid somptueux à Niort, à Pâques 1170, dans cette place forte qu'Henry avait tenu à armer solidement pour surveiller le Bas-Poitou. De plus, le fils aîné, Henry, fut couronné et associé au trône, selon la méthode capétienne, et cela sur les conseils d'Aliénor qui voulait faire de la dynastie Plantagenêt l'égale de la dynastie française. Henry le Jeune avait quinze ans. La cérémonie se déroula le 14 juin 1170, mais Aliénor n'y assistait pas, car elle assurait, à Caen, la garde de la jeune Marguerite de France, fille de Louis VII et de sa seconde épouse, qui avait été fiancée presque à la naissance à Henry le Jeune. On prétend que ce rôle de geôlier d'une princesse française ne déplut pas du tout à Aliénor, bien qu'elle eût certainement eu beaucoup de joie à assister au couronnement de son aîné.

Mais c'est une époque noire pour Henry II. Se trouvant en conflit avec son ancien ami Thomas Becket, devenu archevêque de Canterbury, il l'a fait assassiner sur les marches de l'autel. Ce geste a réveillé toutes les haines contre le roi Plantagenêt. En Angleterre, les vieux Saxons se déchaînent contre celui qu'ils appellent l'*usurpateur*. L'Eglise ne peut admettre un tel forfait et lui retire son soutien. Il est excommunié et doit se battre seul contre tous, abandonné ou méprisé par les uns ou les autres. Il semble que pendant ce temps Aliénor bénéficie d'une entière liberté. Elle parcourt glorieusement l'Aquitaine avec son fils Richard et fait rencontrer à celui-ci les troubadours qui ont déjà tant marqué sa vie. Et Richard sera à son tour un poète, un disciple fervent de ces hommes étonnants qui bouleversèrent la culture de l'Occident médiéval. Après tout, n'était-il pas arrière-petit-fils de Guillaume IX? Aliénor se conduit en reine. Elle fait bâtir de somptueux édifices, des sanctuaires, bien sûr, comme le monastère des Augustins à Limoges, mais aussi des résidences. A Poitiers qui est, plus que jamais, sa capitale personnelle, elle rassemble toute une cour d'artistes, de poètes et de musiciens venus de tous les horizons, ce qui aura une importance exceptionnelle sur la littérature européenne.

Aliénor a maintenant presque cinquante ans, mais elle a gardé un charme que les contemporains ont chanté avec enthousiasme. Sa fille Mathilde l'a quittée pour épouser le tumultueux Henri le Lion, de vingt-sept ans son aîné. Sa deuxième fille, Aliénor, est devenue reine de Castille, et c'est la fille de celle-ci, Blanche, qu'elle fera épouser plus tard à l'héritier du trône de France, devenant ainsi l'arrière-grand-mère de Louis IX, elle qui avait été l'épouse répudiée de Louis VII. Et puis, par ses intrigues jointes aux visées d'Henry II, elle a fiancé Geoffroy avec l'héritière du duché de Bretagne, Constance, fille de Konan IV, qui veut se retirer dans son comté anglais de Richmond([28]). Elle veille à assurer la prospérité de ses enfants, aussi ambitieuse pour eux qu'elle l'avait été pour elle-même.

Quant à ses rapports avec son époux, le moins qu'on puisse dire, c'est qu'ils sont distants et épisodiques. Tant que le roi avait eu des maîtresses passagères, Aliénor avait, sinon fermé les yeux, du moins montré une assez grande compréhension. Or, vers 1166, peu après la naissance de Jean, Henry II s'était amouraché d'une jeune fille, *la belle Rosemonde,* dont la légende s'est emparée, comme elle s'est emparée d'Aliénor. D'abord, cela avait été une sorte de fantaisie pour le roi, mais ensuite, il s'était réellement pris de passion pour la jeune fille, et sa liaison, au lieu de rester secrète, s'était étalée au grand jour. Aliénor en avait pris ombrage, et c'est de cette époque que ses rapports avec Henry devinrent tendus. L'Histoire connaît peu de chose sur Rosemonde : c'était la fille d'un chevalier normand, Gautier de Clifford, qui avait son domaine à Bredelais, sur la frontière galloise. Elle était très belle,

([28]) Créé par Guillaume le Conquérant pour récompenser les Bretons qui l'avaient aidé à la conquête de l'Angleterre.

disent les chroniqueurs ([29]). La légende en rajoute considérablement, faisant d'Henry II un amant extrêmement jaloux et prudent : pour éloigner les rivaux, et aussi pour déjouer la colère d'Aliénor, il aurait fait construire un véritable labyrinthe dans le château de Woodstock et aurait enfermé Rosemonde dans une chambre magnifique où lui seul pouvait accéder. Mais cela n'aurait pas empêché Aliénor de soudoyer des gardiens, de s'introduire à l'intérieur du château et d'assassiner froidement sa rivale. En réalité, nous savons que le Plantagenêt finit par se lasser de sa maîtresse et que Rosemonde mourut en 1177 à Godstow, dans un couvent de nonnes, fort pieusement comme la plupart des favorites royales de tous les temps.

Quoi qu'il en soit, Aliénor a été jalouse de Rosemonde, c'est une certitude absolue. Elle n'a jamais pardonné à Henry II cette liaison et a tout fait pour se venger. Mais si la légende la montre en train de se venger sur la personne de Rosemonde, l'Histoire nous dévoile tout autre chose : c'est Henry II qu'elle attaque, par un plan machiavélique, en dressant ses fils contre leur père. Et c'est alors que l'intelligence et l'habileté d'Aliénor vont se donner libre cours.

Car c'est un travail de patience auquel elle se donne, dans l'ombre, avec la plus parfaite hypocrisie et sans aucun scrupule. Il est vrai que les fils d'Henry II, c'était une tradition familiale angevine, n'avaient eux-mêmes aucun scrupule et possédaient fort peu le sens des liens familiaux sauf pour ce qui concernait les héritages. Seule Aliénor avait quelque ascendant sur ses fils. Elle en profita, montrant à l'aîné qu'il n'avait pas besoin d'attendre la disparition de son père pour prendre le pouvoir (n'était-il pas couronné et associé au trône?), signifiant à Richard que le temps était venu pour lui de prouver qu'il était — sous sa propre direction à elle — le véritable duc d'Aquitaine reconnu officiellement par les barons, et enfin murmurant à Geoffroy qu'en tant que futur duc de Bretagne il ne devait rien à son père. Dans cette affaire, Jean, trop jeune, restait à l'écart. Mais, d'après la connaissance que nous avons de son caractère et de son

([29]) Giraud de Cambrie, qui est toujours mauvaise langue, ne rate pas l'occasion d'un jeu de mots. Comme il écrit en latin (*Rosa Mundi* signifie *Rose du Monde*, mais il y a dans le nom déjà un jeu de mots, puisque *Rosa Munda* veut dire *Belle Rose*), il précise qu'elle ne méritait pas son nom mais plutôt celui de *Rosa Immundi*, c'est-à-dire « Rose d'Impureté ».

comportement ultérieur, nous pouvons être sûrs que s'il avait été du complot, il n'aurait pas manqué de s'y distinguer. Et surtout, Aliénor démontra à ses fils la fragilité de l'empire Plantagenêt, à cheval sur le continent et sur la Grande-Bretagne (et même l'Irlande, puisque Henry II venait de se faire « élire » *Haut-Roi* d'Irlande), et partagé entre deux statuts légaux : d'une part le royaume d'Angleterre, ne relevant en principe d'aucun suzerain temporel ([30]), d'autre part les possessions continentales qui étaient toutes des fiefs ou des arrière-fiefs de la monarchie capétienne. Et Aliénor conseilla à ses fils d'aller prendre conseil auprès de son ancien mari, Louis VII.

Cependant Henry II s'est finalement réconcilié avec l'Eglise. Après le scandale qui avait suivi la mort de l'archevêque de Canterbury, l'interdit avait été lancé quelque temps sur le royaume d'Angleterre et Henry s'était vu refusé l'entrée de tous les sanctuaires. Les pèlerins n'avaient cessé d'affluer à la cathédrale, dans laquelle, pendant un an, aucun service religieux ne fut célébré, et sur la tombe de Thomas Becket. On racontait que des miracles s'étaient produits sur cette tombe. Et le malheureux archevêque allait bientôt être canonisé. Certes, Henry II, sincèrement affecté par le drame et n'ayant peut-être pas voulu que les choses allassent si loin, avait protesté de son innocence, mais personne ne l'avait cru. Or, le 21 mai 1172, en présence de son fils aîné, à Avranches, et devant une assemblée de prélats et de barons, il avait juré sur l'Evangile qu'il n'avait ni ordonné, ni souhaité la mort de Thomas Becket, et ensuite avait présenté son dos nu à la flagellation des moines. Cette « Pénitence d'Avranches » effaçait l'un des moments les plus dramatiques de la vie d'Henry Plantagenêt.

C'est donc un nouvel homme qui tient sa cour à Chinon à la Noël de la même année. Il a demandé à la reine d'y participer, mais ce n'est pas tellement sa présence qui compte : il veut savoir auprès d'elle si le gouvernement qu'elle a assuré de l'Aquitaine et du Poitou pendant près de trois ans a été bien mené. Aliénor lui

([30]) Plus tard, pour recouvrer sa liberté, après le paiement de la rançon réunie par Aliénor, Richard Cœur-de-Lion prêtera hommage à l'Empereur d'Allemagne, qui se prétendait héritier de l'empire romain (le Saint-Empire romain-germanique), pour l'Angleterre. Mais ce sera un hommage de pure forme. Par contre, encore plus tard, les démêlés de Jean Sans Terre avec ses barons, le roi de France et le Pape, l'amèneront à reconnaître la suzeraineté de la Papauté sur le royaume.

fait un rapport précis de sa mission et Henry est pleinement rassuré. Deux mois plus tard, il tient une autre assemblée à Limoges, à laquelle participent Henry le Jeune et Richard. C'est alors que des espions à la solde du roi d'Angleterre — il a un service de renseignements fort bien organisé, ce qui lui permet de parer très vite les coups de ses adversaires — viennent lui révéler qu'il se passe des choses curieuses dans l'ombre, et qu'on observe des allées et venues suspectes entre la Cour de France et l'entourage de ses fils.

Toujours méfiant, Henry II s'informe davantage. On ne peut lui apporter de preuves. Le roi décide de faire comme s'il n'avait rien entendu. Il a préparé cette assemblée minutieusement et a l'intention d'y triompher. N'a-t-il pas préparé le mariage de son plus jeune fils Jean avec l'héritière de Maurienne et ne doit-il pas l'annoncer à ses barons en même temps qu'une série de donations au même Jean, de toute évidence son préféré, mais qui, mal placé dans l'ordre de succession, n'est encore, comme il le dit, que le « Sans Terre »? Ne doit-il pas recevoir également l'hommage solennel de Raymond V, comte de Toulouse, contre qui il avait guerroyé sans succès quelques années auparavant sur l'instigation d'Aliénor et qui, venant de trahir le roi de France, voulait entrer dans la mouvance des Plantagenêt? Et n'a-t-il pas encore à annoncer les projets de mariage de sa dernière fille Jeanne avec le roi de Sicile? Henry Plantagenêt se croit au sommet de sa carrière. Il est venu là en triomphateur, pour affirmer bien haut que c'est lui le souverain le plus puissant d'Occident.

L'assemblée de Limoges marque un tournant dans l'histoire d'Henry et d'Aliénor. Le roi, après avoir reçu l'hommage de Raymond V, fait part de ses projets concernant Jean Sans Terre. Alors il voit se dresser devant lui Henry le Jeune qui proteste énergiquement contre les dispositions en faveur de son frère cadet. Et surtout, rappelant qu'il a été couronné et qu'il porte le titre de roi, il réclame la souveraineté effective, faute de quoi son couronnement doit être considéré comme une simple comédie.

L'assemblée finit dans la confusion. Henry II a vu son triomphe compromis par ce coup d'éclat. Il pense que c'est la mauvaise humeur de son fils qui l'a conduit à adopter une telle attitude. Mais le comte de Toulouse lui demande un entretien privé et lui dévoile tout ce qu'il sait de la conjuration des trois fils du roi, et aussi, il ne manque pas d'accuser Aliénor d'être à l'origine de tout. Henry II ne sait que penser. Il se méfie de Raymond V qu'il sait prêt à toutes les trahisons et à tous les mensonges. Cependant, le 8 mars 1173, Henry le Jeune gagne la cour du roi Louis VII, et quelques jours plus tard, sur l'ordre de leur mère, Richard et Geoffroy vont l'y rejoindre. On peut facilement imaginer le plaisir que ressent le roi de France en recevant les trois fils rebelles de son rival. Belle revanche pour lui! Mais on peut aussi bien imaginer la déception et la fureur d'Henry Plantagenêt, d'autant plus qu'il n'est pas au bout de ses peines : il vient d'apprendre que les vassaux d'Aquitaine, et plus particulièrement les parents d'Aliénor, Raoul du Faye, les Lusignan, les Sainte-Maure, les Rancon, prenaient fait et cause pour les trois fugitifs et entraient en rébellion ouverte. Cette fois-ci, Henry II ne peut plus douter des accusations de Raymond V : c'est bien Aliénor qui est l'âme du complot ourdi contre lui.

Comme toujours dans des cas semblables, Henry se prépare à riposter. On veut lui enlever l'Aquitaine? Il va la reconquérir par la force. Il sait qu'il peut s'appuyer sur les barons normands et sur quelques seigneurs anglais. Il les réunit et, au mois de novembre 1173, il passe à l'offensive, après avoir d'abord repoussé une attaque française en Normandie. Il a recruté des mercenaires, ce qui n'est pas dans l'usage du temps, et comme il n'a pas les moyens de les payer, il met en gage tout ce qu'il possède. Avec une vitesse déconcertante et une habileté de grand général, il conduit son armée de Normandie en Poitou. Il met le siège devant le château de Raoul de Faye qu'il soupçonne — à juste titre d'ailleurs — d'être le plus fidèle soutien de la reine. La forteresse tombe bientôt entre ses mains, mais Raoul a déjà pris le chemin de Paris. Alors Henry se dispose à reprendre Poitiers où se trouve Aliénor.

Celle-ci comprend que la partie est perdue sur le terrain. Comme elle n'a aucune envie de tomber au pouvoir de son mari, elle cherche à fuir. Peut-être alors se résigne-t-elle à aller demander asile au roi de France. Ce serait une belle revanche du destin. En tout cas, au nord de Poitiers, en direction de Chartres, c'est-à-dire en direction des domaines capétiens, une bande de Brabançons à la solde du roi Plantagenêt se heurtent à un petit groupe de chevaliers. Ils en massacrent quelques-uns et font prisonniers les autres. Et parmi ces derniers, ils découvrent, habillée en homme, la reine-duchesse Aliénor.

La guerre de reconquête qu'a accomplie Henry II est terminée. Les Poitevins et les Aquitains se soumettent, du moins en apparence, et seulement pour l'immédiat. Quant à Aliénor, c'est en tant que prisonnière qu'Henry l'emmène à Chinon où il la fait incarcérer dans la forteresse.

Désormais, et jusqu'à la mort d'Henry II, en 1189, la reine-duchesse ne sera plus qu'une prisonnière, ballottée de château en château, avec tous les égards dus à son rang, mais étroitement surveillée par des hommes de confiance de son mari. Pendant près de seize années, elle restera dans l'ombre, privée de toute autorité, abandonnée par ses fils qui ne tenteront rien pour la délivrer.

Lorsque le roi s'embarque à Barfleur, le 8 juillet 1174, après avoir réglé apparemment les affaires du Poitou et inquiet de ce qui se trame sur les frontières de l'Ecosse, il emmène avec lui sa prisonnière. Mais Aliénor n'est pas seule : d'autres captifs sont précieusement gardés par Henry II. C'est d'abord la jeune épouse de son fils aîné, Marguerite. Henry veut s'en servir pour ramener à la raison son fils rebelle. Et puis, il y a aussi certains vassaux qui payent leur révolte, les comtes de Chester et de Leicester, notamment. Henry Plantagenêt enferme sa femme dans une tour de Salisbury.

C'est là qu'elle apprend que ses fils, battus sur le terrain malgré l'aide apportée par Louis VII, sont venus faire leur soumission à leur père. Elle peut ainsi constater qu'elle n'a plus aucune chance de redevenir la reine d'autrefois. Henry II a pardonné — théoriquement — à ses fils, mais il se garde bien de faire quoi que ce soit en faveur de son épouse. Tout prouve d'ailleurs qu'il veut s'en débarrasser, soit parce qu'elle ne lui est plus utile politiquement, soit parce qu'il veut être libre de mener comme il l'entend une vie de débauche qu'il a d'ailleurs commencée depuis longtemps.

En effet, en octobre 1175, le pape envoie en Angleterre un légat, Uguccione, cardinal de Saint-Ange. Henry le reçoit avec beaucoup d'honneurs et d'amabilités, et aux dires des chroniqueurs ([31]), il étudie avec lui la possibilité de faire annuler son mariage avec Aliénor. Encore une fois, la raison invoquée est la

([31]) En particulier Gervais de Canterbury qui nous montre Henry essayant de soudoyer l'envoyé pontifical.

consanguinité ([32]). Mais soit que le légat pontifical ait refusé d'envisager cette solution, soit qu'Henry ait réfléchi aux problèmes que posait la dissolution du mariage, notamment pour les domaines aquitains qu'Aliénor était capable de reprendre ([33]), l'affaire n'eut aucune suite.

La captivité de la reine se poursuit donc, de forteresse en forteresse, sous la garde de Ralph Fitz-Stephen et de Raoul de Glanville, des Normands de bonne souche et âmes damnées d'Henry II. Cela ne l'empêche pas de se tenir au courant de ce qui se passe dans l'empire Plantagenêt, de recevoir des messagers venus lui apporter le salut de tel ou tel de ses vassaux, de communiquer avec les uns et les autres. Car si elle a perdu tout espoir de reconquérir son pouvoir royal, si elle est plus ou moins en froid avec Richard qu'elle accuse de l'avoir lâchement abandonnée, elle sait qu'elle peut compter sur la sympathie de bon nombre de ses Poitevins et de ses Aquitains. On en a un témoignage, presque lyrique, dans la Chronique de Richard le Poitevin, où l'auteur, s'adressant directement à Aliénor, lui rappelle qu'elle est l'*aigle* des prophéties de Merlin et lui annonce que le jour viendra où elle sera délivrée et retournera dans sa patrie, c'est-à-dire bien entendu l'Aquitaine ([33 bis]). Mais les temps

([32]) Elle était plus lointaine qu'entre Louis VII et Aliénor, mais elle était bien réelle, Henry et Aliénor étant tous deux des descendants de Robert le Pieux.

([33]) Richard avait été reconnu comme duc d'Aquitaine et Comte de Poitiers, donc non seulement comme l'héritier mais aussi le titulaire des domaines de sa mère. Cependant la situation n'était pas claire et Henry se sentait gêné : n'avait-il pas refusé à son fils aîné, lui aussi reconnu et couronné roi d'Angleterre, le pouvoir que celui-ci lui réclamait? Henry se sentait pris au piège et ne pouvait rien faire sans Aliénor. De plus, il se méfiait, à juste titre, de l'attitude de Richard, lequel pouvait très bien redonner tous ses titres à sa mère dont il était, ne l'oublions pas, le fils préféré. En dépit de certains moments de froideur apparente, il y a toujours eu une grande complicité entre Richard et Aliénor.

([33 bis]) Voici ce texte, dû au continuateur de Richard le Poitevin, sur un ton prophétique et lyrique, et bourré de citations bibliques : « Dis-moi, Aigle à deux têtes, dis-moi, où étais-tu quand tes aiglons (ses fils), volant hors de leur nid, osèrent lever leurs griffes contre le roi de l'Aquilon (le roi d'Angleterre)? C'est toi, nous l'avons appris, qui les as poussés à s'élever contre leur père. C'est pourquoi tu as été arrachée à ta propre terre et conduite en pays étranger. Tes barons, par leurs paroles pacifiques, t'ont abusée de leurs ruses. Ta cithare ne rend plus que de lugubres accents, voici que ta flûte ne rend plus que des accents plaintifs. Naguère délicate et voluptueuse, tu jouissais d'une royale liberté, tu regorgeais de richesses, avec autour de toi des jeunes filles, s'accompagnant du tambourin et de la cithare, qui chantaient pour toi de suaves refrains (allusion à la cour de Poitiers où Aliénor avait réuni poètes et musiciens de toute provenance). Quant à toi, le son des ne sont pas encore propices, bien que les trois fils aînés d'Henry II continuent une lutte sournoise contre leur père, et aussi, les uns contre les autres ([34]).

En 1177, Aliénor apprend la mort de sa rivale Rosemonde, mais comme elle est maintenant complètement détachée de celui qu'elle a aimé passionnément, on se doute que la nouvelle l'a plutôt laissée indifférente. D'ailleurs Henry II continue sa vie sentimentale agitée. On sait maintenant qu'il a eu pour maîtresse, à ce moment-là, la jeune Aélis de France, fille de Louis VII, qui avait été fiancée à Richard, ce qui, plus tard, fournira à celui-ci des arguments solides pour ne pas l'épouser. A la même époque, sa dernière fille, Jeanne, part pour la Sicile où, à l'âge de onze ans, elle épouse Guillaume, le roi de Sicile, fin lettré et chevalier fort courtois. En 1179, elle apprend que son ancien époux Louis VII a fait un pèlerinage à Canterbury, sur la tombe de Thomas Becket,

---

instruments te réjouissait. Tu te délectais de la virtuosité de tes musiciens. Je t'en supplie, ô Reine aux deux couronnes, cesse de t'affliger continuellement. Pourquoi maintenant laisses-tu troubler ton cœur par les larmes de chaque jour? Reviens, ô captive, reviens vers tes villes si tu le peux! Et si tu ne le peux pas, pleure avec le roi de Jérusalem et dis : Malheureuse que je suis! mon séjour s'est prolongé, j'ai habité parmi une race inconnue et grossière (les Aquitains ne manquent jamais une occasion d'affirmer la supériorité de leur civilisation face à la barbarie des Anglo-Normands)! Pleure encore, toujours et dis : Mes larmes, jour et nuit, m'ont tenu lieu de pain tandis qu'on me disait chaque jour : Où sont tes serviteurs? Où sont tes suivantes? Où sont tes conseillers? Certains d'entre eux ont été arrachés à leur terre et condamnés à une mort honteuse. D'autres ont été privés de la vue (allusion à la cruauté de la répression d'Henry II). D'autres enfin errent en divers lieux et sont tenus pour fugitifs. Toi, l'Aigle de l'alliance rompue, jusqu'à quand clameras-tu sans être exaucée? Le roi de l'Aquilon a mis le siège autour de toi. Va, crie avec le prophète, sans trêve, fais retentir ta voix comme la trompette, afin qu'elle soit entendue de tes enfants! Car le jour approche où ceux-ci te libéreront, où tu retourneras vers ta patrie. »

([34]) Chacun des trois, Richard, Geoffroy et Henry le Jeune, prétendait être lésé dans le partage. Pendant ce temps, Jean Sans Terre, trop jeune pour agir, se promettait bien de tout faire pour obtenir sa part. Geoffroy aurait dit un jour que le destin des Plantagenêt était de se faire la guerre les uns contre les autres. Il est vrai que les fils d'Henry II étaient encouragés non seulement par le roi de France dont la politique consistait à affaiblir ses grands vassaux et voisins par des querelles intestines, mais aussi par les barons aquitains, toujours turbulents et peu disposés à obéir à une autorité suzeraine, qu'elle fût anglaise ou qu'elle fût française. Dans ces querelles, le troubadour guerrier Bertrand de Born, qui, dans ses poèmes, magnifie la guerre, a joué un rôle de premier plan : il a passé sa vie à exciter les fils d'Henry contre leur père, quitte à se réconcilier avec le roi et à exciter les frères les uns contre les autres.

et cela en compagnie d'Henry II. Ce pèlerinage fait suite à un vœu prononcé par le roi de France à la suite d'un accident survenu à son héritier, celui qu'il appelle Dieudonné, mais que nous connaissons sous le nom de Philippe-Auguste. C'est à cette occasion que le roi de France et le roi d'Angleterre ébauchent une réconciliation apparente. D'ailleurs, lorsque Louis VII fait couronner son fils le 1er novembre suivant, c'est à Henry le Jeune, héritier d'Angleterre, venu à la cour de France sur ordre de son père, que revient l'honneur de porter la couronne sur un coussin, pendant le cortège. L'année suivante, le 18 septembre, Louis VII meurt à l'abbaye cistercienne de Saint-Port. En lui, Henry Plantagenêt n'avait trouvé qu'un adversaire honnête mais peu doué en politique. Avec son successeur Philippe, les choses allaient être très différentes.

Cependant la captivité d'Aliénor se prolongeait, et l'activité d'Henry II était toujours aussi étonnante. Il allait partout, à marches forcées, s'occupait des finances, rendait la justice, combattait les barons rebelles, en faisait pendre quelques-uns pour l'exemple, démantelait des forteresses. Il était suivi par une troupe hétéroclite à laquelle se mêlaient des baladins, des jongleurs et des prostituées. Et sous l'influence de Philippe-Auguste, ses fils reprenaient les armes contre lui.

C'est ainsi, au cours d'une campagne en Quercy en juin 1183, que son fils aîné Henry le Jeune mourut d'une maladie que n'avaient pu soigner les médecins. Avant de mourir, il avait imploré le pardon de son père par un messager, et le messager était revenu avec une bague, symbole du pardon accordé par Henry II à son héritier rebelle. Et Henry le Jeune mourut pieusement, en demandant à son père qu'il consentît à remettre en liberté la reine.

De fait, à partir de 1184, après la mort de leur enfant tragiquement disparu, Henry II consentit des atténuations importantes au régime carcéral d'Aliénor. Mais il ne faut pas se leurrer : ce ne sont pas les sentiments qui ont conduit le Plantagenêt à agir ainsi, c'est bien plutôt un calcul politique. Car la mort d'Henry le Jeune a bouleversé toutes les données du problème. L'héritier est maintenant Richard, mais il est déjà duc d'Aquitaine et Henry II s'en méfie plus que des autres parce qu'il est le préféré d'Aliénor. D'autre part, Henry sait très bien que Richard est homosexuel et qu'il n'aura vraisemblablement pas d'héritier, même s'il consent à se marier pour la forme. Il faut donc prendre des dispositions, et pour cela, Henry II a besoin d'Aliénor.

A Pâques 1185, il fait venir son épouse sur le continent. Mais ce n'est pas pour la libérer. Il veut se servir d'elle comme d'un vulgaire instrument de chantage pour faire céder Richard, encore une fois dressé contre son père. Si le fils ne rend pas immédiatement le Poitou à sa mère qui, déclare Henry avec une belle hypocrisie, en est la légitime comtesse, celle-ci marchera sur cette province à la tête d'une armée et la ravagera. Ne voulant pas envenimer les choses, Richard cède. Mais une fois que la soumission, apparente, du rebelle est acquise, Henry II fait reconduire Aliénor en Angleterre où elle redevient prisonnière, peut-être encore plus surveillée que par le passé. En 1186, elle se trouve à Winchester. Et elle apprend, en août 1186, la mort de son fils Geoffroy, survenue accidentellement au cours d'un tournoi, à la cour du roi de France. Geoffroy, duc de Bretagne, laissait sa femme Constance enceinte, et celle-ci, l'année suivante, allait donner le jour à un fils qu'Henry II, pour différentes raisons, fit nommer Arthur, espérant probablement qu'un jour, cet Arthur pourrait unifier la Grande et la Petite Bretagne dans le vaste empire Plantagenêt, à l'image du roi Arthur légendaire dont Henry tenait à développer les aventures mythiques ([35]).

Cependant Henry II est de plus en plus honni par ses vassaux. Au mois d'août 1188, il rencontre le roi de France à Gisors pour essayer de conclure une paix définitive. Non seulement il ne parvient pas à trouver un accord avec Philippe, mais il a la désagréable surprise de voir aux côtés du roi de France, son propre fils Richard, lequel, soutenu visiblement par Philippe, réclame son héritage. Or Henry, qui voit ainsi se renouveler en public l'affaire de Limoges où Henry le Jeune avait réclamé le pouvoir, n'est pas disposé à céder. A vrai dire, on se demande même s'il ne hait point Richard. Il est vrai que celui-ci

([35]) Se prétendant l'héritier de l'Arthur légendaire, qu'il cherchait d'ailleurs à faire reconnaître comme historique (notamment par la découverte à Glastonbury de la soi-disant tombe d'Arthur et de Guéniëvre) pour servir ses desseins politiques, Henry II, qui voyait en cet enfant l'héritier légitime de Richard, voulait surtout prouver que la dynastie anglo-angevine remontait aux sources celtiques de l'Histoire d'Angleterre. Voir à ce sujet mon livre sur *Le Roi Arthur et la Société celtique*, en particulier le chapitre « Le Contexte politique », p. 96-147, où est analysée l'influence des Anglo-Normands, puis des Anglo-Angevins sur la diffusion des légendes arthuriennes.

le lui rend bien. Au cours de l'entrevue, Richard se jette à genoux devant le roi de France et lui prête hommage pour tous ses domaines continentaux, lui demandant, comme à son suzerain légitime, aide et protection. Et quand tout le monde se sépare, Richard s'en va en compagnie de Philippe, laissant Henry II mortifié, mâchant sa colère, et ne comptant plus désormais, pour le venger, que sur son dernier fils, Jean, en qui il met tous ses espoirs ([36]).

Le temps de la grandeur d'Henry II est révolu. Il est miné par la maladie, précocement vieilli, ulcéré par les trahisons familiales. Il tient sa cour de Noël 1188 à Saumur, en présence de Jean Sans Terre. Mais la plupart de ses vassaux s'abstiennent de venir. Ils l'abandonnent les uns après les autres, même ceux qui avaient été ses plus chauds partisans. Henry pense alors à déshériter officiellement Richard et à laisser tous ses domaines à Jean. Mais il hésite : il a beaucoup d'affection pour Jean en qui il se reconnaît. Jean est courageux, actif, sans scrupules, hypocrite, ambitieux, qualités communes à tous les Plantagenêt et qui sont chères au cœur d'Henry, mais malheureusement, il est souvent irréfléchi, capable des pires sottises sur un coup de tête, et d'une cruauté gratuite qui peut lui attirer bien des haines. L'amour paternel d'Henry n'est pas aveugle, et Richard reste l'héritier désigné.

Cela n'empêche pas la guerre de reprendre entre Henry et Richard, secondé activement par le roi de France. Une tentative de trêve est faite lors d'une entrevue des deux rois à Azay-le-Rideau. Le roi d'Angleterre est dans un état si lamentable que le roi de France en a pitié. La trêve est décidée. Henry retourne à Chinon et se couche pour ne plus se relever. C'est en juillet 1189. Henry a cinquante-six ans. Auprès de lui demeurent quelques fidèles, comme Guillaume le Maréchal. Avant de mourir, il se fait communiquer la liste des seigneurs qui l'ont trahi : en tête de cette liste, il y a le nom de Jean Sans Terre ([37]).

([36]) Il est vraisemblable que toute la scène de Gisors était prévue d'avance. Richard s'était entendu avec le roi de France pour que tout se déroulât de façon à mettre Henry II en position d'infériorité. C'était en effet montrer publiquement que tous les domaines continentaux des Plantagenêt étaient des fiefs de la couronne française.

([37]) Giraud de Cambrie raconte une anecdote assez curieuse : il y avait dans l'une des pièces du palais de Winchester une peinture représentant un aigle et quatre

Le roi est mort, vive le roi! Quand Aliénor apprend la nouvelle, bien qu'elle soit attristée par un autre deuil, celui de sa fille Mathilde qui est morte le 13 juillet, elle ne peut que se réjouir. Il y a longtemps qu'elle n'aime plus Henry. Elle sait qu'elle va retrouver sa liberté et une partie de ses pouvoirs. De fait, à peine Richard est-il reconnu roi qu'il envoie des messagers en Angleterre avec des ordres pour élargir immédiatement Aliénor. Il n'y a pas eu de temps perdu : l'association à la fois affective et politique de Richard et d'Aliénor est reconstituée, comme si rien ne s'était passé. Aliénor retrouve toute son énergie et toute sa volonté d'action, en dépit de ses soixante-sept ans. Elle se met en campagne pour affermir le trône de son fils préféré, espérant qu'ainsi, elle pourra tenir les ficelles d'un pouvoir qu'elle a toujours guetté et jamais vraiment obtenu. Elle s'en va de ville en ville et de château en château à travers tous les comtés d'Angleterre. Elle fait libérer tous les captifs qu'Henry II avait accumulés dans les prisons, elle fait prêter serment de fidélité au roi Richard, elle recrute des hommes qu'elle sait fidèles ou qu'elle juge doués de grandes capacités politiques pour préparer le futur gouvernement de son fils.

En fait, elle sera pendant une année la véritable maîtresse de l'Angleterre. Richard ne fait qu'une courte apparition dans l'île à l'occasion de son couronnement, le 3 septembre 1189. Il en profite pour se réconcilier avec les hommes qui ont servi fidèlement son père, Guillaume le Maréchal en particulier, récompense largement ceux qui ont été ses propres partisans et n'oublie pas son frère cadet, Jean, à qui il donne le comté de Mortain, en Normandie, les châteaux de Marlborough, Nottingham, Lancaster et Wallingford, tout en lui faisant épouser Havise de Gloucester, héritière d'un des plus riches duchés de l'île. Quant aux deux bâtards de son père, l'un Geoffroy, qui était

---

aiglons. Trois de ces aiglons attaquaient l'aigle du bec et de l'ongle sur les ailes et sur le dos. Le quatrième aiglon, qui était le plus petit, était perché sur son cou et tentait de lui arracher les yeux. Aux dires de Giraud, Henry II aurait un jour lui-même commenté cette peinture de la façon suivante : « Ces quatre aiglons sont mes quatre fils qui, jusqu'à la mort, ne cesseront de me persécuter. Entre tous, le plus jeune, à qui vont mes préférences, sera le plus cruel à mon égard et me blessera plus durement que les trois autres. » On ne sait si ce que rapporte Giraud de Cambrie est exact, mais il est certain qu'Henry II eut une peine immense en apprenant, à l'article de la mort, la trahison de son fils préféré.

clerc, est nommé archevêque d'York, l'autre, par mariage, devient comte de Salisbury. On s'aperçoit que Richard Ier d'Angleterre veut abolir un passé de troubles, de révoltes et de haines : ses tendances profondes sont à la générosité, et celle-ci va de pair avec son audace et son courage. Ce n'est pas pour rien qu'on le surnommera Cœur-de-Lion. Il a toutes les qualités des Plantagenêt, mais n'en a pas les défauts. Et il est aussi très *aquitain*, raffiné, cultivé et généreux comme l'ont été son arrière-grand-père Guillaume IX, son grand-père Guillaume X, et comme l'est sa mère, la plus que jamais reine-mère et duchesse.

Mais Richard, par suite de son hérédité typiquement poitevine et aquitaine, n'aime pas l'Angleterre. Il s'y sent mal à l'aise. En fait, jamais roi d'Angleterre ne fut autant français. Le 11 décembre 1189, il quitte l'Angleterre et retourne sur le continent pour préparer activement ce qui lui tient à cœur pour l'instant, une nouvelle croisade, la troisième, qui a pour but de reconquérir Jérusalem retombée aux mains des Turcs. Sans plus de scrupules que son père, il s'arrange pour trouver de l'argent où il peut afin d'équiper son armée. Il vend des châteaux et des terres ([38]). Il croit fermement à sa mission.

Aliénor rejoint son fils sur le continent le 2 février 1190. Il y a beaucoup de choses à régler avant le départ de Richard pour la Terre Sainte. D'abord, il faut neutraliser Jean, que tous deux soupçonnent, à juste titre, d'avoir de ténébreux desseins. C'est pourquoi Richard et Aliénor offrent-ils un apanage substantiel à Jean de Mortain : les comtés de Cornwall, de Devon, de Dorset et de Somerset. Mais en aucun cas ils ne pensent à lui confier une quelconque responsabilité gouvernementale. Ils se méfient trop de lui. Les affaires du royaume seront gérées par Guillaume Longchamp, déjà chancelier d'Henry II, et qui était d'une habileté si grande qu'il en était devenu l'homme indispensable de l'empire Plantagenêt. Mais en fait, c'est Aliénor qui, sans porter le titre de régente, sera la véritable maîtresse des domaines de Richard. Car le jeune roi a toute confiance dans sa mère et il sait qu'elle sera intraitable avec quiconque voudra porter atteinte à l'intégrité du territoire.

([38]) D'après le chroniqueur Roger de Hoveden, il aurait dit un jour : « Je vendrais Londres même si je pouvais lui trouver un acheteur. » Il faut noter que c'est surtout des domaines anglais qu'il vendait.

Cette troisième croisade, Richard ne peut pas la faire seul : il lui faut l'alliance effective du roi de France. Certes, Philippe est tout acquis, pour le moment, à Richard qui l'a reconnu, on le sait, officiellement son suzerain pour toutes ses possessions continentales. Mais Richard a un contentieux à régler avec lui : le sort d'Alaïs de France, la sœur de Philippe, fiancée de Richard. D'une part, le roi d'Angleterre n'a aucune envie de se marier, et d'autre part, la princesse a été la maîtresse d'Henry II. Richard rencontre Philippe à Gisors et parvient à différer le projet de mariage. Puis Aliénor et lui font de multiples donations à des abbayes, notamment à l'abbaye de Fontevrault, et, le 24 juin, il prend congé de sa mère à Chinon pour rejoindre l'armée des Croisés qui se rassemble à Vézelay.

Mais la Croisade prend du retard. Richard et Philippe se retrouvent à Messine où ils vont passer l'hiver 1190-1191. C'est là qu'ils parviennent à un accord sur le sort d'Alaïs. Richard ne l'épousera pas et Philippe Auguste finit par l'admettre, après bon nombre d'entretiens orageux. Il faut dire qu'Aliénor ne voulait à aucun prix de cette union qu'elle savait vouée à l'échec. Car le but d'Aliénor était de trouver à Richard une épouse dont il pourrait avoir un héritier. Elle savait que Richard était capable de procréer : il avait eu un bâtard, dans sa jeunesse, probablement à cause d'un moment d'égarement, car son homosexualité était dominante. Aliénor se disait que si elle arrivait à trouver une princesse capable, non pas de guérir Richard de ses penchants — cela, elle y avait renoncé depuis toujours —, mais d'accaparer sensuellement son fils pendant quelques jours ou quelques nuits, elle avait quelque chance de voir naître un héritier légitime. Elle n'en demandait pas plus. Et elle se mit à courir les routes pour trouver cette perle rare. C'est ainsi qu'un beau jour, elle prit le chemin de Messine en compagnie d'une jeune fille, Bérengère, fille du roi Sanche de Navarre, que les chroniqueurs du temps décrivent comme « sage pucelle, gentille femme, preue et belle ».

Au moment où elle débarque à Messine avec la fiancée présumée de son fils, le roi de France s'embarque, probablement par dépit, n'ayant pas oublié l'affaire d'Alaïs. Quant à Richard, il est séduit par le charme de Bérengère et promet à sa mère de l'épouser. Effectivement, le mariage eut lieu six semaines plus tard à Chypre, sans la présence d'Aliénor qui avait déjà repris la route d'Angleterre. Quelle qu'en soit la raison, cette union demeurera stérile, et Aliénor n'aura pas la joie de voir naître un fils de son fils préféré. Pourtant, à plusieurs reprises, Richard avait accompli des pénitences publiques et confessé devant tout le monde ses « fautes contre nature » et promis qu'il ne les recommencerait plus.

Cependant, le retour d'Aliénor en Angleterre s'explique par la crainte qu'elle a de savoir Jean tout seul pour ourdir des complots sur le dos de son frère aîné. Effectivement, Jean de Mortain parcourt l'Angleterre — qui est son pays de prédilection — en répétant partout que Richard ne reviendra pas de la Croisade et qu'il préfère obtenir un royaume en Terre Sainte que de gouverner l'immense héritage qu'il a reçu de son père. Il parvient même à faire destituer Guillaume Longchamp de sa charge de chancelier, et celui-ci est obligé de s'enfuir en France. La situation est loin d'être claire. Aliénor préside la cour plénière de Noël 1191 en Normandie, à Bonneville-sur-Touques, et six semaines plus tard, elle repasse précipitamment en Angleterre. En effet, elle a appris une nouvelle qui ne lui fait guère plaisir et qui n'est pas de bon augure : Philippe Auguste, le roi de France, est revenu en cachette de la Terre Sainte en France. Il a laissé là-bas le roi d'Angleterre tout seul mais se couvrant de gloire dans ses combats contre les « Sarrasins » de Saladin. Or, cette arrivée sournoise de Philippe dans ses domaines cache sûrement quelque chose, d'autant plus que des contacts ont été pris entre lui et Jean de Mortain. Aliénor s'inquiète et se prépare à la riposte.

Il est bien certain que le roi de France n'a pas gratuitement abandonné à Richard l'honneur de poursuivre la Croisade. En épousant la querelle de Jean contre Richard, de la même façon qu'il avait épousé la querelle de Richard contre Henry II, l'habile Capétien espérait obtenir la Normandie qui lui semblait indispensable pour protéger le domaine royal et qui, une fois entre ses mains, couperait l'empire Plantagenêt en deux.

Aliénor, une fois parvenue sur le sol d'Angleterre, se met en devoir d'étouffer dans l'œuf la machination de son fils cadet. Avec l'aide de l'archevêque de Rouen, elle parvient provisoirement à limiter les dégâts. Elle a un moyen efficace : elle menace Jean de la commise féodale. En effet, au nom de son fils, suzerain légitime dont elle est la représentante, elle peut confisquer tous les domaines de Jean pour cause de félonie prouvée par une assemblée. Elle s'arrange ainsi pour effrayer le comte de Mortain qui sait très bien que sa mère trouvera suffisamment de fidèles parmi les barons pour le condamner. D'ailleurs, il n'est pas très sûr de ses propres partisans et il ne se sent pas assez appuyé par Philippe Auguste qui n'a pas eu le temps de prendre ses dispositions. Le rebelle se calme donc et se soumet à l'ultimatum de sa mère. Mais, dans l'ombre, il continue évidemment à intriguer. Aliénor, qui prévoit qu'il arrivera un moment où l'épreuve de force sera inévitable, envoie message sur message à Richard pour le prier de revenir de toute urgence.

Richard n'a pas envie de revenir vers l'Angleterre. Il se plaît à la croisade où sa réputation de guerrier redoutable et chevaleresque ne fait que croître. Il est probable qu'il songe même à se tailler un royaume en Terre Sainte. Mais il ne peut délivrer Jérusalem ([39]). Alors, le 29 septembre 1192, Richard fait embarquer sa femme Bérengère et sa sœur Jeanne, veuve du roi de Sicile, pour rentrer en Occident, et lui-même annonce qu'il prendra la mer quelques jours plus tard. Effectivement, il s'embarque le 9 octobre. Il fait relâche à Corfou. On aperçoit sa flotte au large de Brindisi, cherchant un port pour s'abriter de la tempête. Puis c'est le silence.

Aliénor s'inquiète. Elle envoie des messagers s'informer, mais ceux-ci n'apprennent rien. Elle passe les fêtes de Noël dans la tristesse, et quelques jours plus tard, elle reçoit un étrange courrier : la copie d'une lettre que le roi de France a reçue de l'Empereur d'Allemagne, copie que s'était procurée on ne sait trop comment l'archevêque de Rouen. On peut y lire notamment ceci : « Nous avons tenu à informer votre Noblesse, par ces présentes lettres, que, au moment où l'ennemi de notre empire et le perturbateur de votre royaume, Richard, roi d'Angleterre, traversait la mer pour retourner dans ses domaines, il advint que

([39]) Richard avait proposé de donner sa sœur Jeanne, veuve du roi de Sicile, en mariage au frère du sultan Saladin, Malik-al-Adil. Ils auraient ainsi régné ensemble sur Jérusalem et se seraient arrangés pour terminer la guerre par des cessions réciproques de territoire. Jeanne refusa catégoriquement le plan de son frère, qui d'ailleurs tenait plus du rêve que de la réalité. Richard s'approcha d'assez près pour voir les confins de Jérusalem, mais il ne put jamais y parvenir. Il finit par se résoudre à un compromis avec Saladin, les Occidentaux gardant les ports et le littoral. Pour récompenser sa bravoure, Saladin proposa à Richard un sauf-conduit pour aller en pèlerinage sur les Lieux Saints. Mais Richard refusa, disant, d'après le chroniqueur Joinville : « Beau Sire Dieu, je te prie que tu ne souffres pas que je voie ta sainte cité puisque je ne peux pas la délivrer des mains de tes ennemis. »

les vents l'amenèrent, son navire ayant fait naufrage, dans la région d'Istrie. Les routes étant surveillées et des gardes étant placés de toutes parts, notre cher et bien-aimé cousin Léopold, duc d'Autriche, s'est emparé de la personne dudit roi... »

Ainsi Richard a été fait prisonnier par le duc d'Autriche, avec lequel il avait eu une querelle en Terre Sainte. Mais on apprend ensuite par des messagers envoyés à la hâte par Aliénor, que Richard, après avoir été transporté de prison en prison, a été remis à Henri VI, empereur d'Allemagne, qui le fait garder à Spire et fait savoir qu'il ne le libérera que contre une rançon fabuleuse de cinquante mille marcs d'argent. Nous n'avons aucun document sur ce qui s'est passé réellement, depuis la capture de Richard par Léopold et la décision de l'empereur de le retenir, mais il est facile d'imaginer que Philippe Auguste est pour quelque chose dans cette machination. Le roi de France s'est arrangé pour éliminer provisoirement le roi d'Angleterre, quitte à promettre on ne sait quoi à l'empereur d'Allemagne, d'ailleurs lui-même ravi de l'occasion et qui se venge ainsi des rébellions de son beau-frère Henri le Lion, duc de Saxe. La situation est maintenant nette. Sont en présence Philippe, roi de France et son allié Jean Plantagenêt, face à Aliénor, la septuagénaire reine-duchesse. Et puis Jean ne se gêne pas : il traite directement avec le roi de France, lui concédant même par un traité une bonne partie de la Normandie.

Mais Aliénor n'est pas affaiblie par l'âge et elle n'a rien perdu de sa ténacité. Elle sait qu'elle représente la légitimité et elle en profite. Elle sait aussi qu'elle a ses barons poitevins et aquitains derrière elle, et de nombreux chevaliers angevins, normands et anglais sont prêts, par respect pour le roi Richard, à marcher sous ses ordres. Elle use de tout le poids de son expérience politique et de sa connaissance des cours européennes. Largement secondée par l'archevêque de Canterbury, Hubert Walter, qui est aussi grand justicier du royaume, elle parvient, sinon à rétablir la situation, du moins à la maintenir en équilibre. Jean Sans Terre est obligé de se retrancher dans Windsor, avec ses partisans, et il est assiégé par la plupart des barons anglais, sous la conduite de ce même Guillaume le Maréchal qui a été le plus fidèle soutien d'Henry II, et qui a pris maintenant le parti de Richard et d'Aliénor parce que c'est le parti de la légitimité. Le roi de France menace de faire débarquer ses troupes sur le sol de l'île. Aliénor appelle tous ses vassaux, et une fois de plus, elle leur demande de jurer fidélité à Richard.

Toute l'Europe avait les yeux fixés sur cette étrange situation, mais personne n'osait rien dire ni rien faire. Richard avait été, en quelque sorte, mis aux enchères par Henri VI d'Allemagne. Quel serait le plus offrant? Aliénor ou Jean, c'est-à-dire Philippe Auguste? De plus, Richard était un prince croisé, théoriquement sous la protection de l'Eglise, et il était détenu par un prince chrétien, au mépris de toutes les lois civiles et religieuses. Or que faisait l'Eglise? Rien. Il est probable qu'après avoir soutenu dans ses entreprises Henry II, notamment en Irlande (40), parce qu'il était un mainteneur d'ordre, la papauté, toujours plus habile en *combinazione* politique qu'en questions de dogme, misait sur Philippe Auguste et la puissance capétienne (41). Quoi qu'il en soit, le pape Célestin III se gardait bien d'intervenir dans le conflit. Il cherchait d'ailleurs à ménager l'empereur d'Allemagne, qui était roi titulaire de Sicile et qui n'attendait qu'une occasion pour envahir l'Italie.

Aliénor fit alors écrire trois lettres, probablement par son secrétaire Pierre de Blois (42), adressées au Pape et qui commençaient par ces mots : « Moi, Aliénor, *par la colère de Dieu* reine d'Angleterre, duchesse de Normandie, comtesse d'Anjou, malheureuse mère. » Ces lettres n'étaient pas tendres pour le pape.

(40) En fait l'Irlande avait été vendue par la papauté à Henry Plantagenêt. On a discuté l'authenticité de la bulle *Laudabiliter* par laquelle, en 1155, le pape chargeait Henry II de réformer l'Eglise d'Irlande et d'y rétablir le denier de Pierre, mais trois lettres du pape Alexandre III, en 1172, approuvent la prise de pouvoir sur l'Irlande par Henry II. A l'époque, devant le fragile Louis VII, la seule puissance valable, aux yeux de l'Eglise, en Occident, était la dynastie anglo-angevine. D'autre part, c'était une façon de vider la querelle séculaire qui opposait l'Eglise d'Irlande, toujours en marge, attachée à ses particularismes et notamment à son système d'abbayes-évêchés qui aboutissait à la quasi-autonomie, et l'Eglise romaine centralisatrice. De la même façon, Henry II avait obtenu du pape la liquidation définitive de la métropole de Dol, en Bretagne armoricaine, au profit de la métropole de Tours, traditionnellement d'obédience romaine, et qui se trouvait d'ailleurs sur les territoires du Plantagenêt. En fait, Henry II, à part l'*accident de parcours* constitué par le meurtre de Thomas Beckett, a toujours été dans les meilleurs termes avec la papauté.

(41) Ce qui n'empêcha pas Philippe Auguste d'être excommunié un peu plus tard dans l'affaire de la répudiation d'Ingeborg. Mais la réconciliation fut facile. La France capétienne commençait à être pour de bon « la fille aînée de l'Eglise », et elle allait le demeurer pendant plusieurs siècles, à tel point qu'à partir de Philippe le Bel, la papauté allait être directement sous la tutelle capétienne à Avignon.

(42) Il avait été longtemps le secrétaire et l'intime d'Henry II.

Qu'on en juge : « J'avais résolu de me taire. Ma spontanéité, la violence de ma douleur pouvaient en effet laisser jaillir quelque mot hors du contrôle de la raison, car le chagrin, lorsqu'il est en pleine montée, côtoie facilement la démence et ne connaît point de maître. Vous ne pouvez feindre d'ignorer nos malheurs qui se sont multipliés sans fin, car vous seriez qualifié de criminel et d'infâme, vous qui êtes le vicaire du Crucifié, le successeur de Pierre, le prêtre du Christ, l'oint du Seigneur ! » Et Pierre de Blois de prendre son rôle au sérieux et de surenchérir : « Moi, Aliénor, par la colère de Dieu reine des Anglais, je suis desséchée par le chagrin. Mes chairs sont consumées. La peau de mon visage est collée sur mes os. Plût à Dieu que tout le sang de mon corps, ma cervelle et la moelle de mes os fussent devenus des larmes. Mes entrailles sont arrachées. J'ai perdu le bâton de ma vieillesse et la lumière de mes yeux. » Et c'est l'occasion de critiques acerbes contre la machine administrative de la Curie romaine : « Souvent, c'est pour des motifs bien futiles que vos cardinaux se déplacent en grand appareil et s'en vont dans les pays barbares en qualité de légats. Mais ici, pour une cause si digne de pitié, vous n'avez pas envoyé un seul sous-diacre, même pas un acolyte. Aujourd'hui, c'est la recherche du profit qui fait se déplacer les légats, et non pas la considération du Christ, l'honneur de l'Eglise, la paix à établir entre les royaumes. Et pourtant, quel plus beau bénéfice peut-il y avoir pour vous que d'obtenir la libération de ce roi ? » Et cela va jusqu'à la menace. Aliénor ne s'emporte-t-elle pas au point de rappeler que son époux défunt avait mis fin à un schisme en se ralliant à Alexandre au moment où l'empereur d'Allemagne soutenait un antipape [43], et surtout au point de parler de la possibilité d'un autre schisme : « Les princes de la terre se sont unis contre mon fils. L'un le tond, l'autre l'épile. L'un lui retient le pied, l'autre l'écorche. Le pape voit cela et se tait. Je vous le déclare : il n'est pas loin le jour prédit par l'Apôtre ! le moment fatal approche où la tunique du Christ sera déchirée, où les filets de Pierre seront rompus, où l'unité catholique sera dissoute. » Et on ne recule pas devant les jeux de mots : « Trois fois vous avez

[43] Frédéric Barberousse, empereur d'Allemagne, en froid avec la papauté, n'avait pas hésité à opposer un antipape à Alexandre III. C'est effectivement l'attitude ferme d'Henry II, qui s'était rallié à Alexandre, qui avait permis d'éviter un grave schisme.

promis d'envoyer des légats et ils n'ont pas été envoyés. En fait ils ont plutôt été *liés* que *légats* (44). »

Le pape resta sourd à ces objurgations où se mesure toute la rage passionnée d'Aliénor. Certes, il avait excommunié le duc d'Autriche et menacé d'interdit le roi de France s'il osait s'emparer des terres de son rival, mais cela n'était que paroles en l'air. Il fallait donc que la reine-duchesse se débrouillât toute seule, sans le soutien de l'Eglise. Par l'intermédiaire de Guillaume Longchamp, envoyé en mission en Allemagne, elle avait reçu une lettre de son fils qui demandait qu'on rassemblât l'argent de la rançon et qu'on le remît à sa mère. C'est à cette tâche énorme qu'Aliénor allait se consacrer. Elle se mit en campagne aussi bien en Angleterre que sur le continent, rappelant à ses vassaux que le serment féodal exigeait qu'ils participassent à la rançon de leur suzerain.

Tous les fidèles du roi Richard donnèrent ce qu'ils purent. Mais comme la rançon était énorme, Aliénor dut taxer les monastères, surtout ceux qui regorgeaient de richesses. Mais rassembler une telle somme, qui représentait à peu près trente-quatre tonnes d'argent fin, était une opération qui nécessitait du temps, d'autant plus que les partisans de Jean Sans Terre s'arrangeaient souvent pour détourner les fonds perçus, à l'occasion de coups de main, notamment en Angleterre (45). Et pendant ce temps-là, Richard Cœur de Lion se morfondait dans sa prison allemande, se demandant si ses amis ne l'avaient pas abandonné (46).

(44) Le jeu de mots n'existe qu'en latin : *ligati* potius quam *legati*. Il est évident qu'en écrivant ces lettres, Pierre de Blois a sacrifié à la mode littéraire du temps, accumulant les citations bibliques, les redondances à la latine, la préciosité courtoise et la plaisanterie prétendûment intellectuelle. La plupart des lettres de cette époque sont écrites dans ce style.

(45) Tous ces événements sont à l'origine de l'histoire légendaire de Robin Hood, que nous appelons Robin des Bois, symbole des partisans du roi Richard dans une des régions anglaises dominée par les âmes damnées de Jean Sans Terre, tel le sheriff de Nottingham.

(46) Comme en témoigne ce poème de Richard lui-même, écrit pendant sa captivité, et dont voici une transcription moderne :

« Jamais un prisonnier ne put exprimer clairement sa pensée,
si ce n'est en homme triste.
Mais pour se réconforter, il peut faire une chanson.
J'ai beaucoup d'amis, mais pauvres sont leurs dons.
Honte en auront si, pour ma rançon,
je suis encore prisonnier cet hiver.

Enfin, pendant l'hiver 1193-1194, la reine partit pour l'Allemagne, ne voulant confier à personne l'argent de la rançon. Elle était accompagnée par de nombreux fidèles. Elle arriva à Cologne pour les fêtes de Noël et fut à Mayence pour les jours de la Chandeleur. Le 4 février 1194, son fils lui fut enfin rendu, après avoir, probablement sur les conseils de la reine, prêté hommage à l'empereur d'Allemagne pour le royaume d'Angleterre. Mais peu importait cet hommage : il n'était que de pure forme. L'essentiel, aux yeux d'Aliénor, était que son fils fût délivré de sa prison et revînt mettre de l'ordre dans son immense domaine.

Cinq semaines plus tard, Aliénor et Richard débarquèrent sur les côtes d'Angleterre, à Sandwich. Triomphalement accueilli par ses sujets, Richard fut couronné une seconde fois en avril dans la cathédrale de Winchester. Le défi jeté par le roi de France et son fils cadet, Aliénor l'avait relevé de façon éclatante. Et elle avait gagné. A soixante-douze ans, cette femme qui avait été reine de

---

Ils savent bien, mes hommes et mes barons,
Anglais, Normands, Poitevins et Gascons,
que je n'avais si pauvre compagnon
que je laissasse en prison, faute d'avoir,
et je le dis sans nul reproche,
mais je suis encore prisonnier.

Je le sais bien maintenant, sans aucun doute,
le mort et le prisonnier n'ont ni ami, ni parent,
puisqu'on me laisse pour un peu d'or ou d'argent.
C'est fâcheux pour moi, encore plus pour les miens,
car ils en auront grand reproche après ma mort,
si je reste longtemps prisonnier.

Ce n'est pas merveille si j'ai le cœur dolent,
quand mon seigneur met ma terre en tourment.
S'il se souvenait de notre serment
que nous fîmes en commun,
je sais bien que plus longtemps
je ne resterai prisonnier.

Ils savent bien, Angevins et Tourangeaux,
ces bacheliers qui, pour l'heure, sont riches et sains,
que, souffrant, je suis loin d'eux, en des mains étrangères.
Autrefois ils m'aimaient, maintenant, ils ne m'aiment guère.
Ces plaines sont privées de beaux faits d'armes
depuis que je suis prisonnier.

A mes compagnons que j'aimais et que j'aime,
ceux de Cayeux et ceux du Perche,
va leur dire, chanson, qu'ils ne sont pas fideles.
Pourtant, envers eux, jamais mon cœur ne leur manqua.
S'ils me font la guerre, ils feront comme des vilains,
tant que je serai prisonnier... »

deux pays différents étonnait encore le monde. Allait-elle enfin se reposer? Allait-elle réaliser le projet qu'elle avait fait, se retirer à Fontevrault et y vivre ses dernières années dans la paix et la prière?

Mais elle savait qu'il fallait protéger Richard. Elle ne pouvait pas abandonner ce fils bien-aimé, non pas qu'elle craignît qu'il ne fût pas un bon roi, au contraire, mais parce qu'il fallait au maximum lui donner toutes ses chances de réussir à maintenir l'héritage Plantagenêt. C'est à cela qu'Aliénor allait s'employer. Elle suivit Richard qui recevait, l'un après l'autre, l'hommage de ses vassaux, et aussi la soumission de ceux qui avaient été tentés par Jean Sans Terre.

Tout cela n'était pas du goût de Philippe Auguste et de Jean, qui voyaient avec inquiétude le roi Richard reconstituer son empire au fur et à mesure que les jours passaient. Philippe se décida à tenter un grand coup : il commença à envahir la Normandie qui avait toujours été l'objet de ses visées. Jean lui avait cédé le Vexin normand. Il voulait toute la Normandie, province vitale pour l'équilibre du royaume de France. Il savait que s'il réussissait, le reste des domaines Plantagenêt tomberait comme un fruit mûr. A la nouvelle de la reprise des hostilités, Aliénor et Richard repassent sur le continent. Comme son père, Richard fait appel à des mercenaires. Avec ceux-ci, et reprenant la tactique d'Henry II, qui se déplaçait toujours avec une rapidité surprenante, il réussit à écarter le danger, par une série de petites victoires qui font reculer le roi de France.

D'autre part, Aliénor veut réaliser un projet qui lui tient à cœur : réconcilier ses deux fils. Elle fait agir des messagers, en cachette de Richard, qui, pour l'instant, ne pense qu'à se venger de son frère. Finalement, au printemps 1194, alors qu'Aliénor et Richard sont à Lisieux, la reine-mère, profitant de la situation, fait introduire Jean, lequel se jette aux genoux de Richard et lui demande son pardon. Toujours généreux, mais non pas dupe, le Cœur de Lion pardonne à son frère rebelle et se réconcilie solennellement avec lui. Certes, ni le roi, ni sa mère, n'ont confiance : ils savent que le revirement de Jean a été dicté par son intérêt immédiat, mais c'est un point important, car tant que Jean verra des avantages dans son alliance avec Richard, il ne sera pas tenté de favoriser la politique sinueuse de Philippe Auguste. Et Aliénor, satisfaite à la fois en tant que reine et en tant que mère, s'en va à Fontevrault, dans une retraite semi-monastique, à l'abri de l'agitation de ce monde troublé qu'elle-même a longtemps contribué à ébranler.

Il ne faut cependant pas croire qu'Aliénor est parvenue au terme de sa vie active. Les soucis l'assaillent toujours autant, et elle ne peut se tenir vraiment à l'écart de ce qui se passe. Elle s'inquiète de la stérilité de l'union de Richard et de Bérengère. Richard a repris toutes ses habitudes de débauche, et Bérengère ne vit pas avec lui. Elle s'inquiète de l'attitude de Jean, qui continue, c'est une manie chez lui, à comploter dans l'ombre. Elle s'inquiète du sort de sa fille Jeanne, la veuve du roi de Sicile, remariée par Richard au comte de Toulouse Raymond VI, pour des motifs bassement politiques. Raymond est un débauché de la pire espèce qui se mariait ainsi pour la quatrième fois. Il était veuf d'une de ses épouses précédentes, il en avait mis une autre à l'ombre d'un couvent cathare et avait cyniquement répudié la troisième, Bourguigne de Lusignan. Jeanne lui donne un fils, le futur Raymond VII, et plus tard, enceinte une nouvelle fois et malade, elle viendra se réfugier à Fontevrault où elle mourra entre les bras de sa mère.

Cependant Richard se conduit en grand roi. On lui propose même la couronne impériale d'Allemagne. Cette idée le tente un instant : ce serait évidemment le triomphe de la dynastie Plantagenêt et l'écrasement définitif des Capétiens. Mais il a peu de goût pour l'Allemagne et n'en conserve que de mauvais souvenirs. Il fait élire un de ses neveux, le fils de Mathilde et d'Henri le Lion, qui sera le célèbre empereur Otton. Il s'assure l'alliance de Baudouin IX, comte de Flandre et de Hainaut et celle de Renaud de Dammartin, comte de Boulogne. Ainsi entoure-t-il le domaine capétien d'un réseau habilement tissé et qui, le cas échéant, peut servir ses intérêts dans la lutte perpétuelle qui l'oppose à Philippe Auguste. Le roi de France sent très bien que le piège se referme. Il a une entrevue sur la Seine, sous la forteresse de Château-Gaillard, avec Richard Cœur de Lion, et négocie la paix avec lui. Les deux rois finissent par se mettre d'accord sur une trêve de cinq années.

Bien entendu, la trêve une fois passée, la guerre reprend. Le roi de France a essayé de soudoyer certains vassaux de Richard, le comte de Limoges, en particulier, tandis que Jean Sans Terre élabore de sombres projets en Bretagne, alors sous la domination

Plantagenêt. A Paris, c'est Philippe Auguste qui a élevé le fils de Geoffroy et de Constance de Bretagne, le jeune Arthur, et bien entendu, le roi de France s'est arrangé pour lui fournir, en plus d'une éducation très francophile, des raisons d'espérer unir un jour la couronne d'Angleterre à la couronne ducale de Bretagne. N'est-il pas, dans l'ordre de succession, le plus proche héritier de Richard, son oncle?

Richard, pour ramener à la raison le comte de Limoges, met le siège devant le château de Châlus. Au cours d'une inspection des ouvrages de guerre, le soir du 25 mars 1199, le roi est atteint d'une flèche à l'épaule. La plaie s'envenime. Richard ne se fait plus aucune illusion sur son sort et fait appeler sa mère.

A Fontevrault, Aliénor reçoit le message. Sans perdre une minute, terriblement atteinte moralement en tant que mère et en tant que reine, elle se précipite vers Châlus. Elle y arrive au matin du 6 avril. Richard s'est confessé, a pardonné à son meurtrier, au roi de France et à tous ses ennemis. Il donne à sa mère ses derniers conseils et ses dernières volontés, avant de s'éteindre dans la soirée entre les bras de celle qui lui a donné le jour. Il a demandé que son cœur repose à la cathédrale de Rouen et son corps à l'abbaye de Fontevrault. Aliénor voit ainsi mourir son fils tant aimé, à l'âge de quarante et un ans, en pleine force et en pleine gloire.

Un mystère subsiste quant aux derniers moments de Richard Cœur de Lion. A-t-il, oui ou non, dicté un testament? Et qui a-t-il désigné comme son successeur? Nous n'en savons strictement rien. Et qu'il ait ou non pris position en faveur de Jean Sans Terre ne change rien au fait que la décision suprême allait appartenir à Aliénor elle-même et aux principaux barons du royaume.

Car Richard a deux héritiers que la coutume anglo-angevine ne peut départager. Normalement, puisque Richard avait remplacé Henry le Jeune sur le trône, c'était à Geoffroy que revenait, dans l'ordre, la succession. Or Geoffroy étant mort en 1186, c'est son fils Arthur qui devait recevoir la couronne ([47]). Mais d'un autre côté on pouvait prétendre que c'était au fils survivant d'Henri II que revenait de droit la couronne. La situation était inextricable,

([47]) Chez les Capétiens, c'est ce qui se serait passé. D'ailleurs Philippe Auguste poussait Arthur à réclamer la couronne.

d'autant plus qu'il semble bien qu'avant sa mort, Richard ait considéré Arthur comme son successeur et qu'il ait fait prononcer à ses vassaux un serment de fidélité à son neveu ([48]).

Les funérailles de Richard ont lieu à Fontevrault, le 11 avril 1199. La messe des morts est chantée par l'évêque de Lincoln, assisté des évêques de Poitiers et d'Angers. Aliénor, ce jour même, fait une nouvelle dotation à l'abbaye, « pour l'âme de son très cher sire, le roi Richard ([49]) ». Les jours suivants, de semblables dotations sont faites à différents monastères. Et puis, toujours à Fontevrault, c'est un incessant défilé : les grands personnages viennent présenter leurs condoléances à la toujours reine-duchesse, et d'autres viennent discuter de la succession.

Car le problème est grave. Choisir le comte de Mortain, c'est s'exposer à toutes les aventures. Jean est violent, cynique, sans scrupules, souvent inconscient, en fait à demi fou. Les Grands du royaume savent très bien qu'il n'a pas l'étoffe d'un roi. Aliénor elle-même n'a pas confiance dans son fils. Alors, que faire? Choisir le duc de Bretagne, c'est donner l'empire Plantagenêt à une âme damnée de Philippe Auguste, c'est livrer le royaume à la convoitise capétienne, cela d'autant plus qu'Arthur étant trop jeune, la régence ira à sa mère, Constance de Bretagne, qui est l'ennemie d'Aliénor et qui hait les Plantagenêt. Il semble bien qu'Henry II et Richard aient cependant choisi Arthur. Aliénor et les grands du royaume choisiront — à contrecœur, il est vrai — Jean de Mortain, parce qu'il fallait un homme et non pas un enfant influencé par le roi de France pour conserver l'unité de l'empire Plantagenêt. C'est la seule explication plausible de cette décision qui allait faire de Jean Sans Terre le roi le plus catastrophique qu'ait connu l'Angleterre ([50]).

([48]) Serment de fidélité que Jean ne prononça évidemment pas et qui provoqua de sa part une tentative d'insurrection.

([49]) Dans les chartes d'Aliénor, Richard est toujours *carissimum*, très cher, tandis que Jean est seulement *dilectum*, simple formule de politesse.

([50]) On rapporte ainsi une conversation qu'auraient eue le toujours valide Guillaume le Maréchal avec Hubert Gautier, le tout-puissant archevêque de Canterbury, chargé de la gestion du royaume, dès l'annonce du décès de Richard : « Quel espoir nous reste-t-il, se demande l'archevêque, après ce drame? Aucun, car après lui, je ne vois personne qui puisse défendre le royaume. Je m'attends à voir les Français nous assaillir sans que personne ne puisse leur résister. — Il faudrait, dit Guillaume, nous hâter de choisir son successeur. — A mon avis, dit l'archevêque, nous devrions choisir Arthur de Bretagne. — Ah! seigneur, répondit Guillaume, ce

On est en droit de se demander si Aliénor n'a pas commis là sa plus grande faute politique. De toute évidence, Jean de Mortain était un incapable. En le soutenant, du vivant de Richard, Philippe Auguste savait très bien ce qu'il faisait : il voulait éliminer l'intelligent et habile Cœur de Lion au profit du sinistre Jean Sans Terre : ainsi aurait-il eu l'occasion d'intervenir constamment dans les affaires d'Angleterre pour son plus grand profit. Et il misait sur deux tableaux, puisque, dans le même temps, avec une hypocrisie remarquable, il persuadait Arthur de Bretagne qu'il était l'héritier légitime. A l'analyse des faits, et sans avoir la prétention de refaire l'Histoire, on peut être sûr qu'Arthur de Bretagne, tout homme-lige du roi de France qu'il était, n'aurait certainement pas perdu aussi stupidement les domaines Plantagenêt que son oncle. Mais à la décharge d'Aliénor, il faut dire qu'avec son énergie coutumière, elle pensait bien user de tout son pouvoir et de tout son prestige, ainsi que de toute son autorité maternelle, pour faire de Jean sinon un grand roi, du moins un des plus solides défenseurs de l'empire Plantagenêt.

Elle le montra immédiatement. Elle se mit à chevaucher, suivie des routiers qui avaient constitué le corps d'élite de Richard, à travers tous ses domaines. Elle marcha contre l'Anjou qui avait choisi Arthur. Elle parcourut l'Aquitaine pour faire prêter le même serment de fidélité à Jean qu'elle avait demandé lors de l'accession au trône de Richard. Pendant ce temps, Jean s'occupait de la Normandie et de l'Angleterre, où les réticences étaient aussi vives. A la fin du mois de mai, il fut couronné à Londres.

Mais ce n'est là qu'un geste symbolique : la partie est loin d'être gagnée, sur le continent comme en Angleterre. Aliénor continue sa randonnée à travers l'Aquitaine qui est à la fois une tentative d'intimidation et une tournée de propagande. Elle y met une sorte de fureur. Elle sent en effet que Philippe Auguste guette sa proie dans l'ombre et que cette proie est prête à tomber dans

---

serait mal. Arthur n'a eu que de mauvais conseillers, il est ombrageux et orgueilleux. Si nous le mettons à notre tête, il nous causera des ennuis, car il n'aime pas les Anglais. Mais voyons le comte Jean. En conscience, c'est le plus proche héritier de la terre de son père et de son frère. — Maréchal, dit l'archevêque, le voulez-vous ainsi? — Oui, c'est son droit. Le fils est plus près de la terre de son père que le neveu. — Maréchal, il en sera selon votre désir, mais je vous dis que jamais, d'aucune chose que vous ayez faite, vous n'aurez autant à vous repentir »

les lacs de l'adversaire. Aurait-elle donc soustrait l'Aquitaine et le Poitou à Louis VII pour les voir retomber entre les mains de l'héritier de ce roi? C'est vraiment l'énergie du désespoir qui anime la vieille reine-duchesse. Elle menace ses barons, déjoue la perfidie des Lusignan, toujours prêts à trahir les Plantagenêt (à la fin de 1199, elle tombera même dans une embuscade tendue par Hugues de Lusignan qui ne la relâchera qu'après lui avoir extorqué le comté de la Marche), et surtout elle se concilie les villes en accordant tant et plus de chartes de franchises.

Ces chartes sont évidemment des leurres. En les accordant, Aliénor ne fait pas seulement preuve de libéralisme, mais elle prend les bourgeois des cités au piège. Elle sait que la classe bourgeoise est en plein essor et qu'elle détient les moyens financiers indispensables à toute entreprise. Les nobles, eux, sont ruinés par les guerres incessantes et incapables de fournir des gens d'armes en nombre suffisant. Qu'à cela ne tienne! On s'arrange, dans les chartes communales, pour considérer les bourgeois des villes comme les égaux des plus grands vassaux. Flattés de se voir mis sur un pied d'égalité avec les grands du royaume, ils ne lisent pas plus loin. Or, comme les vassaux, ils doivent le *service d'ost*, autrement dit, en cas de guerre, ils ont l'obligation de payer des équipements militaires et d'assurer la constitution de troupes abondantes. Mais comme la vanité est ce qui se vend le mieux, Aliénor réussit là un coup de maître en attachant à la couronne des villes qui, en réalité, se moquaient éperdument de la rivalité entre Capétiens et Plantagenêt.

C'est ainsi qu'Aliénor fait taire l'Aquitaine et le Poitou. Auprès du vicomte de Thouars, elle a moins de chance. Celui-ci demeure partisan inconditionnel d'Arthur, et son frère Guy va devenir le troisième époux de Constance de Bretagne, mère d'Arthur : de ce mariage naîtra d'ailleurs Alix, héritière du duché à la mort d'Arthur, et qui sera mariée ensuite par Philippe Auguste à Pierre de Dreux, inaugurant ainsi la dynastie des Montfort. Aliénor tente alors une chose qui aurait paru impossible à tout autre : elle rencontre Philippe Auguste à Tours, entre les 15 et 20 juillet 1199, et *lui prête l'hommage féodal pour tous les territoires continentaux des Plantagenêt*. Il est probable que le roi de France n'a pas été dupe de l'astuce imaginée par la première femme de son père, mais il a accepté, se disant qu'Aliénor ne vivrait pas toujours.

En effet, Aliénor a voulu, par ce geste, protéger une dernière fois son fils cadet, et par là l'héritage d'Henry II. En prêtant elle-même l'hommage, elle se reconnaissait *personnellement* vassale du roi de France, mais aussi *titulaire* de la Normandie, de l'Anjou, du Poitou et de l'Aquitaine. Jean n'était plus alors que son vassal *à elle* et non plus le vassal direct de Philippe. Les domaines continentaux des Plantagenêts ne constituaient plus qu'un arrière-fief de la couronne. Si une difficulté surgissait, c'est à Aliénor et non à Jean que devait s'en prendre le roi de France. En fait, elle assumait les responsabilités de son fils et servait de tampon entre lui et Philippe. C'est dire le peu de cas qu'elle faisait des capacités politiques de Jean, puisque, de cette façon, elle l'écartait du circuit, préférant résoudre les problèmes elle-même avant que le Roi en titre ne commît des maladresses irréparables.

Peu après l'entrevue de Tours, Aliénor gagna Rouen où elle rejoignit Jean. Elle fit le point de la situation avec lui et lui donna ses directives. Il semble que Jean les suivit, du moins pendant un certain temps.

Quelque peu rassurée, la vieille reine-duchesse entreprit un long voyage pendant l'hiver 1199-1200. Elle se rendit en Espagne auprès de sa fille Aliénor, reine de Castille depuis trente ans et qui avait eu de son époux Alphonse VIII grand nombre d'enfants. C'est au cours de son séjour à la cour de Castille qu'elle désigna celle qui, parmi ses petites-filles, devait être fiancée à l'héritier du trône de France. Et c'est encore une des contradictions du destin : celle qui n'était plus reine de France allait devenir, par sa petite-fille Blanche de Castille, l'arrière-grand-mère d'un des plus grands rois capétiens ([51]). Elle revint alors en compagnie de sa petite-fille et passa les fêtes de Pâques à Bordeaux avant de remettre Blanche à l'archevêque de la ville qui lui-même la remit solennellement aux envoyés du roi de France.

Alors, comme le dit le chroniqueur Roger de Hoveden, « épuisée par l'âge et par les fatigues de ce long voyage, la reine se rendit à l'abbaye de Fontevrault pour y demeurer ». Mais cette retraite n'en était pas vraiment une : elle continuait d'apporter à

([51]) On prétend que, devant choisir entre ses deux petites-filles Urraque et Blanche, elle choisit la dernière parce que le nom de la première serait imprononçable à la cour de France. On sait que Blanche de Castille, sur un autre registre, avait hérité du tempérament de sa grand-mère et qu'elle le manifesta à plusieurs reprises, en particulier dans la lutte qu'elle engagea contre les grands vassaux du royaume.

son fils toute l'aide diplomatique dont elle disposait. Il n'est peut-être pas exagéré de dire que pendant les dernières années de la vie d'Aliénor, la capitale *pensante* de l'empire Plantagenêt fut Fontevrault.

Mais Jean, comme prévu, accumulait les sottises. La plus grave, il la commit à la fin du mois d'août 1200, en enlevant Isabelle d'Angoulême, fiancée officielle du comte de la Marche, Hugues de Lusignan, et en l'épousant peu après. C'était la chose à ne pas faire. Les Lusignan sentirent se réveiller leur vieille haine des Plantagenêt et firent appel au suzerain, c'est-à-dire que passant par-dessus Aliénor ([52]), ils demandèrent directement à Philippe Auguste d'intervenir. Celui-ci ne rata pas l'occasion et mit en demeure Jean sinon de rendre Isabelle qu'il avait déjà épousée, du moins de donner des compensations à Hugues de Lusignan. L'équilibre dans lequel la vieille reine-duchesse tentait de maintenir les domaines Plantagenêt était rompu.

Jean couronna sa jeune épouse à Westminster, le 8 octobre 1200, et, quelque temps après, ce qui n'est pas le moins surprenant, le roi et la reine d'Angleterre sont reçus cordialement par Philippe Auguste dans l'île de la Cité. Il faut dire que Philippe se débattait dans les pires difficultés et ne pouvait rien entreprendre contre son vassal. Il était excommunié parce qu'il avait répudié son épouse Ingeborg et s'était marié avec Agnès de Méranie. Le royaume était même sous le coup d'un interdit. Pendant ce temps, Aliénor ne restait pas inactive : elle finit même par se réconcilier avec Aimery de Thouars, l'oncle par alliance du jeune Arthur, qui avait toujours répugné à l'autorité des Plantagenêt. Aimery était allé voir Aliénor à Fontevrault et l'avait quittée en lui promettant de s'employer à maintenir la concorde chez les barons poitevins.

A la fin de l'été, la mère d'Arthur de Bretagne, Constance, mourut, le 4 septembre 1201. Quelque temps auparavant était morte Agnès de Méranie, objet du litige et du scandale où se

([52]) Aliénor était suzeraine de Jean comme des Lusignan depuis l'hommage de Tours. C'était à elle de trancher le différend avant le roi de France. On fait remarquer à ce sujet que si Jean a pu constituer à sa jeune épouse un douaire considérable contenant en particulier les villes de Saintes et de Niort, il n'a pu le faire qu'avec l'assentiment ou du moins la tolérance de sa mère. Cela ne veut pas dire qu'elle ait approuvé le coup de tête de son fils, mais que pouvait-elle faire d'autre que de cautionner Jean?

trouvait mêlé le roi de France. L'interdit n'avait plus de raison d'être, et Philippe Auguste allait retrouver toutes ses possibilités d'action.

Au printemps 1202, une délégation de barons poitevins, les Lusignan en tête, vint se plaindre auprès du roi de France des agissements de Jean Sans Terre. Il faut dire que ce dernier ne faisait rien pour se concilier ses turbulents vassaux. Au contraire, il les traitait avec mépris, violence et arrogance. Philippe saisit l'occasion au vol. Englobant dans le même problème Aliénor, qui, ne l'oublions pas, était la suzeraine de Jean, et son fils, il cita le roi d'Angleterre à comparaître devant sa cour pour se justifier des accusations portées contre lui. Bien entendu, Jean fit la sourde oreille, et la cour, réunie à Paris le 28 avril, le déclara félon, proclamant rompues toutes les relations féodales entre Jean et Philippe Auguste. Ainsi, désormais le roi de France pouvait-il intervenir légalement dans les domaines Plantagenêt. Il rassembla ses troupes et il arma chevalier Arthur de Bretagne, lequel lui fit solennellement hommage, non seulement pour la Bretagne, mais pour l'Anjou, le Maine, la Touraine et le Poitou ([53]). Et la guerre commença immédiatement.

Philippe Auguste s'empara de nombreuses places sur la frontière entre la Normandie et le royaume. Grisé par ces succès, il décida de frapper un grand coup : il envoya Arthur, assisté de Hugues de Châtellerault, à la tête d'une troupe d'élite, pour s'emparer du Poitou. Le petit-fils, âgé de quinze ans, allait s'attaquer à sa grand-mère, âgée de quatre-vingts ans.

A Fontevrault, Aliénor apprend ce qui se passe. On lui décrit les préparatifs d'Arthur à Tours. Elle ne se sent pas en sécurité à Fontevrault et elle ne veut pas laisser le Poitou sans défense. Elle décide donc de gagner Poitiers où ses partisans sont nombreux et où elle pourra organiser la défense de ses domaines. Mais Arthur a été plus rapide : son armée barre la route au-delà de Loudun, et Aliénor n'a plus que la ressource de se réfugier dans la forteresse de Mirebeau.

Arthur et Hugues de Châtellerault se précipitent et assiègent la ville qui tombe presque aussitôt. Mais Aliénor résiste avec une

([53]) On remarquera que, très habilement, le roi de France ne remit pas l'Aquitaine à Arthur, voulant montrer par là qu'il respectait encore la vieille duchesse. Quant à la Normandie, il n'en était pas question : Philippe se la réservait pour lui-même.

poignée d'hommes dans le donjon. On est à la mi-juillet. Aliénor a réussi à envoyer un messager auprès de Jean qui se trouve dans le Maine. Pour une fois, le roi d'Angleterre ne perd pas de temps. Il se hâte au secours de sa mère, et le 1er août, le jour même où Arthur a décidé de donner l'assaut à la forteresse, il attaque Mirebeau, délivre Aliénor et fait une multitude de prisonniers, dont le jeune duc de Bretagne ([54]).

L'alerte a été chaude, mais c'est maintenant un rude coup pour le roi de France. C'est aussi la seule grande victoire qu'on peut attribuer à Jean Sans Terre. Le roi d'Angleterre a mis la main sur son rival, qui est aussi son neveu et son héritier ([55]). Il le remet à l'un de ses familiers, Hubert de Bourgh, ordonnant à celui-ci de châtrer et d'aveugler le jeune duc. Hubert de Bourgh retiendra prisonnier Arthur dans la tour de Rouen, mais il se gardera bien d'obéir aux ordres sinistres de son maître. Alors, Jean, pour en finir une fois pour toutes, décide d'agir lui-même. Le 3 avril 1203 — c'était le jeudi-saint —, avec un seul compagnon, son homme de main Guillaume de Briouse, il pénètre dans la tour de Rouen, emmène le captif dans une barque, l'étrangle de ses propres mains et jette son corps dans la Seine ([56]).

Pendant ce temps, Aliénor, après avoir séjourné à Chinon, a regagné sa retraite de Fontevrault. En avril 1203, elle reçoit un message de son fils, daté du 16 à Falaise. Ce message contient cette phrase quelque peu mystérieuse : « Grâce à Dieu, les choses vont pour nous mieux que cet homme ne peut vous le dire. » On a vu dans ces quelques mots une allusion quelque peu effarante à ce

([54]) Arthur et Hugues de Châtellerault étaient tellement sûrs de leur proie qu'ils n'avaient pris aucune précaution concernant un ennemi venant de l'extérieur. Ils avaient muré toutes les portes de la cité, sauf une, pour éviter que les assiégés pussent s'échapper. Ils furent littéralement pris dans une souricière dans la ville, sans même avoir le temps de se défendre.

([55]) A moins qu'il ne fût l'héritier légitime des domaines Plantagenêt, comme on l'a vu. De toute façon, Jean n'ayant pas encore d'enfant, le duc de Bretagne était réellement son héritier.

([56]) On a beaucoup discuté sur cet acte. On a voulu épargner à Jean l'horreur de ce crime en le faisant accomplir par son compagnon. Mais, en 1210, Guillaume de Briouze, devenu l'ennemi mortel du roi d'Angleterre, fit le récit de toute la scène. D'après son témoignage, il semble qu'il n'y ait aucun doute : c'est Jean qui tua lui-même son neveu dans un de ces accès de sauvagerie sanguinaire qui étaient chez lui fort habituels. Les psychologues modernes diraient que Jean sans Terre était un cyclothimique caractériel, passant brutalement d'une attitude complètement apathique à des périodes d'agitation démente.

qui s'est passé à Rouen, le 3 avril. Sans aucun doute, la mort d'Arthur arrangeait, d'une certaine façon, les affaires de Jean. D'abord, il se débarrassait d'un rival suscité par le roi de France. Ensuite, il mettait fin aux querelles de succession : il était maintenant l'unique héritier d'Henry II ([57]). Mais en fait, cet acte criminel lui a coûté tous ses territoires continentaux. C'était l'occasion rêvée par Philippe Auguste, qui après avoir versé quelques larmes de crocodile sur le sort du malheureux Arthur, allait s'acharner sur son meurtrier et abattre du même coup l'empire Plantagenêt.

En tout cas, il est certain qu'Aliénor n'a jamais su comment les choses se sont passées. Bien sûr, elle a soupçonné son fils d'être à l'origine de la mort de son petit-fils. Elle connaissait trop Jean pour se faire des illusions. Et si elle n'a jamais manifesté de sympathie pour Arthur, fils de cette Constance qu'elle haïssait, elle n'aurait jamais consenti à un pareil crime. On peut reprocher bien des choses à Aliénor et à Richard Cœur de Lion, mais certainement pas de crime, ce qui, il faut bien le dire, était, à l'époque, tout à fait exceptionnel pour un roi ou un baron. Aliénor est morte sans avoir jamais su la vérité. Mais elle a entendu les prophéties qui circulaient dans tout l'empire anglo-angevin, et ces prophéties annonçaient les pires malheurs, proclamant que sa race était maudite et que jamais plus un Plantagenêt ne régnerait.

Cependant la guerre continue. Jean se trouve dans une de ces périodes d'apathie où il n'entreprendrait rien, même si l'ennemi était aux portes de son palais. Les Français déferlent sur la Normandie. Château-Gaillard, que Richard avait fait construire en 1196 pour barrer la route de Rouen, tombe entre leurs mains le 6 mars 1204. Rouen se trouve directement menacé. Aliénor, qui a vu le triomphe de l'empire anglo-angevin, sous Henry II et sous Richard, contemple de sa retraite le désastre. Il est probable que

([57]) Mais ce faisant, Jean perdait la Bretagne pour les Plantagenêt, l'héritière du duché étant légalement la demi-sœur d'Arthur, la jeune princesse Alix, fille de Constance de Bretagne et de Guy de Thouars. La politique d'Henry II avait été de tout faire pour réunir la Bretagne armoricaine à la Grande-Bretagne. Arthur pouvait réaliser cette unité, comme il pouvait sauver en grande partie l'unité de l'empire Plantagenêt (Philippe Auguste tenait trop à la Normandie). Cela témoigne en tout cas du peu de sens politique qu'avait Jean Sans Terre. Il est vrai que, par la suite, Jean se conduira encore plus follement.

le chagrin qu'elle en ressentit a avancé l'heure de sa mort, le 31 mars 1204 (ou le 1er avril, on ne sait pas au juste), dans l'abbaye de Fontevrault où elle avait décidé de vivre ses derniers instants. La reine-duchesse y repose du sommeil éternel auprès de son époux Henry II Plantagenêt et de son fils préféré Richard Cœur de Lion. Ainsi disparaît, à l'âge de quatre-vingt-deux ans, cette étrange femme, reine de France, puis reine d'Angleterre, mais toujours duchesse d'Aquitaine et comtesse de Poitou. Deux de ses fils ont été rois. L'un de ses petit-fils a été un éphémère duc de Bretagne. Un autre, Otton, a été empereur d'Allemagne. Elle est l'aïeule d'une lignée de rois d'Angleterre, et aussi d'une lignée de rois de France. « La véritable Mélusine, mêlée de natures contradictoires, c'est Eléonore de Guyenne », dit Michelet. Il n'a pas tort. A travers son histoire, qui est passablement agitée, à travers sa légende, singulièrement riche, qui peut connaître le vrai visage d'Aliénor?

2

L'étrange « divorce » d'Aliénor

Un des événements les plus considérables dans la vie d'Aliénor d'Aquitaine et qui eut des répercussions sur toute la vie politique de l'Europe au XIIe siècle et au début du XIIIe siècle est bien le « divorce » d'Aliénor et de Louis VII, roi de France. On a brodé tant et plus sur ce thème, on a essayé de l'interpréter de différentes façons, mais à chaque fois, on se heurte à des inconnus. Que s'est-il passé exactement pour qu'on en vienne à ce concile de Beaugency de 1152, où le mariage du roi de France et de la duchesse d'Aquitaine fut déclaré nul pour cause de consanguinité canonique.

Il y a d'abord une irritante question qui se pose : comment se fait-il que l'Eglise ait accepté en 1152 ce que, en 1149, le pape Eugène III avait formellement écarté, à savoir l'importance de cette consanguinité? Eugène III avait tout fait pour réconcilier les deux époux qui, à l'époque, étaient déjà en froid, c'est évident, et il avait menacé de sanctions ecclésiastiques quiconque agiterait le motif de la parenté pour attaquer l'union d'Aliénor et de Louis. De plus, d'après les témoignages les plus authentiques, il semble que Bernard de Clairvaux ait lui-même encouragé le roi de France à se séparer de son épouse pour ce motif, le même homme qui, plusieurs années auparavant, avait reçu les doléances d'Aliénor quant à son apparente stérilité et qui l'avait consolée, lui promettant le secours du Ciel. Quelle étrange comédie s'est-elle déroulée pour qu'on en vienne à renier les paroles prononcées et pour qu'on décide, *à la hâte,* car le concile de Beaugency fut une véritable course contre la montre, si l'on peut dire, d'annuler le mariage royal dont deux filles prouvaient la fécondité?

La réponse ne peut être que celle-ci : il y avait quelque chose de très grave, un motif impérieux pour dissoudre le mariage. Mais le malheur veut que *nous ignorons absolument* ce que pouvait être cette chose grave.

Bien sûr, il y avait l'adultère de la reine. Mais il faut rappeler que nous ne possédons aucune preuve des aventures amoureuses prêtées à Aliénor. Tout ce qui en a été dit à l'époque, et plus tard, relève davantage du racontar tôt que du témoignage. On ne peut que *croire* à la trahison d'Aliénor, surtout pendant le séjour à Antioche, et cela bien que la légende recouvre les événements d'un brouillard. Et c'était bien avant 1152. Les époux ne s'étaient-ils pas réconciliés?

Bien sûr, à l'ouverture du concile, en dehors de la présence de la reine, l'évêque de Langres invoqua-t-il la conduite répréhensible d'Aliénor, coupable d'adultère, selon lui. Mais dans le discours qui est prêté à l'évêque de Langres, il est question de relations qu'elle aurait eues avec le sultan Saladin, ce qui est une stupidité. On ne peut donc pas prendre au sérieux l'accusation *officielle* d'adultère au concile de Beaugency. Et d'autre part, il ne faut pas oublier que déclarer la reine de France adultère, c'était ternir singulièrement la couronne. Ce sont des choses qu'on ne dévoile jamais dans un certain monde, même si c'est une pratique courante.

Bien sûr, il y avait aussi l'inquiétude que pouvait avoir l'entourage royal quant à l'attitude future d'Aliénor. Peut-être pensait-on qu'après une réconciliation passagère, la reine recommencerait ses frasques pour le plus grand scandale du royaume de France. En tout cas, ce qui est certain dans ce brouillard, c'est que, à la cour de Louis VII, *quelqu'un savait quelque chose*. Il nous reste à déterminer quoi.

Reprenons le problème au départ. Le mariage d'Aliénor et de Louis VII avait été un mariage politique, bien entendu, mais nous avons les preuves que le roi de France était devenu très amoureux de sa jeune et belle épouse. Louis VII a aimé passionnément Aliénor, c'est incontestable. Le mariage politique est devenu mariage d'amour; tout au moins pour le roi. Mais la reine n'a pas été insensible à la douceur et à la prévenance de son époux, du moins jusqu'à une certaine époque, car si on lui a fait dire : « j'ai épousé un moine, non pas un homme », c'est peut-être non pas une allusion à l'influence de l'Eglise sur Louis VII, mais à l'attitude personnelle de celui-ci dans sa vie intime. Aliénor aimait les hommes forts et virils en même temps que raffinés et cultivés. Le roi de France n'était certainement pas cela. Donc, s'il y a eu tiédissement dans les rapports conjugaux d'Aliénor et de Louis, cela est dû à la reine et à elle seule.

C'est d'ailleurs elle qui, aux dires des chroniqueurs, lorsque son époux voulut l'obliger à l'accompagner à Jérusalem, fut la première à formuler le motif de la consanguinité. L'avait-elle fait comme une simple menace pour s'opposer à la volonté maritale, ou pensait-elle vraiment utiliser l'argument pour se séparer du roi? On ne le sait pas. Mais ce qui est certain, c'est qu'elle était fort bien renseignée sur ce sujet : elle s'était donc informée, et on peut admettre qu'elle a eu, dès Antioche, l'idée de divorcer de Louis VII, soit pour rompre un mariage qui lui pesait, soit pour contracter une nouvelle union. La légende propose bien des solutions, mais aucune d'entre elles ne peut être retenue.

Après la réconciliation de Tusculum et la naissance de sa deuxième fille, l'incompréhension a dû grandir entre les deux époux. Louis VII, probablement moins amoureux de sa femme, s'est sans doute mis à réfléchir sur les dangers que faisait courir Aliénor à son ménage et aussi, ce qui était très important à l'époque, à la pureté de son lignage [1]. Et on peut penser qu'Aliénor n'a rien fait pour le rassurer. Au contraire, tout porte à croire que la reine a ajouté à sa propre légende, qu'elle s'est volontairement placée dans des situations ambiguës pour donner des motifs à son mari. En définitive, et quoi qu'en aient dit certains historiens trop romanesques, Aliénor a voulu que le

[1] Non seulement parce qu'un enfant à naître pouvait très bien ne pas être de Louis VII, mais aussi parce qu'à cette époque, on croyait que les rapports sexuels d'une femme avec un autre homme que son mari pouvaient altérer la pureté de la race. On peut en voir la preuve dans la théorie et la pratique de l'amour courtois : une dame pouvait être aimée par un amant, c'était même très bien porté, mais pas de n'importe quelle façon. Il y avait des règles à observer : on pouvait s'aimer sentimentalement, platoniquement, et pratiquer des actes que la morale actuelle réprouverait, allant très loin, jusqu'aux attouchements les plus intimes. Mais en aucun cas, l'acte sexuel dit normal n'était autorisé, par crainte de conséquences sur la pureté de la race. C'est d'ailleurs pourquoi un texte littéraire comme le *Roman de Tristan et Yseult* est fondamentalement anti-courtois puisqu'il défend l'amour total, alors que le *Cligès* de Chrétien de Troyes est réellement un anti-Tristan et une œuvre essentiellement courtoise.

concile de Beaugency annulât son mariage. Et c'est bien l'annulation qu'elle souhaitait, car une simple séparation de corps pour cause d'adultère, qui était une solution légale, l'aurait empêchée de se remarier.

Du reste, une fois le réquisitoire de l'évêque de Langres prononcé contre la reine, où est retenu le motif d'adultère, on voit se dresser l'archevêque de Bordeaux, sujet d'Aliénor, qui fait une éloquente plaidoirie pour rejeter des accusations qu'il prétend sans fondement. Et c'est lui qui met en avant la consanguinité. Doit-on en conclure que la duchesse d'Aquitaine avait préparé le terrain avec son vassal, et que tout cela était un coup bien monté? Encore une question à laquelle il est difficile de répondre. Disons seulement que c'est hautement probable.

Les problèmes ne manquent pas non plus quand on se tourne vers le roi de France. Pourquoi a-t-il laissé partir aussi facilement son épouse et pourquoi n'a-t-il fait aucune difficulté à lui rendre ses domaines aquitains et poitevins?

On sait que, jusqu'à sa mort, le fidèle Suger a toujours été partisan de la conciliation. Si Aliénor et lui ne s'étaient pas toujours bien entendus, la reine le respectait, et l'abbé de Saint-Denis n'aurait pas permis qu'on critiquât Aliénor. C'est lui qui avait provoqué le mariage, réussissant le tour de force de faire entrer dans le domaine royal tout le sud-ouest de la France : il était prêt à tous les compromis avec la duchesse en titre pour que l'Aquitaine revînt de droit à l'héritier du trône. Le malheur était qu'il n'y avait pas d'héritier. Les deux filles qui étaient nées prouvaient que la reine n'était pas stérile ([2]), mais en quatorze années de mariage, le couple n'avait pas encore eu de fils. Il est probable que Louis VII s'inquiétait de cette situation.

Ainsi, Louis VII, privé des conseils de Suger, d'une jalousie maladive et ayant certainement eu des raisons de croire à l'infidélité passée d'Aliénor, inquiet de voir que celle-ci ne procréait que des filles, et encore peu souvent, ne vivant plus à l'idée qu'Aliénor pouvait donner le jour à un enfant adultérin, céda-t-il aux instances répétées de la reine et aussi aux objurgations de son entourage.

Car l'entourage du roi haïssait Aliénor. Pour les familiers de la

([2]) Généralement, c'était la femme qui était accusée de stérilité, mais jamais l'homme. Cela pouvait servir dans les cas de répudiation.

cour, la duchesse d'Aquitaine était une étrangère qui avait mauvais genre et mauvaise réputation. Elle introduisait la mollesse et la sensualité dans un pays dont les mœurs étaient réputées austères. On ne lui pardonnait pas d'avoir fait venir des baladins et des chanteurs qui, au lieu de viriles chansons de croisade, au lieu des exaltantes Chansons de Geste, préféraient des chants d'amour et des récits concernant de fabuleux exploits de chevaliers d'un autre monde. On ne lui pardonnait pas non plus de préférer la langue occitane au français, et de s'entourer de gens qui parlaient l'occitan. On s'indignait parce qu'elle buvait du vin et y prenait plaisir ([3]). Il est vrai que lorsqu'on veut noyer son chien, on l'accuse d'avoir la rage. Et les ragots allaient bon train : c'est sans doute en partie dans l'entourage du roi de France que sont nées toutes les légendes qui présentent Aliénor comme une Messaline sans scrupules et parée de tous les vices rapportés de l'Orient.

Ainsi donc, le roi de France s'était résolu à se séparer d'Aliénor. Lorsqu'il entreprit une grande tournée en compagnie de la reine dans tout le sud-ouest, l'attitude personnelle des époux ne laisse rien deviner, mais à certains indices, on peut affirmer que la décision était prise de part et d'autre. Le fait de remplacer partout les garnisons royales et les fonctionnaires français par des troupes et des fonctionnaires aquitains est significatif. Le roi avait probablement décidé d'éviter une rupture brutale qui aurait accentué le scandale et aurait davantage compliqué les choses. Mais, par là même, il acceptait de perdre l'Aquitaine et s'était résigné à la rendre à Aliénor.

([3]) On raconte à ce sujet cette anecdote : Aliénor, au cours d'une conversation avec un troubadour, lui dit qu'elle n'avait jamais perdu la raison dans un verre. Le troubadour répondit en se retranchant derrière l'autorité d'Aristote, dont les doctrines commençaient à faire des ravages. « Aristote, dit-il, a remarqué en effet que les femmes ne s'enivrent pas facilement en raison du fait qu'elles ont le corps très humide, comme le prouvent l'éclat de leur peau (*sic*) et les purgations périodiques qui les libèrent d'une humeur superflue. Le vin qu'elles boivent rencontre dans l'estomac une si grande quantité d'humidité qu'il se trouve fortement coupé et ne peut plus envoyer de vapeur au cerveau. » Alors Aliénor aurait ajouté : « cette humidité ne préserve pas les femmes d'ivresses plus redoutables ». Il est évident que cette anecdote a été inventée par ses détracteurs. Notons en passant, pour démontrer la puérilité des arguments d'Aristote, maître à penser de l'Eglise du Moyen Age, que les femmes, biologiquement parlant, supportent beaucoup moins l'alcool et le vin que les hommes. Des expériences récentes le prouvent.

Nous touchons ici un point de droit féodal qui peut être discuté. La succession par les femmes pouvant être très facilement réalisée dans la plupart des Etats, la situation n'était donc pas la même en Aquitaine que dans le royaume de France où la coutume était d'écarter les filles du droit de succession : c'est ce qu'on a appelé la loi salique, très improprement d'ailleurs, et *qui n'était pas une loi,* seulement une coutume généralement observée ([4]). De ce fait, Aliénor était vraiment l'héritière légitime de Guillaume X, en tant que fille aînée (elle avait eu un frère mort en bas âge qui eût dû normalement hériter), et elle se trouvait titulaire du duché. De la même façon, plus tard, Henry Plantagenêt héritera légitimement de l'Angleterre par sa mère l'impératrice Mathilde, fille du roi d'Angleterre, qui était personnellement titulaire du trône, à la mort d'Etienne de Blois.

Mais un problème demeure : le ou la titulaire d'un Etat comme l'Aquitaine, ou comme le Poitou, est-il ou est-elle *propriétaire* des domaines? C'est assez compliqué du fait que tous les Etats relevant de la couronne française n'étaient pas tous, à l'origine, des territoires soumis au roi de France. Ainsi la Lorraine relevait du Saint-Empire romain germanique. Ainsi, la Bretagne armoricaine, qui ne fut jamais occupée par les Francs, n'était-elle pas un territoire concédé par le roi de France à l'un de ses vassaux. Il y a en effet une loi fondamentale dans la société féodale telle qu'elle s'est constituée sur les bases du système de la recommandation établi par Charlemagne, c'est que tout territoire appartient foncièrement au roi ou à l'empereur, lequel en dispose comme il le veut en le confiant, temporairement ou perpétuellement, à un baron. En quelque sorte, le duc ou le comte vassal n'est que le locataire d'un propriétaire, tout au moins au début de la

([4]) Ainsi, après la mort des trois fils de Philippe le Bel sans héritier mâle, la couronne française fut-elle donnée, après de nombreuses discussions, à Philippe de Valois, celui qui avait le degré de parenté le plus proche du dernier roi. Or, la fille de Philippe le Bel, Isabelle, mariée au roi d'Angleterre, pouvait théoriquement prétendre à la couronne et la transmettre ensuite à la lignée anglaise. La solution avait été envisagée, puis écartée parce qu'on ne pouvait admettre de tomber sous la coupe du roi d'Angleterre. C'est donc à ce moment que la *loi salique* revêtit toute son importance. Mais les souverains anglais ne l'entendirent pas ainsi, au nom de leurs propres coutumes et réclamèrent le trône de France, ce qui aboutit à la Guerre de Cent Ans. Et plus tard encore, Isabeau de Bavière, femme du roi fou Charles VI, gagnée à la cause anglaise, reconnut le roi d'Angleterre comme l'héritier officiel de la couronne française.

Féodalité. Un domaine est confié, en tant que fief, à un homme de confiance, qui échange avec son propriétaire un serment féodal, lequel n'est autre, en définitive, qu'un contrat de location. Le vassal n'est que le serviteur ([5]) du seigneur, propriétaire des lieux.

Ce n'est que plus tard que les territoires concédés par le roi ou l'empereur purent être automatiquement transmis à l'héritier du titulaire. Les fiefs devenaient donc héréditaires, alors que la monarchie, du moins théoriquement, ne l'était pas. Comment s'est produite cette évolution? C'est facile à comprendre : à force de confier des territoires à des vassaux, le roi voyait diminuer son domaine personnel tandis que les fiefs, surtout en cas de mariage et de successions diverses, devenaient immenses et beaucoup plus riches. Les vassaux s'accrochèrent donc à leurs territoires, non pas légalement, mais par la force, et le roi, s'il voulait que l'on respectât son autorité morale, la seule qui lui restait, était bien forcé d'accepter la situation. Ainsi sont nés en France des grands fiefs comme la Bourgogne, la Normandie, l'Anjou, le Poitou, l'Aquitaine, le comté de Toulouse, le Languedoc, l'Auvergne et la Champagne. Le roi, propriétaire théorique de ces Etats, n'avait plus que l'autorité du seigneur responsable en dernier ressort, mais il était contraint, par un état de fait, à subir en grande partie les volontés de ses vassaux.

On a reproché à Louis VII de s'être conduit peu sagement en redonnant à Aliénor ses domaines. *Mais il ne pouvait en être autrement,* selon les coutumes et la situation de l'époque. Si Louis VII, en faisant libérer Aliénor des chaînes du mariage, lui avait confisqué ses Etats, il aurait vu se dresser contre lui tous ses arrière-vassaux, c'est-à-dire les seigneurs du Poitou et de l'Aquitaine, déjà fort indisciplinés et turbulents par nature. Et d'ailleurs, en agissant ainsi, Louis VII aurait été désapprouvé par la plupart de ses autres vassaux, indignés à l'idée que le roi pouvait reprendre des fiefs qu'ils considéraient comme des possessions personnelles.

Le roi de France dut méditer tout cela avant de prendre sa décision. Quant à Aliénor, elle avait certainement envisagé depuis longtemps la possibilité d'une confiscation, mais pour les mêmes

([5]) C'est le sens étymologique du mot, qui vient d'un terme gaulois *vassos,* serviteur, et qu'on retrouve en breton *gwas,* originellement serviteur, à présent « homme ».

raisons, elle était bien tranquille. Tout roi de France qu'il était, tout prince d'Aquitaine qu'il était (c'était le titre qu'il avait reçu à Poitiers en 1137, mais c'était un titre purement honorifique, comme celui d'un simple prince consort), Louis VII ne pouvait lui aliéner ses droits. Voilà pourquoi elle avait pris le risque de proposer l'annulation de son mariage.

La résolution étant prise, il fallait passer à l'action. Il n'était pas question d'admettre l'adultère pour les raisons que nous avons invoquées. Il existait un moyen beaucoup plus simple et beaucoup plus radical, le moyen utilisé par tant de rois et tant de princes au cours du Moyen Age, celui de l'annulation pour cause de consanguinité. C'était évidemment sacrifier à la plus parfaite hypocrisie, puisqu'on s'apercevait, après coup, des liens de parenté existant entre les époux. Et à cette époque, on prenait toujours grand soin des arbres généalogiques avant de procéder à un mariage.

Mais il fallait en finir. L'*impedimentum cognationis* était le moyen idéal, il n'y avait pas lieu de le discuter, puisque l'Eglise, toute-puissante en matière d'état civil, avait prohibé avec beaucoup de rigueur le mariage entre des personnes unies par les liens du sang. Le droit canon est, de toutes les législations, celle qui a conçu le plus sévèrement et étendu le plus loin les interdictions concernant les mariages contractés au mépris de la parenté et de l'alliance. C'est d'ailleurs l'indice d'une société qui se voulait totalement exogamique. Bien sûr, il y avait des dispenses, légalement accordées par les autorités religieuses, mais au début du Moyen Age, l'Eglise tendit même à interdire absolument de telles unions. Après de nombreuses propositions, on en vint à fixer la prohibition jusqu'au septième degré de computation canonique.

On peut évidemment s'interroger sur les raisons qui ont amené l'Eglise à être si ferme en cette matière. En premier lieu, comme dans toute société organisée, c'est la peur de l'inceste qui domine. Mais en plus, il fallait réagir contre les coutumes germaniques qui étaient très larges et qui toléraient les mariages entre proches parents. Et enfin, il y avait un souci d'eugénisme : il fallait sauvegarder la pureté de la race humaine en éliminant tout risque de tares, et, dans le contexte médiéval, freiner les effets désastreux que l'on pouvait observer dans les petites agglomérations rurales où les gens vivaient dans une très grande promiscuité.

Ce n'est que plus tard que l'on pensa à dégager un principe supérieur théorique pour justifier l'édifice complexe des prohibitions. On prit appui sur les idées de saint Augustin, exposées en long et en large par Pierre Damien, au XIe siècle, dans son traité *de Gradibus Parentelae,* et le pape Alexandre II publia une décrétale promulguant les décisions du concile de Rome de 1059 sur les degrés de parenté. Le mariage était conçu comme institué non seulement pour assurer la perpétuation de l'espèce humaine et pour servir d'exutoire aux instincts sexuels (raisons pour lesquelles saint Paul avait toléré le mariage), mais pour développer entre les êtres humains, par la parenté et l'affinité, les sentiments de charité et d'amour chrétien. Selon les théologiens, ce mariage ne pouvait produire ces effets pleinement qu'entre deux personnes étrangères l'une à l'autre. Le mariage n'était plus un acte privé qui engageait deux individus : il devenait une institution indispensable à la bonne marche d'une société civilisée et chrétienne.

Mais comment calculait-on les degrés de parenté ? D'une façon différente du droit romain, et inspirée du droit mosaïque. Le principe en était : « autant de générations, autant de degrés ». De plus, quand les deux termes ne se trouvaient pas à la même distance de la souche commune, c'est au terme le plus éloigné que l'on se référait. Ainsi, dans l'exemple simple de l'oncle et de la nièce, le premier était en ligne directe, à un degré, mais la seconde à deux degrés de la souche. Le droit canon les considérait donc comme parents au deuxième degré [6]. Cela ne faisait qu'augmenter les discussions possibles sur le degré de parenté des époux.

Dans le cas d'Aliénor et de Louis VII, il est probable que les prélats et barons de Beaugency n'eurent pas une vue bien nette du degré de parenté qui constituait l'empêchement. Ils savaient — depuis longtemps — qu'il en existait un, et c'est tout. Bien que Bernard de Clairvaux ait pu écrire, en 1143, dans une lettre à l'évêque Etienne de Préneste, que les époux royaux étaient parents *tertio fere consanguinatis gradu,* « presque au troisième degré », Aliénor et Louis VII descendaient tous deux du roi de

[6] Dans le droit civil français, inspiré du droit romain, on remonte de l'un des termes à la souche commune, puis on redescend à l'autre terme. Ainsi, un frère et une sœur, qui sont parents au premier degré canonique, ne le sont qu'au deuxième degré civil. Des cousins germains sont au deuxième degré canonique mais ne le sont qu'au quatrième d'après le Code Civil.

France Robert le Pieux au cinquième degré canonique (7), et également, par une autre branche, de Guillaume Tête d'Etoupe, au sixième degré (8). De toute façon, la consanguinité étant attestée sous la foi du serment par des témoins soigneusement choisis, la nullité ne pouvait être qu'évidente aux yeux de tous.

(7) Afin de mesurer l'hypocrisie de tout cela, il est bon de signaler qu'Aliénor et son deuxième mari Henry II Plantagenêt étaient eux aussi des descendants de Robert le Pieux, au cinquième degré canonique.

(8) On peut proposer le schéma suivant :

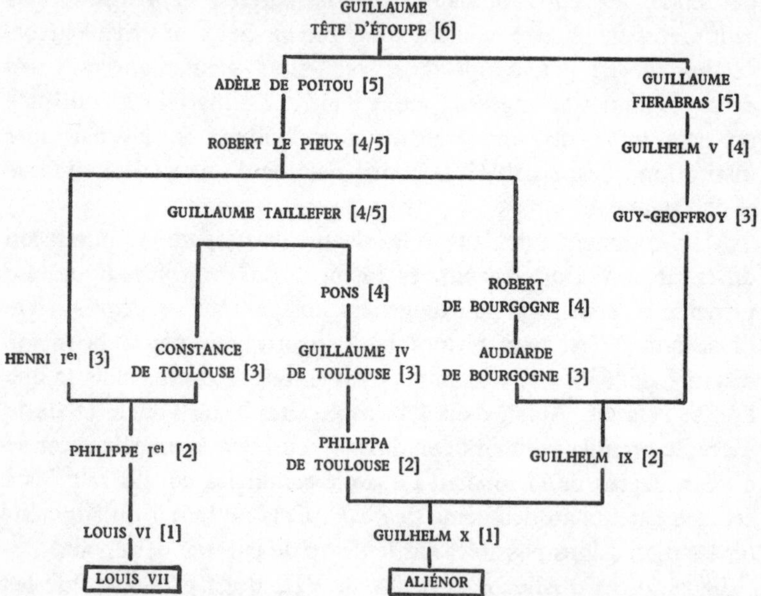

On voit par là qu'Aliénor et Louis VII sont effectivement parents de plusieurs côtés et qu'il était facile de trouver un degré quelconque de parenté entre les familles royales ou princières. A titre de comparaison, voici un schéma prouvant la consanguinité d'Aliénor et d'Henry Plantagenêt (les chiffres, comme dans le schéma précédent, représentent le degré canonique) :

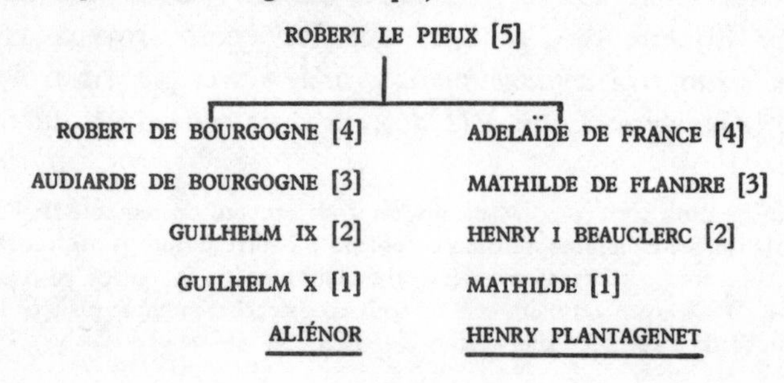

La procédure fut donc engagée d'un commun accord pour les deux parties. Elle était légale, car avant le Concile de Latran de 1215, qui restreignit considérablement les empêchements et les degrés prohibés, et qui, de plus, modifiait les procédures utilisées, l'action en annulation de mariage était recevable jusqu'à un délai de vingt ans après l'acte officiel. Dans le cas d'Aliénor et de Louis VII, la prescription ne jouait donc pas encore. D'autre part, pour prouver la consanguinité devant le tribunal ecclésiastique, seul habilité à trancher ce genre de questions, seule était requise l'enquête par témoins, depuis le concile de Troie en Apulie, en 1093. Il suffisait donc que les parents, les alliés et les amis témoignent pour que leurs déclarations, faites bien entendu sous la foi du serment, fussent des *preuves*. On n'allait pas chercher plus loin, ce qui, avouons-le, était un immense avantage.

Le concile de Beaugency se réunit donc le 18 mars 1152. Après l'accusation de l'évêque de Langres concernant l'adultère de la reine et son rejet par l'assemblée, le motif de la consanguinité fut retenu et les témoins priés de faire leurs déclarations. Il n'y eut même pas de discussion. L'archevêque de Sens, qui présidait le concile, déclara le mariage nul, mais affirma que, les époux étant de bonne foi, leurs deux filles pouvaient être considérées comme légitimes. C'est tout ce que demandait Aliénor.

Une autre question se pose quant à cet étrange « divorce » d'Aliénor : était-elle d'accord avec Henry Plantagenêt pour épouser celui-ci dès qu'elle serait libre? Cette question est importante parce qu'elle met en cause l'action personnelle de la duchesse d'Aquitaine et ses propres vues politiques. Et, de plus, la réponse permettrait d'éclairer tant soit peu la politique européenne du XIIe siècle, politique qui demeure malgré tout assez obscure pour un observateur du XXe siècle, habitué à la notion d'Etat moderne et peu familiarisé avec les jeux subtils de la société féodale.

Compte tenu des faits, mais sans qu'on puisse faire état de preuves d'aucune sorte, il semble que cette réponse doive être affirmative. Le mariage avec le duc de Normandie, célébré moins de deux mois après le concile de Beaugency, fut beaucoup trop rapide pour avoir été décidé en quelques jours par une duchesse d'Aquitaine retournée dans ses Etats, mais devenue la proie de convoitises diverses. Aliénor était beaucoup trop prudente et beaucoup trop avisée pour avoir engagé son destin sur un simple coup de tête. Telle qu'on la connaît, elle ne s'est pas décidée sans motifs sérieux, sans raison profonde, aussi bien dans le domaine politique que dans le domaine sentimental.

Mais ce qui est surprenant, c'est que, si on en croit les témoignages contemporains, elle n'a jamais rencontré Henry Plantagenêt avant son mariage avec lui, sauf une fois : lorsque celui-ci fit une visite à la cour de France en compagnie de son père Geoffroy. Et à ce moment. Geoffroy, qui devait mourir quelques mois plus tard, ne semblait pas sur le point de laisser ses pouvoirs à son fils. Il était au contraire plein de projets d'avenir, et Henry n'était que le fidèle exécutant des directives de son père. Alors, que penser de cette entrevue qu'il eut nécessairement avec Aliénor ? Que penser des bruits qui circulèrent plus tard au sujet d'une liaison qu'Aliénor aurait entretenue avec Geoffroy le Bel ?

Certes, nous n'avons aucune preuve, mais, à l'analyse, les certitudes l'emportent sur le doute. On sait que c'est au cours de l'été 1151 qu'Aliénor décida de quitter le roi de France. En automne, l'attitude de Louis VII envers son épouse devint franchement désagréable, le roi manifestant une jalousie de plus en plus prononcée ([9]). Or la visite de Geoffroy et d'Henry a eu lieu pendant l'été de la même année : il est évident qu'il y a une relation de cause à effet, la visite du comte d'Anjou et de son fils ayant, soit précipité les événements, soit aggravé une situation déjà très chancelante pour le couple royal. Il y a eu nécessairement quelque chose lors de cette visite, mais il est bien difficile de savoir exactement ce qui s'est passé.

On peut supposer une complicité entre Geoffroy le Bel et Aliénor. C'était un ambitieux que ce Geoffroy, et il n'est pas impossible que, connaissant les problèmes qui agitaient le couple royal, il ait entrepris une démarche auprès d'Aliénor en vue de constituer plus tard une sorte de fédération entre les Etats aquitains et ses propres Etats. Et qui sait, peut-être fut-il alors question d'un possible mariage entre Aliénor et son fils Henry, qui permettrait de réunir tout l'ouest de la France entre les mains des Plantagenêt ? Cet accord entre Aliénor et le comte d'Anjou aurait pu être à l'origine des rumeurs qui circulaient concernant une liaison amoureuse entre eux. De plus, Aliénor connaissait

([9]) Cette jalousie est attestée par plusieurs chroniqueurs, notamment par l'auteur de la *Chronique de Tours*.

bien Geoffroy, puisqu'il avait participé à la Croisade, ce qui leur avait donné l'occasion de se rencontrer à plusieurs reprises.

Et puis, il y avait Henry. En cet été 1151, c'était donc la première fois qu'Aliénor le rencontrait. Il était jeune et beau. Il manifestait déjà une personnalité de premier ordre. De nombreux chroniqueurs insistent sur la forte impression que fit sur la reine de France l'héritier des Plantagenêt ([10]). Dans ces conditions, pourquoi ne pas supposer que chez Aliénor, la politique et l'amour, une fois n'est pas coutume, pouvaient en cette circonstance parfaitement être conciliés ?

On peut donc, sans risque de se tromper, affirmer que lors de l'entrevue de l'été 1151, la décision d'Aliénor était prise : elle épouserait Henry Plantagenêt lorsqu'elle serait libérée du roi de France. Tout était réglé à cette date. Mais le secret fut bien gardé sur l'accord ainsi réalisé entre l'héritière d'Aquitaine et les Plantagenêt, même si certains chroniqueurs y font de vagues allusions ([11]). Il était en effet essentiel que tout se passât dans le silence le plus total : si Louis VII avait eu vent de la chose, il n'aurait jamais autorisé Aliénor à reprendre sa liberté. Mais, la stupéfaction qui saisit la cour de France lors du mariage d'Aliénor et d'Henry en fait foi, Louis VII ne sut jamais rien de ce qui s'était tramé pendant l'été 1151.

Les conséquences de ce mariage d'Aliénor et d'Henry étaient en effet désastreuses pour le royaume de France. C'était la faillite de la politique centralisatrice de Suger et le triomphe des seigneurs féodaux sur l'autorité royale. On pouvait admettre à la rigueur qu'Aliénor retournât dans ses domaines et qu'elle épousât un autre vassal du roi de France. Mais il était inadmissible que la duchesse d'Aquitaine pût s'allier avec un seigneur puissant comme Henry, qui en plus de ses possessions continentales, prétendait — avec quelque raison d'ailleurs — à la succession anglaise. C'était dangereux dans la mesure où l'autorité du roi de France ne pouvait s'exercer que dans les limites continentales : sur l'Angleterre, Louis VII n'avait aucun droit de regard, et comme déjà la puissance anglaise inquiétait les Capétiens, on peut

([10]) En particulier Guillaume de Neubourg, qui écrit que, dégoûtée de son mari, Aliénor songea qu'une union avec Henry conviendrait mieux à son tempérament.

([11]) En particulier Robert de Thorigny, abbé du Mont-Saint-Michel, dont le témoignage est considéré comme essentiel par les historiens. Mais on pourrait aussi citer Guillaume de Neubourg et Gervais de Canterbury.

facilement imaginer l'embarras dans lequel se trouva Louis VII quand il apprit la fâcheuse nouvelle. Il dut, à ce moment, bien regretter d'avoir consenti à la séparation demandée par Aliénor.

De fait, le « divorce » d'Aliénor demeure, objectivement parlant, la cause de nombreux événements postérieurs. D'abord, c'était un défi au roi de France et à l'autorité qu'il prétendait détenir. Ensuite, c'était la remise en cause de l'unité du royaume, certaines parties de celui-ci s'inféodant à un autre royaume que le domaine capétien. Enfin, ce furent les démêlés ultérieurs entre les Plantagenêt et les Capétiens. Philippe Auguste réussit tant bien que mal à réduire l'influence de la dynastie adverse, en profitant d'ailleurs de l'incompétence de Jean sans Terre, ce qui amena une paix relative pendant tout le XIIIe siècle, mais la querelle allait rebondir à la mort du dernier des Capétiens directs. Si la monarchie anglaise mit alors en avant les droits à la succession française du roi d'Angleterre, petit-fils de Philippe le Bel, c'est bien parce qu'Isabelle de France incarnait une autre Aliénor : la première avait apporté aux Plantagenêt les domaines aquitains, la seconde pouvait apporter la totalité du royaume de France. Et, plus tard, Isabeau de Bavière, dont on a dit tant de mal chez les historiens français, serait logique avec elle-même et avec l'exemple d'Aliénor, en apportant une grande partie du royaume à celui qu'elle considérait comme l'héritier légitime ([12]). Certes, Isabeau de Bavière n'avait pas l'envergure d'Aliénor d'Aquitaine, et les circonstances n'étaient pas les mêmes, mais on peut dire qu'il y a dans les deux cas la manifestation d'une volonté féminine s'opposant par tous les moyens à une légalité décidée uniquement par les hommes. C'est par là que la politique d'Aliénor eut peut-être le plus de poids : faire reconnaître qu'une femme est non seulement maîtresse de son propre destin, mais encore du destin des pays que ce même destin lui a confiés.

Quoi qu'il en soit, le concile de Beaugency marque une date,

([12]) Nous retrouvons ici la querelle bien connue entre la *légalité* et la *légitimité*, querelle qui n'est jamais dépassée puisque, tout au cours de l'Histoire, les peuples se sont battus pour faire respecter l'une au détriment de l'autre et inversement. Le problème est absolument insoluble. On en a un exemple qui montre la futilité de cette querelle dans la guerre de Succession de Bretagne au XIVe siècle : la monarchie française, qui reposait sur la soi-disant loi salique, soutenait Jeanne de Penthièvre, donc une femme, au détriment d'un autre héritier masculin, Jean de Montfort, lequel, par contre, était soutenu par la monarchie anglaise, qui ne reconnaissait pourtant pas la loi salique. Dans ces domaines, la seule règle est l'opportunisme.

non seulement dans l'histoire du XIIe siècle occidental, mais encore dans l'histoire du monde médiéval : auparavant, chaque fois qu'une femme avait été répudiée, ou avait vu son mariage annulé, elle s'était contentée de subir la loi patriarcale ; or, pour la première fois, une femme, reine d'un important royaume, demandait elle-même l'annulation de son mariage. Et on la lui accordait. C'est pourquoi la dissolution de l'union de Louis VII de France et d'Aliénor d'Aquitaine restera toujours, quelles qu'en soient les circonstances et les motivations, un étrange « divorce ».

Ce qui est de toute façon fort important à considérer, c'est que la rupture consommée et officialisée à Beaugency en 1152 a été voulue et même provoquée par la reine de France. Une reine, en dehors de ces personnages hors du commun que furent, aux temps mérovingiens, les Frédégonde et les Brunehaut, n'était guère qu'une reproductrice, ou un objet d'échange et d'alliance entre des princes. Sa personnalité était quasiment nulle. Or, d'un seul coup, l'une d'elles relevait la tête et prétendait se gouverner elle-même comme elle l'entendait. Cela nous amène à considérer le pouvoir réel dont disposait Aliénor et quelle fut sa politique personnelle dans un cadre social et politique qui n'était cependant pas favorable à ce genre de comportement.

Mais il est nécessaire, avant tout, de replacer les événements que vécut Aliénor dans le contexte social et politique qui en fut la charpente et le commun dénominateur. Ce contexte est évidemment européen, en prenant le terme dans ses limites occidentales, mais en aucune façon, il ne peut être question d'*Etat* ou même de *nation* au sens actuel que revêtent ces mots. Il s'agit d'une Europe occidentale surgie des débris de l'Empire romain et marquée par le christianisme romain.

En fait, tout le système en vigueur au XIIe siècle provient de l'organisation carolingienne, telle qu'elle a été conçue par Charlemagne et modifiée par le traité de Verdun, en 943, lequel traité consacrait la division définitive de l'Europe en courants autonomes bien qu'interdépendants. La gestation d'une Europe moderne se poursuit sans qu'on puisse déterminer, à l'époque, quelle sera la direction définitive que prendra le système politique. Il y a un empire chrétien, c'est sûr, et qui se manifeste pratiquement dans la Croisade. Mais à l'intérieur de cet empire chrétien, de nombreuses divergences se font jour et provoquent l'éclatement du grand rêve unitaire de Charlemagne.

Le fils de Pépin le Bref, probablement l'une des plus grandes intelligences politiques de tous les temps, avait donc acquis, par l'héritage, par la force ou par la diplomatie, un immense territoire aussi divers qu'étendu, et, il faut bien le dire, ingouvernable. Ce territoire correspondait en gros à l'ancien empire romain, moins la Grande-Bretagne, la Bretagne armoricaine et l'Espagne, avec en plus une grande part de la Germanie. Quand il prit, en l'an 800, le titre d'empereur, il affirmait ainsi sa volonté de reconstituer à son profit l'empire d'Occident. Certes, l'empire d'Orient subsistait à Byzance, et il n'était pas question pour lui de s'attaquer à ce qui était encore une force considérable. Mais son expédition malheureuse contre l'Espagne prouve qu'il avait des visées sur le bassin méditerranéen et qu'il aurait bien voulu arracher aux Musulmans tout le pourtour de la Méditerranée occidentale. Ayant subi un échec certain, du moins militairement, Charlemagne n'eut de cesse de consolider le domaine qu'il s'était taillé, et l'organisation qu'il imagina fut, dans ses grandes lignes, absolument géniale.

Conscient que la grande force permanente qui permettait la cohésion de cet empire était l'Eglise, il conclut avec elle une alliance étroite, celle que d'ailleurs son père Pépin avait déjà esquissée. Puisque l'Eglise s'était installée sur les données administratives de l'Empire romain, il se garda bien d'y changer quoi que ce fût : ainsi, sur les anciens territoires, les cellules de base furent donc les diocèses, lesquels se groupaient en provinces ou métropoles. Le système était d'autant plus commode qu'il épousait *grosso modo* les anciennes limites des peuples barbares, gaulois ou autres, qui avaient été intégrés à l'empire ([13]). C'est

([13]) Primitivement, le territoire gaulois avait été divisé en trois grandes régions : la *Narbonnaise*, la plus ancienne qui eût été romanisée, le long de la Méditerranée (*Gallia Togata*), la *Celtique* entre la Seine et la Garonne, la *Belgique* entre la Seine et le Rhin. La Gaule Celtique, de loin la plus importante, avait une métropole, Lugdunum, c'est-à-dire Lyon (où, à l'heure actuelle, réside un archevêque qui porte le titre de « primat des Gaules »), mais bientôt, pour administrer cette région, on dut la diviser en trois. C'est ainsi qu'il y eut la Lyonnaise première (métropole : Lyon), la Lyonnaise seconde (métropole : Bourges), la Lyonnaise troisième (métropole : Tours). Dans le domaine religieux, ce découpage administratif est demeuré presque intact, mais de nouvelles métropoles se sont créées. Par exemple, étant donné l'importance des anciens *Senones* gaulois, la ville de Sens devint le siège d'une métropole, qui englobait d'ailleurs l'ancienne cité des *Parisii :* au XIIe siècle, Paris donc sur la circonscription diocésaine que fut bâti l'édifice, Charlemagne déléguant ses pouvoirs à un *compagnon,* c'est-à-dire un *comte,* qu'il nommait et qui était responsable devant lui de la bonne administration du territoire. Mais pour éviter que ce comte se comportât en maître absolu, l'empereur le faisait surveiller par l'évêque du lieu, de la même façon que l'évêque, dépendant théoriquement de la papauté, était surveillé lui-même par le comte pour éviter tout empiétement du pouvoir spirituel sur le temporel. Et comme Charlemagne se méfiait autant de l'un que de l'autre, il les faisait surveiller tous deux par des ambassadeurs itinérants, les fameux *envoyés du seigneur (missi dominici).* C'était à ses yeux le seul moyen de gouverner correctement des régions éloignées à la fois les unes des autres et du pouvoir central. De plus, pour établir la justice parmi ses sujets, Charlemagne avait pensé à établir des liens d'interdépendance entre les différents responsables et les différents propriétaires de domaines : d'où le système de la *recommandation* qui consistait à établir une véritable hiérarchie à l'intérieur de l'empire. Ainsi, un petit propriétaire était-il automatiquement protégé par un propriétaire plus puissant que lui, mais en revanche, le petit propriétaire devait à son protecteur une aide en certains cas bien définis. Le riche propriétaire était lié de la même façon à plus riche que lui, puis au

était seulement le siège d'un évêché dépendant de Sens. Quant aux anciennes provinces, elles découlent presque toutes de ce découpage. Ainsi le comté du Poitou correspond en gros à la cité des *Pictavi,* la vicomté de Limoges à la cité des *Lemovici,* le comté d'Auvergne à celle des *Arverni,* la Touraine à celle des *Turones,* l'Anjou à celle des *Andegavi,* le Maine à celle des *Cenomani,* la Saintonge à celle des *Santones.* Au XIIe siècle, les grands fiefs résultaient d'une fusion de différents territoires : ainsi l'Aquitaine, la Champagne et la Bourgogne (cette dernière à cheval sur le royaume capétien et sur le Saint-Empire). Deux cas spéciaux étaient constitués par la Normandie et la Bretagne. La Normandie était un territoire cédé aux Normands pour qu'ils pussent s'y établir, mais la division diocésaine y subsistait. Quant à la Bretagne, elle résultait d'une occupation bretonne insulaire dans l'ouest de la péninsule et d'une conquête de territoires carolingiens dans l'est. L'organisation ecclésiastique avait été en grande partie importée de Grande-Bretagne, mais on pouvait quand même reconnaître l'ancienne cité des *Veneti* (diocèse de Vannes), celle des *Redones* (diocèse de Rennes, sans Dol ni Saint-Malo), celle des *Namnetes* (diocèse de Nantes). Cette parcellisation n'était pas due au hasard : les nécessités économiques, les traditions diverses, les langues utilisées, formaient la cohésion de ces groupes et leur donnaient leur spécificité les uns par rapport aux autres. Il faut d'ailleurs bien se rendre compte que cette situation a duré en fait jusqu'à la Révolution pour la France et jusqu'à Bismarck pour l'Allemagne (et encore, les anciens Etats étaient-ils théoriquement respectés).

comte, et ainsi de suite, la hiérarchie montant ainsi de la base vers le sommet qui était l'empereur.

Les avantages d'un tel système étaient certains. D'une part, personne n'était isolé et une véritable solidarité s'établissait entre les membres d'un même corps social, permettant une justice d'autant plus objective que comtes et évêques étaient étroitement surveillés. D'autre part, cela constituait un puissant ressort de gouvernement, les ordres du pouvoir central étant, sans aucune difficulté, répercutés le long de l'échelle jusqu'à atteindre la base en un temps relativement court puisque chacun, à tous les degrés, se chargeait de les faire connaître et de les faire appliquer. Théoriquement, les problèmes administratifs qu'une centralisation outrancière peut rendre insolubles, étaient réglés au mieux des intérêts des régions et des hommes.

Théoriquement, d'ailleurs, car un tel système, parfait sur le papier, ne pouvait fonctionner que si des conditions rigoureuses étaient remplies. Il fallait d'abord que les comtes fussent nommés individuellement par l'empereur et qu'ils ne fussent pas eux-mêmes des propriétaires tentés de faire passer leurs intérêts personnels avant les intérêts de la communauté dont ils avaient la charge. Or, dès la mort de Charlemagne, les comtes vont devenir propriétaires, le souverain étant obligé, pour s'assurer de leur fidélité et de leur dévouement, de leur donner des terres, comme l'avaient fait les Mérovingiens jusqu'à se dépouiller complètement de leurs domaines, et de plus, ils considéreront leur charge comme étant héréditaire : ainsi s'institue une noblesse basée sur la possession de terres, seule preuve de richesse et de puissance à l'époque dont nous parlons.

Il fallait ensuite qu'il y eût accord parfait entre le Pape et l'Empereur. On sait que ce fut loin d'être le cas, les divergences s'accentuant au fur et à mesure que l'Eglise devenait une puissance temporelle rivale de la puissance impériale. Les querelles du Sacerdoce et de l'Empire sont en grande partie responsables du morcellement de l'unité carolingienne en de multiples entités dont les buts et l'importance étaient fort différents.

Il fallait enfin qu'il y eût un seul empereur. Cela fut le cas pendant le règne de Louis le Pieux, héritier unique de Charlemagne. Mais, quand les fils de Louis prétendirent, tous les trois, à sa succession, on faillit avoir trois empereurs. Et ce fut cette rivalité entre les trois petits-fils de Charlemagne qui eut finalement raison de l'édifice savamment assemblé par le grand-père. Le traité de 843, à Verdun, consacra la rupture de l'Europe, créant du même coup une Allemagne et une France, plus un territoire hybride qui allait devenir une proie convoitée par ses deux voisins. Louis le Germanique eut l'Allemagne. Charles Le Chauve eut la partie occidentale. Lothaire eut le reste, des bouches du Rhin à l'Italie, avec, comme lot de consolation, le titre d'empereur. Et cette Lotharingie allait bientôt tomber entre les mains de Louis, lequel constitua ainsi le puissant — théoriquement — saint Empire romain-germanique.

Cette dislocation allait briser la pyramide. Chacun des membres de cette hiérarchie allait jouer son propre jeu. Les structures demeuraient, mais elles fonctionnaient en vase clos et non plus sur une échelle européenne. Ainsi allait naître la féodalité, consacrant l'influence des plus riches et des plus puissants comtes, ceux qui pouvaient très bien se passer du roi ou de l'empereur, et qui s'occupaient surtout à réaliser dans leurs domaines cette même hiérarchie dont ils formaient la tête ([14]).

Le Saint-Empire fut en définitive le plus morcelé de tous les domaines carolingiens, parce qu'il était le plus disparate. Le royaume de Francie (il ne s'agit pas encore de la France, n'en déplaise aux manuels d'histoire) conserva un certain temps un semblant d'unité, mais très vite, le roi carolingien perdant ses possessions personnelles au profit de ses vassaux, la situation devint bientôt comparable à ce qu'elle était du temps de ceux qu'on a appelés les « rois fainéants ». Cet affaiblissement provenait du fait que le roi n'était plus qu'un suzerain moral. Il recevait à Reims l'onction sacrée, héritée de Clovis, qui faisait de lui un

([14]) L'une des plus longues chansons de Geste, rédigée dans sa forme définitive au XIIe siècle, la *Chanson d'Apremont*, se fait l'écho de cette situation. Défié par un roi sarrazin, Charlemagne fait appel à tous ses vassaux pour engager la guerre. Il envoie l'archevêque Turpin en ambassadeur auprès du plus puissant d'entre eux, Girard de Roussillon, duc de Bourgogne et autres lieux. Celui-ci reçoit fort mal l'archevêque et refuse de rejoindre Charlemagne. Le récit est fort instructif, car les raisons que donne Girard à l'appui de son refus sont les suivantes : il tient son domaine de Dieu lui-même et ne doit rien au fils du roi Pépin. Et comme l'archevêque le menace de l'interdit, il rétorque qu'il n'en a cure et qu'il fera un pape à sa dévotion, si besoin est. D'après ce que l'on sait, cette histoire n'est pas une caricature, mais l'illustration de la situation telle qu'elle était au XIe siècle et au début du XIIe siècle dans toute l'étendue de l'Europe occidentale.

personnage sacré. Mais il n'avait plus le titre d'empereur, ni la dignité qui s'attachait à cet office. S'il parvenait tant bien que mal à maintenir son autorité, c'est en vertu de son caractère sacré : il était le représentant de Dieu, et c'est dans cette mesure que les grands vassaux condescendaient à le respecter. Mais, et c'était une situation vraiment paradoxale, il était le moins puissant de tous les seigneurs du royaume, et ses domaines personnels s'étendaient péniblement de Senlis à Orléans : encore faut-il préciser qu'à l'intérieur de ces domaines, il n'était pas forcément le maître. On le vit bien avec le seigneur de Montlhéry qui défia ouvertement le roi jusqu'à ce que Louis VI pût parvenir à arracher cette motte de terre qui défendait la route de Paris vers le sud (15).

De plus, cette monarchie de droit divin était bien fragile dans la

(15) De plus, dans tous les grands fiefs, les comtes et les ducs pouvaient eux aussi confier des territoires moins étendus à des hommes de confiance. Ces comtes et ces ducs devenaient donc les suzerains directs de ces nouveaux vassaux qui ne dépendaient plus du roi : leurs domaines n'étaient plus en effet que des *arrière-fiefs* de la Couronne, ce qui compliquait signulièrement les rapports avec le pouvoir central. Ainsi, les seigneurs de Lusignan, dont les domaines étaient fort riches, étaient les vassaux directs des comtes de Poitiers, et n'avaient, en principe, rien à voir avec le roi de France, puisque le fief qu'ils occupaient leur avait été concédé par les comtes de Poitiers. Mais dans la pratique, les Lusignan, qui se trouvaient toujours en difficulté avec leur suzerain direct, passaient par-dessus la hiérarchie et s'adressaient au roi. Le jeu des rois de France a d'ailleurs toujours été d'aider — et même après avoir provoqué certaines difficultés — les arrières-vassaux de la Couronne afin de diminuer l'influence des grands tenanciers de fiefs. Pour compliquer le tout, il y avait également la possibilité pour tout vassal d'être soit le vassal d'un autre suzerain pour un territoire éloigné, soit le suzerain d'un autre vassal. En fait, aucun territoire n'était vraiment indépendant puisque la pyramide féodale faisait découler automatiquement le pouvoir d'un suzerain quel qu'il fût et qu'on pouvait être plusieurs fois suzerain, ou plusieurs fois vassal. Mais cette interdépendance ne constituait certainement pas une unité pour le royaume. Ainsi le roi était le seul, théoriquement, à pouvoir rendre la justice (et à déléguer ses pouvoirs à qui bon lui semblait) et à battre monnaie. Mais dans la réalité, il en était tout autrement. Les ducs et les comtes rendaient la justice pour leur propre compte sans en référer au roi, et ils avaient des monnaies spécifiques, ce qui d'ailleurs ajoutait à confusion et ne facilitait pas les échanges entre provinces, ces monnaies n'ayant pas exactement la même valeur. En cas de guerre, lorsque le roi demandait le *service d'ost,* c'est-à-dire l'aide militaire — ou financière — de ses vassaux, ceux-ci s'arrangeaient pour en faire le moins possible. D'ailleurs, dans certains cas, ils n'étaient tenus qu'à quarante jours de *service d'ost :* si la guerre dépassait le délai, ils pouvaient abandonner l'expédition et rentrer chez eux. Par contre, quand un vassal du roi était attaqué par un de ses voisins, il ne manquait jamais de faire appel au souverain. On voit que dans cette société féodale, il n'est absolument pas question de ce qu'on appelle maintenant le *patriotisme.* C'est une autre mentalité qui domine, à la mesure du découpage politique de l'époque.

mesure où elle était, non pas héréditaire, mais élective. Le roi était en effet choisi par ses pairs comme étant le plus capable et le plus digne de les représenter. Certes, on en venait rapidement à la transmission héréditaire du pouvoir, mais les formes étaient respectées. Jusqu'à Louis VII, le roi en place prit toujours la précaution de faire élire son fils aîné par les barons du royaume, et ensuite, il le faisait sacrer à Reims. C'est à la suite de cet usage que la monarchie capétienne, succédant légalement à la monarchie carolingienne, par suite de l'élection d'Hugues Capet, devint une dynastie reconnue officiellement par tous.

Cependant, comme le titulaire du Saint-Empire, au XIIe siècle, le roi de France ne pouvait agir réellement que si ses vassaux acceptaient de le suivre et de l'aider. Il avait besoin d'eux pour faire la guerre, car c'étaient eux qui lui fournissaient des armes et des troupes sans lesquelles il en était réduit à se contenter de sa propre garde. Il était donc important que le roi ne mécontentât point ses vassaux, et pour cela, il était nécessaire qu'il reconnût et maintînt les privilèges qu'ils avaient acquis au cours des siècles passés. La situation du roi était donc très inconfortable, d'autant plus que bien souvent, tel ou tel de ses vassaux était également le vassal d'un autre seigneur, voire même de l'empereur, par suite de la possession d'un fief éloigné. Et pourtant, la politique capétienne était de reconstituer l'unité perdue en affaiblissant chaque fois que c'était possible l'autorité des grands seigneurs, en faisant jouer les clauses de succession et en organisant des mariages avantageux. Cette conscience unitaire se trouve déjà chez les premiers rois capétiens. Elle deviendra une règle de conduite sous Louis VI, dont le principal conseiller, Suger, abbé de Saint-Denis, avait compris que la royauté ne pouvait se maintenir que par une politique d'expansion appuyée sur les classes moyennes. C'est pourquoi les rois de France eurent toujours le souci de rendre la justice aux plus défavorisés, non pas tellement par honnêteté, mais bien parce qu'ils se constituaient ainsi une fidèle clientèle : la plupart des roturiers subissaient parfois des exactions de la part des seigneurs et leur ultime recours était bien le roi, souverain juge, équilibrateur du royaume. On sait que cette politique se poursuivra tout au long du Moyen Age, les rois s'appuyant sur la classe bourgeoise pour écraser les prétentions des grands vassaux et finalement les réduire à merci.

En Angleterre, la situation était légèrement différente du fait que l'île avait échappé à la domination carolingienne. D'abord administrée selon les méthodes saxonnes, l'Angleterre, depuis Guillaume le Conquérant, avait connu la loi normande, mais fondue lentement dans la législation saxonne. La division traditionnelle n'était pas celle des diocèses romains mais des *shires*, ou comtés, à la tête desquels se trouvaient les *sheriffs*. Ces *shires* étaient d'ailleurs beaucoup plus d'origine celtique que saxonne : on les retrouve dans la notion de *cantrev* (cent habitations) au Pays de Galles, et il n'est pas douteux que les envahisseurs germaniques aient repris à leur compte certaines coutumes en usage sur l'île à l'époque bretonne. Mais dans cette fusion des droits normands et saxons, étant donné que les maîtres étaient originaires du continent, la prédominance normande s'accentua au fil des années, et au XIIe siècle, l'Angleterre connaissait à peu près le même système féodal que le royaume capétien, compte tenu des particularismes locaux et de l'héritage de l'ancienne heptarchie saxonne (16).

Quoi qu'il en soit, le Saint-Empire, le royaume capétien et le domaine anglo-normand étaient régis d'une façon ou d'une autre par une autorité supérieure autrement plus tenace et plus arbitraire, celle de la Papauté. On ne peut rien comprendre à la politique extérieure et intérieure des pays européens au XIIe siècle, si l'on ne tient pas compte de l'influence prépondérante de l'Eglise chrétienne. A vrai dire, c'est plus qu'une prépondérance, c'est une suprématie absolue de tous les instants. L'Europe devait être chrétienne ou ne pas être. Le Pape, soit directement, soit par le canal de l'organisation ecclésiastique — la seule qui fût vraiment permanente et stable —, soit par des entreprises diplomatiques, était le seul maître du jeu. Il disposait de deux moyens redoutables pour faire obéir les rois et les princes, l'excommunication et l'interdit. Que certains rois, dont Philippe Auguste, se soient moqués de l'excommunication, c'est certain, car elle ne concernait que la personne elle-même du souverain, mais l'interdit était un moyen terriblement efficace pour amener un pays à suivre la volonté romaine. En effet, un royaume ou un

(16) On appelle heptarchie saxonne la division de l'Angleterre, avant la conquête normande, en sept royaumes indépendants qui furent ensuite unifiés. Mais la tendance saxonne répugnait au centralisme et rejoignait les usages celtiques. Tout cela est à l'origine de la diversité constatée encore de nos jours à l'intérieur du Royaume-Uni.

simple comté sous le coup de l'interdit était privé de toute cérémonie religieuse et de tout sacrement, et le seigneur responsable de cet état de fait ne pouvait tenir bien longtemps face à une population qui se liguait contre lui pour obtenir une vie religieuse normale.

L'idée de Charlemagne était que pouvoir spirituel et pouvoir temporel avaient tout à gagner en étant unis, chacun s'occupant du domaine qui lui était réservé. Mais les possessions de l'Eglise augmentant sans cesse, celle-ci devenait un véritable Etat doué d'un incontestable avantage : il étendait ses ramifications à l'intérieur des autres Etats, et c'est de l'intérieur aussi bien que de l'extérieur qu'il pouvait agir. La politique de l'Eglise, au Moyen Age, fut donc un perpétuel double jeu, ce qui n'alla pas sans querelle, sans révolte et sans guerre. Mais au lieu de se consacrer à la gloire de Dieu, l'institution ecclésiastique prenait parfois plus de soin à établir ses assises terrestres, ce qui lui permettait de prélever partout des impôts fabuleux.

Les rois et les princes passaient donc leur temps à essayer de contrôler cette puissance parfois occulte, parfois déclarée. Mais ils ne pouvaient quand même rien sans elle. De plus, par une subtilité due à l'exploitation des circonstances, l'Eglise avait réussi à drainer les énergies belliqueuses de la noblesse et à les codifier : de là naquit la chevalerie, d'abord puissance au service des lois de l'Eglise et des princes, bientôt redoutable caste qui, au nom des plus nobles principes, s'arrogeait des droits exorbitants et pratiquait une sorte de chantage envers les rois dont elle constituait l'armée de base. Cette chevalerie, à l'intérieur du système féodal, a souvent servi à l'Eglise pour jeter la perturbation en faisant éclater les fiefs rebelles. Mais comme cette institution était armée, elle était redoutable, et il fallait s'en méfier. Au moment où elle ne put plus la contenir, l'Eglise inventa la Croisade contre les Musulmans afin d'éloigner les plus turbulents des chevaliers et de vider les pays de leurs forces vives. Il faut dire que les princes, enchantés de l'aubaine, jouèrent eux-mêmes à fond la carte des croisades, sans s'apercevoir qu'ainsi ils affaiblissaient les domaines qu'ils étaient censés protéger. Et puis, la caste des chevaliers revint de croisade plus forte que jamais, mieux organisée, plus riche, et de plus en plus marginale. Quand on étudie le déroulement de l'histoire au XIIe siècle, il faut absolument tenir compte de cette présence des chevaliers : c'est le pivot autour duquel tourne la société. Consacrée par l'Eglise, utilisée par les princes, se faisant payer par le droit de pillage et de conquête, la chevalerie a été maîtresse du pouvoir au cours du XIIe siècle. Aliénor d'Aquitaine ne s'y est point trompée, elle qui a contribué à faire doubler le serment féodal du chevalier par le serment de fidélité envers la Dame. Elle avait compris qu'on ne pouvait rien faire si on ne s'attachait pas ce corps social de première importance.

Car dans ce contexte politique et social, Aliénor semble parfaitement à l'aise. Elle a eu, dès sa jeunesse, le sentiment d'appartenir à une classe privilégiée, à laquelle tout était permis. Elle était l'héritière d'un comté et d'un duché. Il n'y avait pas de loi salique qui pouvait l'empêcher d'assumer les responsabilités que lui conféraient sa naissance et son rang. Elle incarnait véritablement l'Aquitaine et le Poitou, qui, à cette époque, se trouvaient être les plus riches régions du continent. On peut alors dire que, lors de son mariage avec Louis VII, Aliénor *pesait lourd*. Cela explique la déférence dans laquelle on la tint toujours, et aussi le rôle politique qu'elle a pu jouer.

On peut d'ailleurs s'étonner que le pouvoir royal — non seulement le roi qui était sans doute amoureux d'elle, mais le conseil tout entier — ait toujours manifesté un profond respect pour la reine, alors que, on le sait par de nombreux témoignages, elle était considérée comme une gêneuse. En fait, on avait besoin d'elle parce qu'elle seule représentait la légitimité dans ses Etats. Il fallait donc, à travers elle, s'attacher fidèlement les vassaux et les arrière-vassaux d'Aquitaine et du Poitou. Et si Aliénor n'avait point été écoutée, nul doute que ses vassaux, traditionnellement turbulents et peu favorables au pouvoir central, eussent repris leur liberté d'action. D'ailleurs certains d'entre eux, assez mécontents de se voir en définitive rattachés à la couronne française, se révoltèrent, et il fallut qu'Aliénor demandât à Louis VII d'intervenir militairement pour les faire rentrer dans le droit chemin féodal. Dès le départ, la jeune duchesse ne paraît pas avoir été libérale, ni avoir voulu sacrifier ses prérogatives, et en cela, elle ne faisait que suivre l'exemple de son père et surtout de son grand-père, Guillaume le Troubadour.

Il est en tout cas un fait certain : lors du mariage, puis du « divorce » d'Aliénor et de Louis VII, l'héritière d'Aquitaine ne fut jamais considérée comme une simple épouse de roi, mais bien comme une reine, une souveraine à part entière. C'était comme si le royaume de France s'était marié avec le duché d'Aquitaine [17]. Une décision supérieure, donc ecclésiastique, ayant déclaré la nullité de l'union, il était donc normal qu'Aliénor redevînt ce qu'elle était auparavant.

Ce n'est donc pas seulement sa personne et son domaine qu'Aliénor apportait à la cour de France. Elle pesait lourd : d'abord par la prospérité de cet immense territoire couvrant à peu près dix-neuf de nos départements actuels, prospérité agricole, avec le vin et les céréales, prospérité artisanale en tous genres, prospérité commerciale, surtout maritime, avec les ports de Bordeaux et de La Rochelle; ensuite par les hommes, de grands seigneurs de Châteauroux et d'Issoudun, dans le Limousin ceux manquait le plus le roi capétien. Dans le Poitou, les vassaux directs d'Aliénor, le vicomte de Thouars, les seigneurs de Lusignan et de Châtellerault, étaient d'importants personnages qui avaient eux-mêmes de nombreux vassaux. Dans le Berry, les seigneurs de Châteauroux et d'Issoudun, dans le Limousin, ceux de Turenne et de Ventadour, en Gascogne ceux de Fézensac et d'Armagnac, ainsi que les comtes de Limoges, de Périgord, d'Angoulême, de la Marche et d'Auvergne, étaient tous des gens qu'il valait mieux avoir dans son camp que chez un adversaire toujours éventuel.

Il n'est donc pas étonnant de voir qu'au début de son mariage avec Louis, Aliénor influença profondément la politique du jeune roi. Il n'avait guère été préparé dans son enfance à ces hautes fonctions, et ses goûts étaient plutôt ceux d'un méditatif et d'un clerc. Confronté avec les dures réalités du pouvoir, Louis VII ne se montra jamais à la hauteur de son père Louis VI le Gros. Certes, il était plein de bonne volonté et conscient de sa mission. Certes, il y avait encore Suger, le sage conseiller de son père, celui qui avait en quelque sorte provoqué le mariage aquitain et en avait réglé les moindres détails. Mais il semble bien qu'Aliénor se soit méfiée d'instinct de l'abbé de Saint-Denis qu'elle considérait comme trop représentatif de l'esprit français du Nord, aux antipodes du système de pensée occitan qu'elle incarnait elle-

(17) Un autre exemple caractéristique fut plus tard le mariage de Charles VIII, puis de Louis XII avec Anne de Bretagne : le duché de Bretagne n'était pas pour autant rattaché au royaume de France, et il fallut un véritable traité, en 1532, pour que les deux pays fussent unis sous une communauté de souverains.

même de façon magistrale. En tout cas, Suger n'eut guère d'influence sur Louis VII, lors de l'accession de celui-ci au trône : le jeune roi, amoureux de la belle Aliénor, en subissait le charme et satisfaisait ses caprices. De même, il y eut tout de suite une brouille entre Aliénor et la reine-mère Adélaïde de Savoie. Celle-ci, qui n'avait guère été écoutée par Louis VI, avait d'ailleurs décidé de refaire sa vie. Elle avait épousé un petit seigneur, celui de Montmorency, et vivait éloignée de la cour, se désintéressant visiblement de ce qui s'y décidait.

Ainsi privé des conseils de sa mère et de Suger, Louis VII fut-il livré à son inspiration personnelle et à tous les charmes d'Aliénor. On sait qu'elle mit vraiment la révolution dans le palais, sur le plan de la vie quotidienne et de la mode. Cela n'était évidemment pas grave, et il est vraisemblable que le roi ne s'en offusquait guère, tout au moins tant qu'il n'eut pas de doutes sur la fidélité de son épouse. Et l'une des premières décisions qu'il dut prendre, ce fut de mener une expédition contre les habitants de Poitiers qui avaient eu la prétention de se constituer en commune.

Aliénor avait ressenti cette prétention comme un outrage qu'on lui faisait personnellement. Elle considérait Poitiers comme sa capitale, son domaine réservé. Elle ne pouvait supporter de voir sa ville échapper à son autorité, et elle pria donc son époux de ramener les égarés à la raison. Louis organisa son expédition, d'ailleurs dans les meilleures conditions possibles, et sans verser une goutte de sang, il s'empara de Poitiers, exigeant la dissolution immédiate de la commune et la livraison d'otages pris dans les jeunes gens et les jeunes filles des plus importants bourgeois de la ville. Ce ne fut pas du goût des habitants de Poitiers, mais curieusement, ils n'en voulurent point à Aliénor : n'était-ce point le roi qui était responsable?

C'est dire qu'au début de sa carrière, Aliénor était peu ouverte aux innovations du siècle. Alors que dans la plupart des régions, la tendance était à l'octroi de chartes communales, elle se montrait résolument réactionnaire. On verra qu'elle changera par la suite. Mais à sa décharge, il faut dire qu'elle n'avait pas encore pris conscience de la force réelle représentée par la bourgeoisie à une époque où la richesse commençait à changer de mains, les grands domaines fonciers rapportant de moins en moins à leurs propriétaires, et le commerce et l'artisanat, apanage des bourgeois des villes, constituant ce qu'on appellera plus tard les débuts du capitalisme. Et puis Aliénor était déjà une « grande Dame », élevée dans les principes aristocratiques les plus stricts, persuadée qu'en dehors de la noblesse il n'y a rien qui vaille : ce seront les principes de la chevalerie tels qu'ils apparaissent dans la littérature courtoise de l'époque.

Aliénor entraîna son époux dans des expéditions qui furent moins heureuses. Il réussit tant bien que mal à mettre à la raison un certain Guillaume de Lezay, coupable d'avoir refusé l'hommage et surtout d'avoir dérobé des gerfauts aux ducs d'Aquitaine dans leur réserve de chasse de Talmond. Et surtout, il y eut l'affaire de Toulouse.

La nouvelle reine de France, qui n'oubliait jamais qu'elle était avant tout duchesse d'Aquitaine, avait des prétentions sur le comté de Toulouse, l'un des plus riches de toute l'Occitanie. Elle revendiqua donc la succession de Toulouse du fait de sa grand-mère Philippa, épouse de Guillaume le Troubadour, et qui fut délaissée par lui. Mais le roi se heurta à une résistance farouche des nobles et des bourgeois de Toulouse, et l'expédition fut un échec complet. Aliénor en fut quelque peu mortifiée, mais pour remercier son royal époux, on raconte qu'elle lui fit don, à son retour, d'un magnifique vase de cristal taillé, monté sur un pied d'or et muni d'un col ciselé garni de perles et de pierres précieuses ([18]).

C'est encore sous l'influence d'Aliénor que se déclencha la guerre de Champagne. Aliénor soutenait en effet le mariage de sa jeune sœur Pétronelle avec Raoul de Vermandois, lequel était déjà marié à la nièce du comte de Champagne. Et on sait que cette guerre se termina tragiquement par l'incendie d'une église, à Vitry-le-François, où périrent quantité d'innocents, ce qui provoqua d'abondants remords de la part du roi et contribua à son départ à la Croisade. Ces événements marquèrent la fin de l'influence d'Aliénor sur la vie politique française.

En effet, Louis VII, fortement marqué par la tragédie de Vitry, et aux prises avec la papauté pour plusieurs affaires, menacé d'excommunication, se mit à réfléchir aux conséquences des actes qu'il avait entrepris pour faire plaisir à son épouse. Il se tourna immédiatement vers Suger, profitant des fêtes somptueuses qui

([18]) L'objet en question est conservé de nos jours au musée du Louvre.

illustrèrent, le 11 juin 1144, l'inauguration du chœur de la nouvelle abbatiale Saint-Denis. Suger s'occupa immédiatement de faire conclure la paix entre le roi et Thibaud, comte de Champagne, et reprit, semble-t-il, toute son importance aux yeux de Louis VII.

Aliénor se trouva de ce fait écartée du pouvoir réel. Il est probable qu'elle en eut quelques rancœurs. C'est à cette époque que, voyant Louis tenir de plus en plus compte des avis de Suger et de Bernard de Clairvaux, elle aurait déclaré : « J'ai épousé un moine. » Il était certainement assez pénible, pour elle, de se voir reléguée au simple rang d'épouse. C'est un fait qu'il faut ajouter à la liste des motivations qui l'ont conduite à demander le « divorce ». Le tempérament autoritaire de la duchesse d'Aquitaine s'accommodait fort mal d'une politique à laquelle elle ne participait plus, sauf dans les cérémonies officielles. En vrai, elle avait de plus grands desseins.

Elle crut sincèrement qu'Henry Plantagenêt allait lui permettre de les réaliser. Certes, pendant dix-huit années, depuis son remariage en 1152 jusqu'à l'époque où elle se retira à Poitiers, en 1170, Aliénor fut associée étroitement à Henry dans le gouvernement de l'empire Plantagenêt. Elle ne se contentait pas de paraître à côté du roi, elle le remplaçait chaque fois qu'il en était besoin, et elle avait l'occasion de manifester publiquement ses intentions et ses volontés. Ces dix-huit années furent autant le règne d'Aliénor que celui d'Henry, et il ne fait aucun doute que l'ancienne reine de France fut au comble de la satisfaction de voir ainsi sa personnalité reconnue et sa voix écoutée.

Mais si Aliénor fut ainsi une véritable souveraine, presque à l'égal de son royal époux, c'est bien parce qu'elle payait de sa personne. A l'époque, ne pouvait être roi ou prince que celui qui était capable de chevaucher des jours et des nuits dans ses domaines, pour rendre la justice, régler des différends, mener une troupe au combat : c'est d'ailleurs pourquoi on aimait mieux un roi qu'une reine, car on pensait que ce travail n'était guère féminin. Or Aliénor fut toujours par monts et par vaux, et cela d'autant plus que le territoire Plantagenêt était vaste, allant des Pyrénées à la frontière d'Ecosse. Il est certain qu'elle ne participa elle-même à aucune action guerrière, mais il est incontestable qu'elle fut partout présente là où l'on avait besoin de l'autorité supérieure qu'elle représentait. Cela ne faisait d'ailleurs qu'ajouter à sa légende : elle était belle, elle était intelligente, mais elle était également active et rapide comme un homme, et aussi résistante aux fatigues que le redoutable roi Henry.

Et puis l'ambition démesurée qui la dévorait, et qui s'accordait si bien avec la volonté de puissance d'Henry, constituait un puissant moteur de son activité débordante. Ainsi, elle n'avait pas abandonné l'idée de dominer le comté de Toulouse. Elle fit tant et si bien qu'Henry fit appel à tous ses barons pour investir Toulouse et obliger le comte Raymond V à reconnaître la suzeraineté de la duchesse d'Aquitaine. C'est d'ailleurs à cette occasion que le roi d'Angleterre recourut de façon systématique à des mercenaires : il parait ainsi à toute éventualité, se méfiant de ses vassaux qui n'étaient tenus qu'à quarante jours de service armé par an et qui pouvaient tout aussi bien le lâcher en plein cœur des opérations. C'était en 1159. Il avait reçu l'appui du comte de Barcelone, lui-même en froid avec le comte de Toulouse. Il mit le siège autour de la ville. Mais quelque temps après, il renonça à poursuivre son plan, fit disperser son armée et rentra dans ses domaines. Que s'était-il passé ?

Le problème a été débattu. Henry pouvait militairement l'emporter très facilement. L'obstacle se trouvait à l'intérieur même de la ville de Toulouse, en la personne du roi de France, Louis VII. Celui-ci, bien qu'il n'aimât guère Raymond V, coupable de bien des exactions, avait décidé de protéger son vassal, d'une part pour éviter les empiétements des Plantagenêt sur la route de la Méditerranée (ce qui était évidemment le plan d'Aliénor), d'autre part pour affirmer solennellement le droit féodal : tout vassal devait être protégé par son suzerain, et c'était une félonie que de s'attaquer ainsi à un homme qui tenait son fief du roi lui-même. Henry comprit donc que la situation ne ferait qu'empirer s'il persistait dans son projet. Cela aurait fait mauvais effet de voir le duc de Normandie mettre la main sur son suzerain et le retenir prisonnier. Il risquait ainsi, en bafouant les lois féodales les plus élémentaires, de se mettre à dos non seulement toute l'Europe, mais encore ses propres vassaux inquiets de voir leur seigneur se comporter de la sorte avec leurs droits sacrés. Ce fut donc un échec, surtout pour Aliénor qui voyait une nouvelle fois ses espoirs de dominer le comté de Toulouse réduits à néant.

Et puis il y avait autre chose. Aliénor et Henry avaient un autre dessein, à moyen terme, mais qui pouvait facilement se réaliser, comblant ainsi d'aise l'ancienne reine de France. Il s'agissait ni plus ni moins d'unifier le royaume de France et celui d'Angleterre, au profit des Plantagenêt bien entendu. La solution était simple, du moins en apparence. Louis VII, de son remariage avec Constance de Castille, n'avait qu'une fille, Marguerite, et Thomas Becket, le chancelier d'Henry, avait obtenu du roi de France que cette fille épouserait Henry le Jeune, l'héritier des Plantagenêt. Une dot avait été même prévue : Le Vexin normand, objet d'éternelles querelles entre la France et la Normandie. Or si Louis VII n'avait pas d'héritier mâle, et la chose commençait à devenir probable, qu'allait devenir la couronne de France? Aliénor y avait pensé, et son rêve le plus cher était donc de voir son fils aîné récupérer un trône qu'elle-même avait abandonné volontairement. En fait, il y avait deux obstacles majeurs : la soi-disant loi salique, et la présence des deux filles aînées d'Aliénor et de Louis VII, Marie et Alix. Mais Aliénor avait encore suffisamment d'influence sur ses filles pour les persuader de renoncer à leurs droits éventuels.

Il est fort probable que si Henry Plantagenêt n'avait pas continué le siège de Toulouse, c'était aussi pour ne pas mécontenter Louis VII et permettre le mariage projeté, dont les conséquences étaient autrement importantes que la suzeraineté sur le comté de Toulouse. Or, Louis VII perdit sa seconde épouse alors que celle-ci mettait au monde une seconde fille, et quelques semaines plus tard, il se mariait une troisième fois avec Adèle de Champagne. Le coup était rude pour Henry et Aliénor, qui voyaient ainsi se renforcer l'influence de la maison de Blois-Champagne autour du roi de France, et la possibilité pour Louis VII d'avoir enfin un fils. En guise de riposte, ils firent célébrer à Rouen, en 1160, le mariage d'Henry le jeune et de Marguerite de France. Le nouvel époux avait cinq ans, la nouvelle épouse n'en avait que deux. Et Henry récupéra le Vexin normand sans que Louis VII pût faire la moindre opposition. On sait que ces précautions furent sans conséquences sur la suite des événements : en 1165, il naquit un héritier mâle à Louis VII, le futur Philippe Auguste. Quant à Henry le Jeune, il mourut prématurément. Le rêve d'Aliénor s'évanouit définitivement.

Ce sont évidemment des échecs. Mais la politique d'Aliénor était variée. On le vit lorsque, vers les années 1165, elle commença à se détacher de son époux. Elle qui avait soutenu toutes les prétentions d'Henry II parce que celui-ci soutenait les siennes, à partir du moment où elle s'aperçut qu'il la trahissait, elle se mit à jouer son propre jeu. Ce fut d'abord une sorte de repli sur elle-même : au lieu de s'occuper des grandes affaires du royaume, elle préféra se limiter à l'organisation intérieure de ses propres Etats. De reine d'Angleterre, elle devint duchesse d'Aquitaine et comtesse de Poitou à part entière. Elle s'occupa en personne des divers problèmes que la vie économique de l'Aquitaine soulevait. En effet, ce pays devenait de plus en plus riche, de plus en plus moderne. Le commerce avec l'Angleterre était florissant. Il fallait donc tout codifier, et surtout donner certaines satisfactions à ceux qui étaient les véritables détenteurs de la puissance d'argent, c'est-à-dire les bourgeois. C'est à cette époque qu'Aliénor opéra sa « reconversion » libérale, et octroya des chartes et des franchises à ceux qu'elle considérait, il y avait quelques années à peine, comme des sujets soumis de façon absolue. Il faut dire qu'elle y gagna encore davantage de popularité, et que toute la population d'Aquitaine et de Poitou était prête à la servir fidèlement. C'est pourquoi Henry II, du moins dans les premiers temps, se montra si tolérant à l'égard de son épouse qu'il savait de façon sûre responsable de plusieurs révoltes de vassaux, et même de ses propres fils. Toucher trop directement à Aliénor, c'était s'attaquer à une force redoutable. Henry le savait mieux que quiconque, et si, plus tard, il prit la décision d'emprisonner la reine, ce fut toujours avec ménagement et en prenant grand soin de ne jamais la déposséder de ses domaines.

Comme le commerce maritime était le plus important, Aliénor s'intéressa de près à tout ce qui touchait les marins. On prétend qu'elle aurait eu de fréquents contacts avec certains de ceux-ci afin de connaître quels étaient leurs besoins et leurs désirs. En tout cas, c'est sous son inspiration directe que fut écrit un code maritime contenant 47 articles et que l'on connaît sous l'appellation de *Rôles d'Oléron*. Leur lecture montre que la reine avait eu à cœur de prévoir les cas les plus difficiles comme les plus communs de la vie des marins. On y trouve également une volonté très nette de tempérer les usages trop autoritaires et de défendre l'individu contre l'arbitraire.

Plusieurs articles réglementent la nourriture des matelots, du capitaine et des armateurs. Il y a même des précisions qui nous étonnent : « Les marins de la côte bretonne ne doivent avoir qu'une cuisine (c'est-à-dire un repas) par jour par la raison qu'ils ont le vin en allant et en revenant. Ceux de Normandie doivent en avoir deux parce qu'ils ne boivent que de l'eau à l'aller. Quand ils sont en pays de vin, le maître doit leur en fournir. » En d'autres articles sont prévus les soins à donner aux marins en cas de blessure ou de maladie, les conditions dans lesquelles tout malade doit être conduit à terre et confié à des gens qui s'occuperont de lui. On insiste également sur la liberté qui doit être observée lors de la conclusion des contrats, toute preuve de fraude entraînant l'annulation d'un contrat. Le capitaine est tenu de se comporter paternellement : ses compagnons sont ses collaborateurs et partagent ses responsabilités. Aucun d'entre eux ne peut être frappé par le capitaine plus d'une fois. « Si le maître redouble, le matelot peut se défendre. » Mais il y a également le respect du maître, car si un matelot frappe le capitaine, « il paiera cent sous ou perdra le poing, à son choix ». Il est évident que cette sanction peut paraître sévère, mais elle était coutumière à l'époque où personne ne pouvait, surtout lorsqu'il était un inférieur, bafouer l'autorité de celui qui était au-dessus de lui. Cependant, le capitaine n'est pas le maître absolu dans la mesure où il lui est interdit de mépriser les conseils de ses hommes. En plusieurs circonstances, notamment pour prendre la mer par mauvais temps, il est tenu de demander leur avis avant de décider le départ. Les pilotes ont des droits et des devoirs spéciaux. En cas de forfaiture ou d'incapacité reconnue, les matelots peuvent même impunément leur couper la tête : il est certain que cette clause faisait réfléchir les candidats pilotes et les engageait à beaucoup de prudence. Il faut dire que souvent, les pilotes avaient partie liée avec des pilleurs d'épaves et s'arrangeaient pour faire briser leurs navires sur des rivages repérés d'avance. D'ailleurs des articles de ces *Rôles d'Oléron* fixent les modalités de la récupération des épaves ainsi que tous les problèmes concernant les salaires des matelots, le droit de pêche, l'inscription des noms sur les ancres (ce qui deviendra l'immatriculation) et la réparation des avaries. Le dernier article précise que tout bateau pirate est exclu de ces dispositions.

On voit ainsi combien Aliénor tenait à ce que tout se passât bien dans ses domaines. Devenue plus compréhensive envers la bourgeoisie des villes, elle concéda des chartes. L'une d'elles, qui porte nettement son empreinte, est connue sous l'appellation d'« Etablissements de Rouen », mais il est probable qu'elle fut d'abord octroyée aux habitants de La Rochelle, ville que son père avait créée de toutes pièces, et qui, en quelques années, grâce à l'activité de son port, était devenue le plus important centre commercial desservant le Poitou (19).

Dans ce texte, d'abord écrit en latin, et traduit ensuite en langue dite vulgaire, on s'aperçoit que le mot « commune », jadis repoussé et haï par Aliénor, y obtient, si l'on peut dire, droit de cité. La « Commune », selon ce texte, c'est à la fois l'association des bourgeois, la milice armée, et la ville entière. Les citoyens élisaient cent pairs qui, à leur tour, élisaient vingt-quatre jurés, c'est-à-dire douze échevins et douze conseillers.

Les échevins devaient se réunir deux fois par semaine. Ses membres ne pouvaient s'absenter, notamment pour aller en Angleterre, sans la permission expresse de leurs collègues. Cette assemblée des échevins était donc à la fois le conseil d'administration de la ville et le tribunal de première instance. Elle avait à juger, en séance publique, des rébellions possibles, des injures et des affaires civiles. Les jurés prêtaient serment de juger selon leur conscience et de garder secrètes les délibérations. Ils déclaraient également refuser de recevoir les plaideurs, d'accepter des denrées ou des cadeaux, faute de quoi ils seraient exclus de toute charge publique et auraient leur maison rasée. L'inculpé qui s'arrangeait pour faire solliciter un juge devait avoir sa peine doublée. On voit que ces Etablissements de Rouen étaient fort en avance pour l'époque et qu'il s'y manifestait un désir sincère de justice objective et égale pour tous.

Les causes les plus graves, en particulier les crimes, étaient réservées aux juridictions royales ordinaires (baillis, vicomtes et prévôts), mais tout ce qui touchait les sacrements, par exemple les adultères, était dévolu aux tribunaux ecclésiastiques. Cependant toute justice municipale était suspendue pendant le temps que le roi, ou son fils, était présent dans la ville.

(19) Ce statut servit de modèle pour d'autres villes. Lorsqu'on examine celles-ci, on remarque deux groupes : des villes normandes comme Falaise, Pont-Audemer, Alençon, Caen, Domfront, Bayeux, Evreux, Fécamp, qui étaient plus ou moins sous la responsabilité d'Aliénor ou de Richard, et, dans le sud-ouest, des villes aquitaines comme La Rochelle, Saintes, Angoulême, Poitiers, Niort, Oléron, Ré, Cognac, Saint-Jean-d'Angély, Bayonne, qui faisaient partie des domaines propres de la reine-duchesse. Par contre, dans l'Anjou, domaine des Plantagenêt, et en Angleterre sous la domination directe d'Henry II, aucune ville ne reçut une charte semblable, ce qui tendrait à prouver que l'inspiratrice en fut Aliénor et non pas le roi.

Chaque année, les pairs choisissaient trois candidats parmi lesquels le roi nommait le *major*, c'est-à-dire le maire. Il était rééligible, mais il devait jurer de ne pas intriguer pour demeurer en fonction. Il représentait la ville devant les juridictions royales. Il présidait à l'administration et à la justice municipales. Il percevait les revenus de la ville, ordonnait les saisies, conduisait la commune à la guerre, pouvait dispenser, pour motif grave, du service militaire, et avait la faculté de faire comparaître devant lui, aux jours et heures qui lui plaisaient, tout citoyen à qui il avait quelque chose à demander. Son pouvoir était donc important, mais si, par malheur, il violait les règlements de la commune, son amende était deux fois plus élevée que celle des autres magistrats.

D'après ce système, on s'aperçoit que les bourgeois étaient défendus contre tout arbitraire, même de la part des chevaliers et des gens d'Eglise, lesquels, lorsqu'ils ne payaient pas leur dû, étaient proprement mis en quarantaine, tout privilégiés qu'ils étaient. La commune défendait elle-même l'intérêt de ses participants devant les prévôts et les baillis qui avaient toujours tendance à outrepasser leurs droits. C'était donc un régime extrêmement libéral pour l'époque, et on n'en retrouve pas l'équivalent dans les chartes octroyées en France par Louis VII, ou en Angleterre par Henry II. Il faut donc supposer qu'Aliénor, qui, ne l'oublions pas, était entourée de clercs, d'érudits, d'hommes de loi, en même temps que de poètes et d'artistes, a mis tous ses soins, dans sa période de maturité, à se concilier la classe bourgeoise des villes dont elle avait la charge. C'était évidemment un calcul politique. La reine, se heurtant de plus en plus à des difficultés nées de ses dissensions avec son époux, éprouvait le besoin de se procurer des alliés. Elle savait qu'elle ne pouvait pas trop compter sur ses turbulents vassaux qu'elle avait vus à l'œuvre, constamment en train de s'entre-déchirer. Elle avait compris que la puissance nouvelle appartenait à une classe nouvellement surgie du peuple, et elle avait décidé d'en profiter. Cela ne l'empêchait d'ailleurs pas de se montrer la plus aristocratique des Dames de son époque.

Mais si elle a octroyé ces chartes, même au nom du roi Henry, c'est qu'elle en avait la possibilité. Aliénor a donc détenu, pendant son mariage avec le roi d'Angleterre, des pouvoirs réels assez étendus et qui étaient sans commune mesure avec ce qu'elle avait connu à la Cour de France. Elle n'était plus seulement l'inspiratrice « sous l'oreiller » du roi. Elle prenait des décisions elle-même, mettant en quelque sorte son époux devant le fait accompli. C'est en tout cas ce qui ressort des chroniques du temps.

Elle montra bien qu'elle n'était pas femme à se laisser faire quand elle dressa ses fils contre leur père. Le jeu politique était peut-être dicté par une vengeance féminine : amoureuse déçue par Henry, épouse bafouée par un roi sans grands scrupules, elle avait décidé de prendre sa revanche là où elle pouvait le mieux atteindre le Plantagenêt, dans ses propres enfants. Et puis, elle espérait bien ainsi retrouver tout son prestige.

Ce sont les années où elle redevient réellement la comtesse de Poitou. Elle fait de Poitiers le rendez-vous de l'*intelligentzia* du moment. Elle est encore belle malgré l'âge qui s'avance. Et surtout, consciente du poids qu'elle représente, elle s'arrange pour disposer ses pions sur l'échiquier. Les fils sont impatients de partager la puissance paternelle? Elle en profitera. Car, à vrai dire, le seul qu'elle aime d'un profond amour de mère, c'est celui dont la sensibilité s'accorde le mieux à la sienne, Richard, le chevalier poète. Mais comme c'est Henry l'aîné, c'est donc à lui de recueillir l'héritage. Aliénor le pousse à réclamer de plus en plus de pouvoirs parce qu'elle sait que par-derrière, c'est elle qui inspirera les actes de son fils.

On connaît la suite. Henry II ne se laisse pas facilement déposséder. Il réagit avec vigueur. Alors commence la longue période de réclusion d'Aliénor, reléguée de château en château, de forteresse en forteresse. Elle n'est plus rien politiquement. Elle demeure cependant la reine titulaire. Elle est toujours la Dame, aux yeux de tous ses sujets d'Aquitaine, du Poitou et aussi de Normandie, car curieusement ce duché, sur lequel elle n'a en principe aucun droit, lui demeurera toujours fidèle. On peut dire même que pendant cette période, sa légende s'est enrichie, et sa puissance morale considérablement développée. Elle a passé pour une victime de la tyrannie d'Henry II, que les continentaux aimaient peu mais qu'ils soutenaient parce qu'ils ne pouvaient pas faire autrement.

La revanche, Aliénor la connut avec la mort d'Henry II et l'avènement de Richard. Ce fut même un véritable triomphe : dès qu'elle apprit la nouvelle de la disparition de son époux, elle s'engagea dans une chevauchée fantastique à travers tout l'empire Plantagenêt, s'arrêtant dans chaque château et dans chaque ville, où on la recevait comme la véritable détentrice de la couronne. Partout, elle œuvrait en vue d'assurer à Richard le *consensus* le plus large. Partout, elle abolissait les mesures dictatoriales prises par Henry II, lequel n'avait maintenu, ces dernières années, l'unité de son royaume que par la force brutale. Elle faisait libérer les prisonniers, elle allégeait les règlements en vigueur : désormais, on ne risquerait plus d'être pendu pour un simple délit de chasse, comme c'était le cas quelques semaines auparavant. Elle trouva même le moyen de résoudre un problème économique propre à l'Angleterre, en unifiant les mesures de capacité pour les grains et les liquides. On peut dire, sans se tromper, que pendant cette période qui précéda le couronnement de Richard, de juillet à septembre 1189, Aliénor fut une véritable souveraine à part entière. Et elle avait soixante-sept ans.

Ce rôle, elle le joua encore quand Richard partit à la Croisade, et plus même quand il demeura prisonnier en Allemagne. C'est elle qui organisa la collecte de la rançon du roi, c'est elle qui fit échouer les tentatives de Jean sans Terre qui, avec la complicité intéressée du roi de France, voulait s'emparer du trône. C'est encore elle qui, pendant ce laps de temps, se montra une habile diplomate en recherchant des alliances autant qu'elle le pouvait et en essayant de conclure des mariages avantageux pour les membres de sa famille. On ne peut que reconnaître l'intelligence et l'activité extraordinaire de cette femme septuagénaire que toute l'Europe écoutait, et que tous ses vassaux respectaient.

On sait que la mort de Richard, son fils *carissimus,* comme elle l'appelait dans les actes officiels, lui porta un coup terrible. Mais ce n'est pas pour cela qu'elle abandonna la partie. Bien au contraire : jugeant que son petit-fils Arthur était trop lié à Philippe Auguste, elle mit tout en œuvre pour que Jean pût maintenir intacts les domaines des Plantagenêt. Et pourtant, elle savait que son plus jeune fils était un violent, un demi-fou. Mais il fallait que l'unité du royaume fût préservée. Il fallait que tous les vassaux reconnussent en Jean sans Terre l'héritier d'Henry II. C'est à cette époque qu'elle entreprit une nouvelle chevauchée à travers tout le pays, pour gagner la confiance des uns et calmer les réticences des autres. Elle multiplia les chartes octroyées aux bourgeois des villes, au nom de Jean, pour les rendre fidèles. Et quand Jean fut couronné, c'est-à-dire accepté par tous, bon gré, mal gré, elle n'interrompit pas pour autant sa surveillance, et cela jusqu'à sa mort.

Son œuvre personnelle est donc immense, surtout dans la seconde partie de sa vie, en tant que reine d'Angleterre. Une question se pose alors : si elle était demeurée reine de France, aurait-elle pu réaliser tout ce qu'elle a fait ?

Il ne s'agit pas de refaire l'histoire, mais la réponse est nécessairement négative. Dans le contexte français capétien, jamais on n'aurait laissé tant de pouvoir et tant d'autorité morale, surtout si longtemps, à une femme. Et cela essentiellement parce que la monarchie capétienne était patriarcale, pour ne pas dire « paternaliste ». Le roi de France, héritier de Charlemagne, donc des empereurs romains, était le *père du peuple,* à la fois le protecteur et le meneur. Son rôle était vraiment celui d'un *imperator* et son aspect militaire était somme toute plus important que son aspect civil dans une conjoncture féodale où le pouvoir résidait là où se trouvait la force. D'autre part, l'héritage par les femmes n'existait pas, ce qui écartait automatiquement les femmes de la royauté et les maintenait dans un état de dépendance quasi absolue.

Or cette règle n'avait cours ni dans les grands fiefs de la couronne, ni en Angleterre. Aliénor était de plein droit, et sans que personne ne songeât à y redire, l'héritière titulaire de l'Aquitaine et du Poitou. Quant à Henry II, s'il était roi d'Angleterre, c'était par sa mère, l'impératrice Mathilde ([20]). Donc une femme pouvait incarner la souveraineté et l'exercer lorsqu'il n'y avait pas d'autre héritier direct. Le contexte était donc tout autre.

Cette différence, en dernière analyse, ne provient pas seulement d'une coutume établie et respectée, mais d'un jugement philosophique opposé. En effet, dans le système capétien, où le roi est tenu pour le représentant de Dieu chargé de conduire un peuple, nous retrouvons intégralement la conception du *rex* latin, devenu

([20]) De même, en Bretagne, à l'abdication du duc Konan IV, le duché revenait à sa fille Constance, qui épousa Geoffroy Plantagenêt. A la mort du fils de Geoffroy, Arthur, éliminé, comme on sait, par Jean sans Terre, le duché revint à la demi-sœur d'Arthur, Alix, fille de Constance et de Guy de Thouars.

par la suite *imperator*. Il s'agit d'un chef, que l'on n'a pas forcément choisi, mais à qui l'on doit obéir sans réserve parce qu'il faut de toutes façons un chef capable de défendre le peuple et d'attaquer, si besoin est, les autres. Mais ce chef est un être à part : il ne fait pas partie de la communauté, car sa force réside précisément dans sa spécificité. On en viendra vite à la notion de monarchie absolue, sous Louis XIV, où le roi, qui fait et défait les lois, n'est pas tenu lui-même de les observer, n'étant responsable en dernier ressort que devant Dieu. C'est en fait la définition du despote, que donnera plus tard Montesquieu.

Tout autre est la conception anglo-angevine, héritée à la fois du droit normand, du droit celtique, du droit saxon et des coutumes occitanes. Certes, dans la pratique, les Plantagenêt se comporteront souvent comme de véritables despotes, mais les formes sont maintenues et le pouvoir royal est toujours soumis à l'appréciation des vassaux, comme on le verra pendant le règne de Jean sans Terre, dépossédé de son trône par ses barons, et obligé, pour le récupérer, de consentir aux règles de la Grande Charte de 1212. Il existe d'ailleurs dans ce document, ancêtre des constitutions modernes, un article significatif : « Il y a les lois de l'Etat, des droits appartenant à la communauté. *Le roi doit les respecter*. S'il les viole, le loyalisme cesse d'être un devoir et les sujets ont le droit de s'insurger. »

Le principe est que la souveraineté appartient uniquement à la communauté, laquelle peut la confier à un roi. C'est la seule différence théorique avec la conception de Jean-Jacques Rousseau dans le *Contrat Social*. En effet, dans un cas comme dans l'autre cette souveraineté de la collectivité reste inaliénable : elle est seulement confiée à une personne, dans l'optique médiévale, alors que chez Rousseau est affirmé solennellement le rejet de toute représentativité. Le souverain médiéval, lui, représente la collectivité, il l'incarne même, mais il n'en est pas le maître absolu ni le possesseur. Si le roi capétien avait de plus en plus tendance à s'ériger lui-même en loi supérieure, le roi anglo-angevin, plus conforme d'ailleurs à la pensée chrétienne primitive, n'était que le serviteur de la Loi supérieure, cette loi qui résulte d'un accord entre Dieu et l'ensemble des sujets. Cela provoquera bientôt la formule thomiste par laquelle tout pouvoir vient de Dieu par l'intermédiaire du peuple (*a Deo per populum*). Et ce n'est pas par hasard si le philosophe ecclésiastique Jean de Salisbury a écrit son œuvre politique majeure, le *Policraticus*([21]), dans la mouvance de la dynastie anglo-angevine, lui qui déclarait : « Le Prince est le serviteur du Seigneur, mais il accomplit son service en servant fidèlement ses *camarades serviteurs* (de Dieu ou de la Loi), c'est-à-dire ceux qu'on appelle ses sujets (IV, 7). »

Il y avait donc dans cette Europe occidentale du XIIe siècle, entièrement féodale, deux courants politiques qui, très peu sensibles pour un observateur de l'époque, allaient s'affirmer plus tard au cours des siècles : d'une part le courant centraliste romain, représenté par le Saint-Empire et la dynastie capétienne, d'autre part un courant qu'on pourrait qualifier de germano-celtique, représenté par la monarchie anglo-angevine. Ce n'est donc pas sans raison qu'Aliénor décida de rompre son union avec le roi capétien pour épouser le monarque angevin. Ses goûts personnels, son ambition, sa conscience politique, tout cela était mieux à sa place dans le cadre anglo-angevin. Car là, elle pouvait jouer un double rôle : sur le plan pratique, avoir les coudées franches et influer sur la marche des événements; sur le plan théorique, représenter symboliquement cette souveraineté en incarnant la collectivité. La collectivité est une grande famille, une entité dont

([21]) Ce traité politique fut achevé par Jean de Salisbury en 1159 et s'inscrit dans un courant philosophique parallèle à l'aristotélisme. L'inspiration en est diverse, mais la base en est essentiellement biblique. C'est une doctrine féodale concernant la transmission des charges et propriétés par hérédité. Le serment féodal y revêt une importance particulière, car il n'est pas de pure forme : il s'agit d'un engagement intégral de part et d'autre. Jean de Salisbury, qui justifie le tyrannicide dans certains cas, dénie absolument ce droit à ceux qui auraient fait serment au tyran. En fait, le postulat de base étant qu'une Loi supérieure, divine, transcendantale, existe depuis toujours, il n'y aurait donc pas besoin de roi si tout le monde obéissait à la Loi. Donc, la nécessité reconnue d'avoir un roi est une sorte de châtiment pour l'humanité incapable de se gouverner elle-même. Mais de ce fait, le roi ressemble beaucoup plus à un admirateur chargé d'assurer le bon fonctionnement de la loi qu'à un guide de l'humanité. Et pour qu'il soit roi, il faut qu'il fasse preuve de ses compétences. Donc, en dernier ressort, c'est la collectivité, que Jean de Salisbury divise en *populus* (le peuple lui-même, tel qu'il existe naturellement) et *universitas* (le corps social organisé), qui décide de son destin. Il faut qu'il y ait accord parfait entre le *populus* et l'*universitas* (on voit que le problème de l'Etat-Nation et de l'Etat, corps distinct de la nation, n'est pas né dans les sociétés modernes). La société étant féodale, chaque propriétaire est nécessairement un prince, donc une sorte de roi, mais à petite échelle. Et comme l'idée de communauté est celle qui demeure la plus forte, le prince, en tant que représentant de cette communauté, est en quelque sorte le propriétaire de tous les biens de ses sujets, lesquels ne sont guère que des tenanciers. Pour plus de détails sur les théories de Jean de Salisbury, voir J. Markale, *Le Roi Arthur et la Société celtique*, p. 107-125.

les consonances sont féminines. Qui donc mieux qu'une reine, auréolée d'un grand prestige, héritière de grands domaines, arbitre des élégances, maîtresse des arts et des lettres, et enfin mère de famille nombreuse, aurait pu incarner cette collectivité ? N'offrait-elle pas à son peuple cette image rassurante d'une mère de famille veillant à ce que chacun de ses enfants eût droit à la part qui lui revenait ?

Le « divorce » d'Aliénor a été accepté par Louis VII parce qu'il ne pouvait pas faire autrement et que, dans le fond, il espérait que la jeune femme se contenterait de faire un remariage d'amour. Elle fit un mariage d'amour, c'est vrai, mais non pas uniquement. C'est au bout de mûres réflexions que la jeune reine de France allait devenir une vieille reine d'Angleterre.

3

La Reine des Troubadours

Il en est des héros de l'Histoire comme des héros de la Légende : ils ne s'appartiennent plus dès que la tradition s'en empare. Mais il ne peut y avoir tradition autour d'un personnage historique que si celui-ci entre dans le cadre d'un mythe, la plupart du temps, pré-existant. La légende d'Aliénor prouve que le personnage correspondait à *ce qu'on attendait qu'elle fût*. A partir de ce moment, épopée et histoire ne sont plus qu'une unique réalité à deux visages. Et si, dans son comportement politique, Aliénor a rempli le cadre qui lui était réservé, elle l'a fait bien davantage dans le domaine des arts et des lettres, au premier degré par son action, au second degré par l'influence qu'elle a pu avoir sur les écrivains de son temps. Et cette influence, loin d'être inférieure à celle qu'elle a eue politiquement, demeure, qu'on le veuille ou non, celle qui a été la plus importante de tous les temps : la femme qui a eu le privilège d'être tour à tour reine de France et d'Angleterre, mais qui est toujours restée duchesse d'Aquitaine et comtesse de Poitou, a drainé autour d'elle des énergies intellectuelles dont la portée est absolument remarquable.

Ce rôle littéraire, c'est déjà à la cour de France que l'épouse de Louis VII l'a joué. Elle a fait venir dans le Nord des troubadours occitans, ce qui a permis des échanges fructueux entre écrivains de langue et de civilisation différentes, et par voie de conséquence la création d'une littérature française authentique. Le XIIe siècle littéraire, en France, c'est-à-dire dans le domaine d'*oïl,* n'aurait pas été aussi brillant sans l'apport personnel et direct d'Aliénor. Mais c'est peut-être par une action plus subtile que son influence s'est étendue, de son vivant comme après sa mort. On ne peut contester, par exemple, que, par sa beauté, son charme et aussi par son *aura* légendaire, elle a inspiré, malgré elle, des écrivains qui l'ont prise pour modèle de leurs héroïnes.

Ainsi, à l'analyse, une chanson de Geste comme *Le Pèlerinage de Charlemagne* se réfère, dans son point de départ, à une brouille possible entre le roi et la reine, brouille suivie du départ du roi à la Croisade. Charlemagne déclare très présomptueusement à la reine : « Dame, vîtes-vous jamais aucun roi sous le ciel qui portât aussi bien l'épée et la couronne? » L'empereur attend de son épouse la confirmation de ce qu'il vient de dire, mais elle répond sans réfléchir qu'il existe un autre roi qui porte la couronne avec plus d'aisance. Charlemagne se laisse aller à sa fureur : il veut savoir qui est ce roi, il veut aller immédiatement le voir pour constater si la reine a tort ou raison. « Nous porterons ensemble la couronne au chef et vos conseillers et vos amis siégeront devant vous. Je manderai ma cour de bons chevaliers. Si les Français sont de votre avis, je m'y rangerai, moi aussi. Mais si vous en avez menti, vous me le paierez cher : je vous trancherai la tête avec mon épée d'acier! » Et la reine est obligée de lui dire qu'il s'agit d'Hugues le Fort, roi de Constantinople, ce qui décide Charlemagne à s'en aller en pèlerinage à Jérusalem après un détour fait à Constantinople.

Les allusions contemporaines sont évidentes. Le texte de la Chanson de Geste traduit de façon symbolique le détachement d'Aliénor envers Louis VII et le mépris qu'elle affichait pour son « comportement de moine » et sa timidité. Le roi de Constantinople est le superbe Manuel Comnène, et on peut également trouver une analogie avec l'épisode légendaire des amours d'Aliénor et de Saladin. Comme *Le Pèlerinage de Charlemagne* a été composé au moment de la croisade de Louis VII, il n'est donc pas douteux que l'auteur se soit servi de la reine de France comme modèle de l'épouse de Charlemagne. Ce n'est pas le seul exemple d'interférence de cette sorte que nous découvrons dans les Chansons de Geste où l'actualité contemporaine perce toujours sous l'univers carolingien qui leur sert de prétexte.

D'ailleurs, si on va au fond des choses, *Le Pèlerinage de Charlemagne* n'est pas une véritable chanson de Geste : les épisodes merveilleux ou simplement fantastiques en font davantage un « roman courtois », ou tout au moins une adaptation parodique de l'ancienne épopée carolingienne à l'usage d'un public plus raffiné et avide de descriptions enthousiastes de l'Orient, d'un Orient de fantaisie, devrait-on dire. Comme l'affirme Rita Lejeune dans son *Etude sur le rôle littéraire d'Aliénor d'Aquitaine,* « l'épopée est revue, corrigée, policée pour la femme — et, plus spécialement, pour une femme dont la tournure d'esprit s'impose à toute une société : Aliénor ». Donc, on est en droit de prétendre que non seulement Aliénor sert de modèle involontaire aux écrivains mais qu'elle provoque une nouvelle mode littéraire dans l'expression des idées et des sentiments. De toute façon, son rôle est considérable, et cela à la cour de France où chacun s'efforce de satisfaire une reine criticable certes sur bien des points, mais incontestablement digne d'admiration et d'enthousiasme.

Une autre chanson de geste, qui n'appartient plus au cycle du Roi mais à celui de Garin de Montglane, est également significative du rôle qu'a joué Aliénor dans l'élaboration des personnages féminins de l'épopée carolingienne décadente. Il s'agit de la *Chanson de Guillaume,* dont la version anglo-normande date des environs de 1160, et dont les principaux épisodes ont été repris ultérieurement dans la *Chanson d'Aliscans.* Le personnage central est Guillaume d'Orange, sorte de héros herculéen qui semble surgir de la plus lointaine mythologie celtique. On peut y voir un équivalent du dieu irlandais Dagda, célèbre par sa force et sa gloutonnerie : c'est un Gargantua avant la lettre, et quand on sait que le Gargantua de Rabelais est un personnage folklorique hérité de la tradition celtique, on ne peut que constater une fois de plus la permanence des mythes à travers les différentes couches de civilisation. D'ailleurs, dans la *Chanson d'Aliscans,* il existe un doublet de Guillaume, le géant Rainouart, qui combat avec un *tinel,* c'est-à-dire une massue. Or, dans l'épopée irlandaise, la massue est l'arme favorite de Dagda : par un de ses côtés, elle assomme et tue, mais par l'autre, elle guérit et ressuscite, image symbolique de l'ambivalence de la divinité dispensatrice à la fois de vie et de mort. De plus, dans une autre chanson du cycle, le *Couronnement de Louis,* Guillaume combat avec un géant sarrazin nommé Corsolt, ce qui nous renvoie au peuple armoricain des Coriosolites. De toute façon, ce Guillaume, que les plus anciens textes surnomment « au Courb nez », c'est-à-dire « au nez crochu », et que les remaniements appellent « au court nez », par suite d'une incompréhension orale de l'adjectif, est un personnage qui a eu, au XIIe siècle, un succès aussi considérable que le fameux Roland.

Or Guillaume a une épouse du nom de Guibourc. Autrefois, elle était païenne, s'appelait Orable et était mariée à un roi sarrazin. Après que son mari eut été tué par les Chrétiens, elle s'était convertie et avait donc épousé notre héros. Cela pourrait bien être une allusion au divorce d'Aliénor et à son remariage avec Henry. Cependant, c'est par le caractère que Guibourc se distingue : à la différence des premières chansons de geste où la femme n'est qu'une ombre insignifiante, Guibourc occupe le devant de la scène. C'est une forte femme, intelligente, rusée, fine politique et redoutable stratège. Quand, dans la *Chanson de Guillaume,* le héros revient d'un combat où il a été vaincu, complètement désespéré, elle fait si bien qu'elle lui remonte le moral et lui redonne le goût de vivre et de triompher. A son époux qui pleure et se lamente parce qu'il est trop vieux et que les ennemis lui ont tout pris, elle répond : « marquis! mon seigneur! pour Dieu, écoutez-moi! laissez-moi mentir ». Effectivement, elle ment, elle invente une armée qui n'existe pas, promet monts et merveilles à tous les hommes valides qui restent dans la forteresse, invente un trésor que les Sarrazins auraient accumulé dans une grotte. Tout le monde accepte de repartir en expédition, et Guibourc réconforte Guillaume en lui faisant manger et boire force mets et boissons.

L'épisode pourrait paraître caricatural. Il l'est certainement, comme toutes les chansons de geste de la dernière période. Mais ce caractère indomptable de Guibourc doit beaucoup à la ténacité et à l'énergie que manifestait la duchesse d'Aquitaine. D'ailleurs la *Chanson de Guillaume* se signale par des transferts d'épisodes épiques vers le centre et l'ouest de la France, c'est-à-dire vers les Etats d'Aliénor. Tout se passe comme si on avait voulu faire de Guillaume une sorte d'Ancêtre mythique d'Aliénor tout en confiant à Guibourc un rôle que la duchesse d'Aquitaine était capable d'assumer. Il faut la voir, dans la *Chanson d'Aliscans,* lorsque Guillaume, fuyant devant ses ennemis, demande à sa femme de lui ouvrir les portes de la forteresse. Elle refuse tout net, invente tout ce qu'elle peut, prétend ne pas reconnaître Guillaume. Et tout cela, elle le fait dans le but de réveiller l'ardeur combative de son époux. Il fallait magnifier la famille d'Aquitaine. Les poètes qui ont compilé divers éléments originaux pour en faire la *Chanson de Guillaume* et la *Chanson d'Aliscans* ont, consciemment ou non, pris parti pour la reine-duchesse en qui ils voyaient non seulement un modèle pour leur personnage féminin, mais aussi une ardente protectrice des lettres et des arts. C'était la loi de l'époque : on n'écrivait que pour plaire à une grande famille, à un grand souverain, à une grande reine, même si le contenu de la légende était à l'origine complètement étranger à ce genre de préoccupations. De même, un thème comme celui de la Princesse Lointaine, étroitement lié à Aliénor, se retrouve, de façon romancée dans la chanson de geste que l'on connaît sous le nom de *La Prise d'Orange*, et dont le héros est encore Guillaume. L'actualisation des thèmes anciens est une mode du XIIe siècle. Charlemagne symbolise la monarchie capétienne. Arthur symbolise et fait revivre la monarchie insulaire bretonne, donc préfigure celle d'Henry II Plantagenêt. Guillaume d'Orange symbolise à la fois Henry II, second mari d'Aliénor, et la famille des ducs d'Aquitaine, lesquels d'ailleurs portaient le nom de Guillaume. A ce point, ce ne sont pas seulement des coïncidences.

Certes, cette action volontaire ou non d'Aliénor sur les poètes et les romanciers s'est réalisée dans un temps très long. Mais on peut affirmer qu'elle a commencé dès la jeunesse d'Aliénor pour se poursuivre à la cour de France. Point de mire d'une société qui se cherchait, la jeune reine ne pouvait être qu'une inspiratrice en même temps qu'une protectrice. L'importance de sa légende prouve d'ailleurs qu'il est impossible de ne pas penser à elle quand on étudie les différentes œuvres littéraires du XIIe siècle.

Cependant, ce n'est pas à Paris qu'Aliénor eut le plus d'influence sur la littérature de son temps. C'est surtout après son mariage avec Henry II, et plus précisément lorsqu'elle tint sa cour à Poitiers vers les années 1170. C'est dire toute l'importance de cette ville dans la formation des œuvres littéraires du XIIe siècle, non seulement en langue occitane, mais aussi en langue française, voire en langue bretonne ou galloise.

En effet, Poitiers est à la frontière linguistique du monde français et du monde occitan, et de plus, étant dans la mouvance des Plantagenêt, la ville a des relations privilégiées avec la

Normandie, la Bretagne et l'Angleterre. La reine-duchesse, on le sait, y avait attiré tous les beaux esprits du temps, de nombreux poètes et de nombreux musiciens. De plus, elle s'y trouvait en compagnie de son fils préféré, Richard, et probablement de la mystérieuse Marie de France, l'auteur des *Lais,* qui était, selon toute vraisemblance, une demi-sœur d'Henry II, ainsi que de sa fille Marie, qu'elle avait eue de Louis VII, et qui avait été mariée au comte de Champagne, Henri le Libéral. C'est donc dans une atmosphère particulièrement raffinée que vécut Aliénor pendant les quelques mois où, abandonnée par son royal époux, elle se retrouvait vraiment elle-même, avec toute sa personnalité, réactualisant les émotions qui avaient secoué son adolescence.

Car, de toute évidence, elle a connu très tôt la légende de Tristan et Yseult. Le fameux Bréri, auquel se réfère l'un des auteurs du *Roman de Tristan,* et qui est le *ille fabulator Blederìcus* dont parle, dans ses chroniques, Giraud de Cambrie, a vécu, cela est maintenant prouvé, à la cour des comtes de Poitiers. L'adolescence d'Aliénor a été bercée par les vagues de la passion amoureuse d'Yseult pour Tristan (1). Et il s'agit bien de l'amour violent d'une femme pour un homme, comme en témoignent les archétypes irlandais de la légende : c'est à se demander si, dans sa vie, Aliénor n'a pas cherché à actualiser le mythe d'Yseult, dans une sorte de conception de l'*éternel retour*. A moins, bien entendu, qu'il ne faille voir dans les aventures qu'on a prêtées à la duchesse d'Aquitaine, des illustrations de ce mythe. Il est quand même curieux de constater qu'à chaque fois, Aliénor joue le rôle actif dans les rapports qu'on lui attribue avec des hommes. N'était-elle pas, en plus de l'incarnation de la souveraineté, l'incarnation de la liberté féminine à disposer de son cœur et de son corps? Ce n'est pas Tristan qui jette les yeux sur Yseult, dans la légende primitive, mais au contraire Yseult qui *oblige* Tristan à l'aimer (2).

(1) On sait que la légende de Tristan a été connue très tôt dans le monde occitan. Les allusions faites par les troubadours sont trop précises et trop nombreuses pour être l'effet d'un hasard. D'autre part, la légende arthurienne était connue jusqu'en Italie depuis le début du XIIe siècle, comme en témoignant les sculptures de la cathédrale de Modène. Voir *Le Roi Arthur et la société celtique* où j'examine en détail les différentes origines des romans arthuriens.

(2) J'ai expliqué, dans *La Femme Celte,* en particulier dans le chapitre intitulé « Yseult ou la Dame du Verger », comment la femme avait conservé, au sein de la société celtique, des prérogatives à la fois morales et magiques qui lui permettaient de choisir librement l'homme qu'elle aimait. L'archétype irlandais d'Yseult est

Cette primauté de la Femme, démontrée par l'aventure d'Yseult et popularisée par la poésie des troubadours, n'est pas sans avoir marqué l'état d'esprit de la cour d'Aliénor d'Aquitaine à Poitiers. Tout l'environnement immédiat de la duchesse-reine était féminin, et c'est d'ailleurs dans ce milieu que s'est développée la personnalité de Richard dont l'homosexualité est peut-être plus psychologique que physique. Et la fille d'Aliénor, Marie de Champagne, partageait la mentalité de sa mère sur l'importance de la femme dans la société nouvelle qui était en train de se créer dans la classe aristocratique. Entre elle et sa belle-sœur Marie de France, Aliénor sentait se renforcer son désir de promouvoir la féminité et de redéfinir l'Amour comme une totalité de l'être, librement accepté par la femme, facteur de dépassement moral, psychologique et spirituel. Ainsi s'expliquent les débats qui avaient lieu dans cette cour de femmes autour de problèmes concernant l'amour et le mariage.

Certes, on a longtemps discuté de l'existence réelle de ces fameuses « Cours d'Amour ». Une bonne part de légende n'exclut pas la réalité des faits. Aliénor et ses compagnes se réunissaient souvent pour juger d'un cas, généralement abstrait, où l'amour posait des problèmes sérieux et considérés comme insolubles. Elles jugeaient de ce cas en apportant à chaque fois des solutions personnelles dictées autant par leur propre sensibilité que par leur raison. En somme, à une époque où la justice était dans la main des hommes, et cela de façon exclusive, c'était une façon de créer un *anti-tribunal,* au sein duquel jouait la sensibilité féminine trop écartée officiellement des affaires des royaumes. Les *Cours d'Amour* sont de toute évidence une manifestation de la volonté d'indépendance des Femmes qui, étouffant dans le cadre androcratique qui leur était imposé, se servait des biais de la littérature, de la poésie, de la musique et des divertissements, pour revendiquer un statut qu'elles sentaient confusément avoir perdu depuis plusieurs siècles. En cela, les légendes celtiques et la quasi-adoration d'Ovide, avec tout le contexte païen qui en

---

Grainné, dont le nom provient d'un mot signifiant « soleil », ce qui ajoute à la puissance rayonnante de la Femme, héritière des antiques divinités solaires féminines, elles-mêmes révélatrices d'une société archaïque à tendances gynécocratiques. Ce n'est pas par hasard que la légende de Tristan et Yseult, avec tout son contenu *anti-phallocratique,* s'est développée au cours du XIIe siècle alors qu'elle était connue depuis longtemps.

émanait, constituaient une arme redoutable et perçaient une brèche dans un christianisme foncièrement gynophobe. C'est encore une des explications possibles de la « mauvaise réputation » de la reine Aliénor, tenue pour principale responsable de la perturbation des mœurs.

En fait ces « Cours d'Amour » étaient des jeux de société, un peu à l'image de ce qui se passera plus tard dans les Salons précieux du XVIIe siècle. Il y a beaucoup de ressemblance entre la cour de Poitiers des années 1170 et le Salon de Mademoiselle de Scudéry. Jamais, dans l'esprit d'Aliénor et de ses compagnes, il n'a été question de se substituer à des tribunaux : il s'agissait de prendre position sur des cas psycho-affectifs tout en se divertissant de façon la plus agréable possible. En somme, c'était de l'amusement pour femmes oisives et raffinées qui se satisfaisaient peu de la rudesse de leurs époux ou de leurs amants. Henry II n'avait-il pas donné l'exemple de la paillardise en accumulant les liaisons sensuelles alors que le rêve d'Aliénor avait été de constituer avec lui le couple idéal qui dominerait le monde? Ce couple idéal, elle a cherché passionnément à le réaliser. Toute son attitude envers le roi d'Angleterre le prouve. Mais n'y étant point parvenue, elle s'est rejetée vers l'imaginaire, vers le théorique, retrouvant d'instinct les paroles qu'il fallait prononcer pour que la magie de l'amour opérât sur les cœurs en transformant l'individu et en le transcendant vers l'absolu. L'amour courtois, c'est-à-dire en fait la *fine amor*, est le remède à l'amour grossier des hommes, imaginé par quelques femmes d'élite, dont Aliénor, avec la complicité des écrivains, troubadours ou romanciers, qu'elle protégeait et inspirait, directement ou par l'intermédiaire des femmes de sa cour.

On insiste toujours sur la brutalité des mœurs à l'époque féodale. C'est faire une description trop simple et trop rapide d'une situation qui est en réalité extrêmement complexe. D'abord, il importe de savoir de quelle couche de la société il s'agit lorsqu'on parle de brutalité. Et ensuite, il faut se résoudre à analyser la société du XIIe siècle en ses différentes couches, mais en tenant compte du fait que ces couches s'interpénètrent souvent et ne peuvent être classées de façon absolue.

Bien sûr, nous trouvons la vision ternaire de l'Ancien Régime, qui n'est en réalité qu'une transposition de la tripartition indo-européenne : il y a une noblesse, un clergé, et le peuple. Mais la noblesse se décompose en différentes catégories, le clergé comprend aussi bien des nobles que des roturiers, et ceux qu'on appelle les *clercs*, c'est-à-dire les intellectuels, ont tendance à former une caste à part. Quant au peuple, il y a de tout, depuis le haut bourgeois capitaliste jusqu'au plus misérable serf.

D'ailleurs il est impossible de faire cette analyse en profondeur sans référence géographique : la situation n'était évidemment pas la même dans tous les pays européens, et parfois, bien entendu, à l'intérieur d'un royaume, d'un duché et d'un comté. Cela dépendait non seulement des coutumes et des droits de chacun, mais également des conditions climatiques. En principe, un paysan de la plaine était plus favorisé que celui de la montagne, mais en définitive, le paysan montagnard était plus isolé, donc plus libre et sans aucun doute moins pressuré d'impôts et de corvées. Par contre, les seigneurs de la montagne, comme ceux d'Auvergne, vivaient misérablement sur leurs rocs fortifiés, se contentant de rançonner les voyageurs et de piller les paysans de la vallée, tandis que les seigneurs des plaines pouvaient surveiller efficacement l'exploitation de leurs terres fertiles. De même, le servage, qui avait été très important vers le Xe siècle, n'était pas partout une règle générale. En Bretagne armoricaine, il avait été aboli très tôt. Dans d'autres régions, les serfs étaient affranchis en grand nombre. Il ne faut d'ailleurs pas croire que ce sont des raisons humanitaires qui poussaient les seigneurs à affranchir leurs serfs : à partir du moment où la terre ne constituait plus la richesse absolue — et le XIIe siècle, ne l'oublions pas, est celui de la remontée du commerce et de l'industrie sous sa forme artisanale —, les serfs ne servaient plus à grand-chose. En fait, ils encombraient plutôt les seigneurs qui préféraient s'entendre avec des paysans libres qui cultivaient mieux la terre. Quant à l'Eglise, qu'on a montrée sous un jour philanthropique à l'occasion de l'affranchissement des serfs et de leur protection dans les fameuses « villeneuves » et « villefranches » qui se créaient sous son égide à l'ombre des cathédrales et des monastères, elle obéissait plutôt à des motivations très temporelles. En effet, les biens de l'Eglise, qui étaient immenses, étaient restés plus ou moins en friche, et il fallait des bras pour les mettre en valeur. Quelle solution aurait été plus pratique que celle qui consistait à accueillir les serfs fugitifs et à les établir là où on avait besoin d'eux. De ce moment datent les grands défrichements, les grandes mises en culture et, disons-le, les débuts de la richesse de l'Eglise.

Tout cela entre dans le cadre d'une véritable lutte de classes. Seulement, au lieu de concerner deux catégories sociales, les possédants et les prolétaires, comme ce sera le cas au XIXe siècle, ce sont trois groupes qui luttent pour la suprématie au XIIe siècle : les nobles pour maintenir leurs privilèges acquis par les armes, le clergé pour asseoir son pouvoir spirituel sur une base matérielle, une partie du peuple, la bourgeoisie, pour faire reconnaître le poids économique qu'elle représente. Cette lutte est assez bien symbolisée par la présence, dans certaines villes, de trois tours : le clocher de l'église, de plus en plus important et massif, et le beffroi de la commune, répondant au donjon du château.

Et comme ce sont trois groupes qui se heurtent, la lutte prend des aspects variés et parfois contradictoires par le jeu des alliances qu'on pourrait qualifier d'objectives. L'Eglise peut se servir de la bourgeoisie pour attaquer la noblesse, mais la noblesse se sert du clergé pour mater les bourgeois. Quant à ceux-ci, ils peuvent s'entendre directement avec les nobles pour essayer de diminuer l'importance des gens d'Eglise. Les choses ne sont donc pas si simples.

Ce qui est certain, c'est que, quel que soit leur statut, et quel que soit le lieu, la classe paysanne est au bas de l'échelle sociale. C'est sur les paysans que retombent les plus lourdes charges, et ils sont méprisés aussi bien par les gens des villes que par les nobles. C'est à cette époque que les mots *vilain* et *manant* commencent à prendre leur sens péjoratif. Il faut voir, dans les romans du XIIe siècle, la façon dont les chevaliers traitent les habitants de la campagne : ce sont à peine des hommes, et ce n'est point commettre un crime que de les abattre froidement pour n'importe quelle peccadille ou pour le moindre manque de respect. On commence un peu à grimper dans l'échelle sociale lorsqu'on devient serviteur d'un château, et encore cette situation, si elle met les individus à l'abri du besoin, ne les garantit pas contre les injures. Ils constituent ce qu'on appelle la « valetaille ». On a besoin d'eux, mais on ne manque pas une occasion de rappeler leur sordide origine. Ils sont dans l'obligation de tout supporter, et ceux qui parviennent à se rendre indispensables à leurs maîtres, soit par leur intelligence, soit par leur adresse, peuvent espérer recevoir des récompenses. Quelques-uns d'entre eux, remarqués par des gens d'Eglise ou par des nobles, sont envoyés dans les écoles : ils deviennent alors des clercs. C'était au fond, le seul moyen efficace qu'avaient les paysans intelligents de sortir de leur condition sociale. Ils formaient immédiatement une sous-catégorie, car ils appartenaient à l'Eglise (même s'ils n'étaient pas prêtres) tout en dépendant de la classe roturière. Et généralement, ils étaient au service des nobles, soit comme précepteurs, soit comme conseillers, soit comme littérateurs. Ces clercs du XIIe siècle, dont le célèbre Pierre Abélard demeure l'un des exemples les plus frappants, ont joué un rôle fort important aussi bien dans le domaine politique que dans le domaine intellectuel. Ce sont eux qui ont fait évoluer la société médiévale et qui ont contribué efficacement au changement de mentalité que l'on constate dans la seconde moitié du XIIe siècle.

Les habitants des villes, à la fois les anciens paysans qui étaient sortis de la terre par la pratique d'un métier et les descendants des anciens artisans, parvenaient à des situations enviables. En effet, partout en Europe, par suite d'une certaine augmentation du niveau de vie et grâce à une sécurité plus grande que dans les siècles passés, la *consommation* devenait plus importante. Il fallait donc satisfaire à une demande de plus en plus pressante. Ainsi se créèrent de nombreux ateliers, notamment de tissage, en Champagne et en Flandre, ce qui eut d'ailleurs pour effet d'attirer dans les villes une sorte de sous-prolétariat misérable sur le sort duquel nous avons des témoignages par les auteurs du siècle, en particulier par Chrétien de Troyes. Comme les produits ainsi fabriqués devaient être distribués, le commerce entre les villes et entre les régions se développa : il enrichissait à la fois les marchands qui profitaient de leurs voyages pour ramener d'autres produits, et les seigneurs des pays traversés qui prélevaient une dîme, moyennant laquelle ils assuraient la sécurité des routes. Tout un système de taxes et d'impôts locaux fut ainsi créé, permettant à certains nobles de consolider une fortune quelque peu chancelante.

Mais les vrais gagnants de cette activité étaient les artisans et les marchands. Dans les villes, ils se faisaient construire de confortables maisons, ce qui permettait aux maçons de travailler davantage. Les Croisades avaient permis d'entrer en contact avec des pays lointains, et par conséquent, le commerce s'étendait jusqu'à l'autre bout de la Méditerranée, inondant littéralement l'Europe occidentale de soieries, de tissus orientaux, d'épices et d'objets de luxe. Les artisans et les marchands étaient donc la classe sociale la plus agissante et celle qui accumulait le plus de fortune. Or, quand on se sent riche, on veut avoir droit au chapitre : c'est pourquoi les bourgeois se mirent à réclamer leur autonomie dans les villes qui, jusqu'alors, étaient les propriétés des seigneurs. Ceux-ci furent tout d'abord très réticents, ne voulant pas se priver d'une source de revenus appréciable et ne voulant pas mettre en cause le principe de leur souveraineté. Mais, les choses évoluant, et les nobles ayant de plus en plus besoin de l'appui et de l'argent des bourgeois, on en vint à l'octroi de chartes qui affranchissaient les villes de la tutelle du seigneur et concédaient aux bourgeois le droit de s'organiser en commune. Bien sûr, ce n'était pas sans contrepartie : les chartes étaient en fait *achetées* par les bourgeois, et différentes clauses fixaient les limites du pouvoir des communes. Il n'empêche que cette émancipation des villes est une véritable révolution, au XIIe siècle. Commencée très tôt en Occitanie, elle se poursuivit bientôt dans la France du nord et s'étendit bientôt à toute l'Europe [3]. Dans le Saint-Empire, cela atteignit parfois des proportions invraisemblables, comme en témoigne le nombre des villes libres et se

(3) Une étude de l'urbanisme médiéval peut constituer une excellente illustration de cette montée de la bourgeoisie en même temps que de l'influence profonde de l'Occitanie sur les provinces du Nord. En effet, traditionnellement, les bourgs et les villes se sont constitués autour d'un sanctuaire, les maisons étant bâties sans plan pré-établi : le centre actif de ces bourgs et de ces villes, comme d'ailleurs des moindres villages, restait toujours la place de l'église. On en voit des exemples de nos jours dans de nombreuses agglomérations, les plus caractéristiques étant des villes comme Poitiers, Clermont-Ferrand, Le Puy, Brioude ou Quimper. Ce sont des villes anciennes où des quartiers neufs se sont construits ensuite à la périphérie du centre actif. Mais, à partir du XIIe siècle, et d'abord en Occitanie, apparaissent des villes entièrement nouvelles, en particulier les fameuses « bastides » qui regroupaient des bourgeois et d'anciens serfs cherchant du travail. Et ces bastides ne sont pas du tout bâties sur le même plan. L'église n'y occupe pas la place médiane, preuve d'une laïcisation du pouvoir. Le centre actif de ces villes est une place carrée ou rectangulaire, souvent avec des arcades, et qui comprend les habitations et les boutiques des marchands, véritables maîtres de la cité, et qui sont évidemment les plus représentatifs de la commune ainsi formée. L'église n'est pas éloignée, mais elle n'est plus le pivot autour duquel s'articule l'urbanisation. On en a des exemples typiques à Toulouse (la place du Capitole), et dans toutes les bastides du sud-ouest, notamment à Monpazier et à Villefranche-du-Périgord (Dordogne), à Villeneuve-sur-Lot et à Monflanquin (Lot-et-Garonne), à Villefranche-du-Rouergue (Aveyron). Cette façon d'urbaniser est caractéristique de l'importance donnée à la corporation des marchands, laquelle se libère de la tutelle du seigneur ou du prêtre, prétend avoir son propre lieu de réunion (la place est l'équivalent du forum romain), et se

comportant en véritables Etats souverains. Et on a vu qu'Aliénor d'Aquitaine, après avoir durement réagi, durant sa jeunesse, aux prétentions des bourgeois décidés à s'organiser en commune, comme à Poitiers, fut, par la suite, l'une des plus ferventes à octroyer des chartes aux villes de ses domaines. Elle avait mûri, elle avait compris que l'Histoire ne se ferait plus sans le concours de la bourgeoisie, véritable détentrice du capital.

Il faut dire qu'à cet égard, les domaines propres d'Aliénor constituaient un exemple typique de prospérité économique. Si dans certaines régions, la guerre, toujours latente, avait freiné l'essor, du moins en Poitou et en Aquitaine — et même en Bretagne armoricaine, qui dépendait alors des Plantagenêt — la situation était florissante. Les moulins à eau, utilisant une énergie naturelle, étaient innombrables. Ils permettaient non seulement de moudre le grain, mais aussi d'actionner les soufflets et les martinets des forgerons, de broyer le ton et les produits tinctoriaux, de brasser la bière, de battre le chanvre, de fouler le drap, de faire tourner les scies des charpentiers. Toute une activité artisanale, et déjà presque industrielle, était liée à l'utilisation des cours d'eau. Et cela permettait en outre de constituer, grâce aux étangs et aux biefs, des réserves d'eau qui étaient autant de viviers pour le poisson dont on faisait une abondante consommation. Parmi les produits agricoles, la vigne du Bordelais assurait une récolte appréciée par les habitants de l'Angleterre et assurait la richesse des propriétaires et des armateurs spécialisés dans le commerce du vin. Cette prospérité

---

singularise des autres pouvoirs par une laïcisation et une administration spécifique. Cette bourgeoisie, ainsi solidement installée au cœur de la cité, forme le noyau de la classe active et riche qui conduira tout droit à la société capitaliste du XIXe siècle. Il faut remarquer que cette méthode d'urbanisation va gagner d'autres régions. La Rochelle, créée par le père d'Aliénor, est bâtie selon cette conception, avec de nombreuses arcades. En Bretagne, on peut remarquer une ville comme Auray (Morbihan) dont la création remonte à la fin du XIIe siècle : l'établissement primitif se trouvait sur le Lok, ou Rivière d'Auray, consistant en un simple port, avec quelques maisons qui gagnaient sur l'autre rive, autour d'un sanctuaire, celui de Saint-Goustan, mais le quartier neuf est centré autour d'une place et donne toute son importance à la ville. Cette mode s'est répandue largement dans le Nord et dans les Flandres, où la bourgeoisie était riche et puissante, comme en témoignent les places centrales de Saint-Quentin, de Lille ou de Bruxelles. Le même modèle a survécu longtemps, puis qu on le retrouve, au XVIIe siècle, avec la Place des Vosges de Paris.

générale de l'Aquitaine provoquait une activité intense du bâtiment, et aussi bien grâce à des dons collectifs que grâce à des dotations seigneuriales, de nombreux édifices religieux se construisaient un peu partout, assurant ainsi au pays une réputation que peu d'autres, à l'époque, pouvaient lui ravir.

Cet essor de la bourgeoisie allait avoir des conséquences sur tous les plans, d'abord en modifiant profondément les rapports de force au sein des trois classes traditionnelles. On sait que les rois capétiens se sont appuyés sur cette bourgeoisie pour venir à bout des nobles. Les Plantagenêt n'ont pas systématiquement opéré de la sorte, mais en octroyant des chartes aux bourgeois des villes, ils prenaient soin de préciser que les communes devaient assurer elles-mêmes leur défense, ce qui libérait d'autant l'armée royale. Et de plus, ils faisaient entrer dans les clauses un détail qui avait son importance : les bourgeois devaient fournir un contingent pour l'armée royale, en cas de besoin. D'ailleurs, c'est en voyant l'énorme avantage de ces milices bourgeoises chez ses adversaires que Philippe Auguste se hâta de faire la même chose dans ses domaines. Evidemment, il y avait un danger : armer les bourgeois, c'était introduire le loup dans la bergerie. Autrefois, le monopole des armes était détenu par les nobles : c'était donc priver les nobles de ce qui constituait leur spécificité. Et l'on sait que les milices bourgeoises ont finalement eu raison de la chevalerie. Il est vrai qu'Henry II avait déjà taillé une brèche dans ce monopole de la noblesse en embauchant des mercenaires pour un bon nombre de ses expéditions. Mais le mercenariat n'était pas dangereux dans la mesure où il y avait de l'argent pour payer, tandis qu'une classe bourgeoise en armes pouvait très bien revendiquer des droits politiques.

De plus, on assistait à une prolifération des villes, et partant à une multiplication de la bourgeoisie. Alors que la noblesse voyait sa situation demeurer stationnaire, cette nouvelle classe de la société se voyait promise à un avenir que rien ne pouvait vraiment assombrir. Karl Marx fait, on le sait, de cet essor de la bourgeoisie et de l'émancipation des villes, le point de départ du capitalisme moderne. Il faut bien avouer qu'à l'analyse, cette affirmation se révèle tout à fait exacte et que la naissance d'une bourgeoisie citadine, au XIIe siècle, prépare une longue marche qui aboutit à la Révolution Française, et par conséquent à la « démocratie libérale » telle qu'on la trouve dans les pays occidentaux contemporains, qu'elle soit teintée de conservatisme comme en France ou aux Etats-Unis d'Amérique, ou qu'elle soit teintée de « social-démocratie » (terme tragiquement paradoxal dans la mesure où il signifie un compromis négatif entre la doctrine socialiste utopique et la démocratie réaliste), comme en Allemagne ou en Grande-Bretagne.

L'Eglise ne pouvait échapper à cette fermentation. Depuis l'édit de Théodose qui faisait du Christianisme la religion officielle de l'Empire romain, l'Eglise avait quelque peu oublié sa doctrine primitive, qui était celle de l'humilité et de l'amour universel, pour tomber dans un sectarisme intransigeant qui trouvait appui sur une puissance temporelle de plus en plus étendue à mesure que l'évangélisation gagnait de nouveaux territoires. Héritière de l'administration impériale, seul pouvoir de stabilité à une époque de troubles et de confusion, sous les Mérovingiens notamment, et détentrice de la science et de la culture, l'Eglise était une force considérable à laquelle on ne pouvait s'opposer sans précaution. Charlemagne l'avait si bien compris qu'il avait partagé le monde entre le pape et lui. Ses successeurs, aussi bien les empereurs que les rois capétiens, furent moins heureux dans leurs tentatives de conciliation, et il y avait toujours un contentieux délicat à régler entre eux et le pouvoir installé à Rome, en particulier à propos de la nomination des évêques et de la levée des divers impôts. De plus, les grands personnages de l'Eglise étant amenés à avoir un rôle politique dans les pays où ils exerçaient leurs fonctions, le problème de la double appartenance se posait : l'évêque, l'archevêque ou l'abbé devait-il d'abord obéissance au pape ou au roi? Le serment féodal avait bien arrangé les choses, mais en apparence seulement, car l'Eglise, avec ses ramifications internationales, se trouvait hors de toutes les contraintes et le laissait bien voir.

Mais comme la classe populaire, l'Eglise ne se présentait pas comme un bloc uni. Les grandes fonctions étaient, à de rares exceptions, dévolues à des nobles qui avaient donc des liens étroits avec leur classe d'origine. Le bas-clergé, par contre, celui des campagnes et celui des bourgs les plus pauvres, était d'extraction populaire. Les prêtres de campagne, très proches de leurs paroissiens, vivaient une vie souvent misérable. Ils étaient peu cultivés. En fait, ils étaient plus paysans que prêtres. De nombreux ecclésiastiques étaient mariés, officiellement ou non, sans que cela ne choquât personne. Ils contribuaient seulement à maintenir une vague spiritualité dans un univers où les réminiscences païennes résistaient farouchement et s'incarnaient bien souvent dans des cultes locaux et des traditions indéracinables Entre eux et les dignitaires de l'Eglise, la différence de sort et de mentalité était de taille.

De plus, ce clergé séculier, plus soumis aux influences temporelles, plus dépendant des rois et des princes, se voyait opposer un clergé régulier relevant directement de Rome par l'intermédiaire des chefs de congrégation. Ce clergé régulier était d'ailleurs plus implanté que le clergé séculier, et les richesses y étaient réparties à tous les niveaux. Il constituait un monde à part, dans l'Eglise comme dans le temps, ce qui ne l'empêchait pas de jouer un rôle considérable au point de vue moral et au point de vue pédagogique. C'était aussi la fraction la plus riche du clergé, les dotations seigneuriales ou royales allant de préférence aux abbayes. En effet, on fondait des monastères, ou on les dotait richement, pour assurer le salut de son âme ou pour expier des péchés peu rémissibles, et les biens possédés par les moines devenaient absolument exorbitants. Jamais on ne vit plus qu'au XIIe siècle tant de fondations d'ordres et de bâtiments monastiques. Jamais le monachisme ne fut plus triomphant dans toute l'Europe occidentale. Et dans cet amas de congrégations, de confréries, d'ordres isolés, il est bien difficile d'y voir clair et de séparer le bon grain de l'ivraie : nombreuses furent en effet les fondations dues à une foi profonde et à un grand élan mystique parfaitement respectable. Il y a eu de grands saints dans le monachisme du XIIe siècle, personne ne peut en douter. Mais à côté de cela, combien de créations destinées à assurer la prospérité matérielle d'individus dont la vocation était pour le moins douteuse. Cela a été un métier d'être moine, au Moyen Age, et il a été pratiqué par beaucoup qui, n'ayant d'autre moyen pour vivre, ont exploité à fond les grandes tendances mystiques de l'époque.

Le troisième groupe ecclésiastique est celui des hommes qu'on appelle d'une façon générale les *clercs*. Ils constituent un monde à part. Bien sûr, ils font partie de l'Eglise : ils en constituent même le ferment le plus bénéfique. Qu'ils soient prêtres ou simplement laïcs, ils forment le noyau culturel non seulement de cette Eglise, mais de la société tout entière. Ils ont la charge de l'éducation aussi bien des gens du peuple que des grands de ce monde. Ils sont donc en contact avec toutes les couches sociales. De plus, ils sont ce qu'on appellerait aujourd'hui *internationaux :* en fait, ils ne connaissent pas de frontière, et la langue latine qu'ils parlent tous leur permet de se faire comprendre partout où ils se trouvent. Ils sont de toutes les origines, du bas peuple aussi bien que de la bourgeoisie et de la noblesse. Ils sont solidaires les uns des autres, font passer bien souvent leurs intérêts propres avant ceux des maîtres qu'ils sont censés servir. Et enfin, on les découvre à des places qui font d'eux les arbitres de la situation. Certains sont en effet les conseillers des princes et des rois, et à ce titre, ils participent étroitement à la vie politique des pays dans lesquels la fortune les a envoyés. C'est ainsi que le conseiller le plus écouté de Louis VI, puis de Louis VII, a été le moine Suger, un clerc, et redoutable homme d'Etat, ce qui ne l'empêchait pas d'administrer sagement son abbaye de Saint-Denis. Et chez l'adversaire, le confident et l'ami le plus sûr d'Henry II, avant leur brouille qui se termina tragiquement comme on sait, fut Thomas Becket, qui, ayant été un clerc brillant et sans bavure, prétendit être un aussi intraitable archevêque de Canterbury.

Evidemment, il y avait des clercs de tous bords, les meilleurs et les pires. Si une histoire des clercs au XIIe siècle devait être écrite, elle serait pour le moins variée et pittoresque. Nombre de ceux-ci étaient les plus grands mécréants de toute la terre. Eux aussi avaient trouvé ce moyen pour sortir de leur classe d'origine et vivre avantageusement, car les privilèges qu'ils possédaient leur permettaient de mener une vie assez agréable, soit consacrée aux études et à la littérature, soit remplie par des voyages incessants entrepris afin de s'instruire, soit simplement discrète dans quelque « sinécure » où les soucis matériels ne les étouffaient pas. C'était en tout cas une véritable caste à part, profondément ramifiée dans la société, détentrice des pouvoirs extraordinaires que suscitent la culture et la science lorsque l'ensemble de la population, aussi bien les nobles que les gens du peuple, est dans un état quasi illettré.

Et c'est sur cette société de clercs, comme sur celle des femmes lettrées et des chevaliers « courtois », que règne Aliénor d'Aquitaine. Elle-même a été l'élève de ces clercs qui lui ont transmis un important héritage culturel, à la fois antique et occitan, et qui lui ont montré la voie de la découverte et de l'approfondissement. Elle s'en souviendra toute sa vie, ne négligeant jamais les conseils d'un membre de cette caste, ne manquant pas non plus de favoriser ceux d'entre ces clercs qui auront été les plus fidèles mainteneurs de la tradition culturelle. Entre eux, la reine-duchesse se sentait en famille. Elle faisait partie de la « corporation », et nul ne songeait à s'en étonner. N'était-ce pas chose normale quand on était la petite-fille de Guillaume le Troubadour ?

Mais Aliénor n'oubliait jamais qu'elle appartenait à la classe aristocratique. Cette noblesse dont elle faisait partie était, elle aussi, en pleine mutation. C'est alors qu'il faut faire référence à la rudesse des mœurs de l'époque précédente, surtout dans le nord, car pour ce qui était de l'Occitanie, des progrès considérables avaient été réalisés. Oui, les nobles de la première époque féodale avaient été des brutes, uniquement préoccupés de combattre et de chasser, livrés aux instincts les plus primaires de leur personnalité et ne cherchant guère à sortir de leur crasse intellectuelle. Oui, les seigneurs de la première époque féodale ne savaient ni lire, ni écrire, et les rois non plus d'ailleurs : ils avaient autre chose à faire qu'à mettre le nez dans des grimoires et à s'intéresser aux belles-lettres. Les temps étaient durs. Il fallait commander, se battre, assurer la nourriture et la protection du domaine. Dans cette sorte de jungle où la loi du plus fort était toujours la meilleure, car on n'en connaissait point d'autre, la règle de vie était de se montrer plus violent que celui d'en face. Ces « temps obscurs », ces « âges sombres », ont été des périodes d'incertitude où le sort des peuples se jouait dans une bataille livrée entre un millier de combattants. Et les seigneurs étaient là, au premier rang, en train de combattre et de risquer leur vie.

Alors, pour ce qui concernait la lecture, l'écriture et toutes les inutilités des belles-lettres, ils s'en remettaient aux clercs. C'était leur métier et on les payait pour cela. Voilà pourquoi la caste des clercs, détenteurs de la culture permanente, avait conquis une place prépondérante dans la vie sociale.

Ce n'était d'ailleurs pas sans inquiéter les seigneurs de tout rang. A force de ne pouvoir se passer des clercs, ils voyaient arriver le temps où ceux-ci risquaient de prendre le dessus. Et c'est en partie pour éviter cela qu'ils se mirent eux aussi à se cultiver. Ainsi la culture ne demeurerait pas le domaine réservé de la corporation cléricale, elle serait partagée avec ceux qui avaient la prétention de dominer le monde. En Occitanie, les ducs et les comtes avaient été les premiers à comprendre l'importance d'une éducation destinée aux aristocrates, permettant à ceux-ci d'accéder directement à la culture. La famille d'Aliénor en était une preuve vivante. Il fallait maintenant que les seigneurs du Nord fissent cet effort pour reconquérir le terrain perdu. On sait qu'Henry II s'efforça toujours de répandre la culture autour de lui parmi ses nobles et ses chevaliers, et qu'il encouragea par tous les moyens la création et la diffusion des œuvres littéraires. Ainsi naquit l'aristocratie *courtoise* pour laquelle allaient écrire Béroul, Thomas d'Angleterre, Chrétien de Troyes et tous les clercs anglo-normands, pour laquelle trouvères et troubadours allaient dépenser des trésors de charme et de poésie afin de leur donner une autre dimension de la vie, celle du beau et du bon. A cet égard, le héros Tristan de la légende, à la fois guerrier imbattable, excellent diplomate, bon prince ami du petit peuple, brillant causeur, bon harpeur et fin poète, résume admirablement l'idéal du noble-chevalier de la nouvelle génération.

Cette noblesse était détentrice officielle du pouvoir. Le roi était l'un des barons qui avait été choisi par ses pairs : il appartenait donc à cette classe et ne s'en distinguait que parce qu'il avait le dernier mot sur les autres. Mais ce pouvoir, on l'a vu, était lourd à supporter. D'une part, il fallait constamment le défendre contre des rivaux éventuels, d'où la nécessité de recourir à des alliés nobles ou clercs, et d'autre part il fallait le justifier aux yeux de tous. Une sorte de conception mystico-religieuse de la noblesse était alors apparue, mettant en relief l'idée de service sacré accompli par les nobles pour le bien de la communauté, mais avec la bénédiction divine, ce qui évitait de poser le problème de l'usurpation par la force.

Car qui étaient ces nobles à l'origine? Des guerriers, bien entendu, qui avaient conquis leurs domaines dans des combats, soit en annexant purement et simplement des terres, soit en recevant des fiefs comme récompense de leurs services. Quelques-uns avaient été choisis par les rois et les princes à cause de leurs compétences administratives, mais c'était assez rare. Le droit de la guerre était le plus fort, et c'est dans le sang que bien souvent les grands fiefs avaient été taillés.

Au XIIe siècle, cette noblesse s'était organisée de façon à offrir une façade inébranlable. La féodalité permettait une hiérarchie théoriquement parfaite. Au sommet de la pyramide, le roi, puis les ducs, les comtes et les simples seigneurs. On croirait presque à un système militaire où les grades sont nettement établis et répartis tout au long de l'échelle. En réalité, il n'en était rien. Un simple seigneur pouvait être plus puissant qu'un comte, et un duc plus puissant qu'un roi. Et de plus, étant donné la complexité des héritages, un duc pouvait être comte et seigneur à la fois, et même pour cela, ne pas dépendre du même suzerain, ce qui n'allait pas sans compliquer les choses. Dans les faits eux-mêmes, la pyramide féodale se présente toute boiteuse. C'est encore une fois le plus fort et le plus audacieux qui l'emporte.

Mais les nobles ne peuvent rester isolés. Ils se groupent par communauté d'intérêt, scellant leur accord par le serment féodal. Ils constituent ainsi des groupes disparates qui peuvent s'opposer farouchement à d'autres groupes. Et la guerre recommence. L'Eglise essaye tant bien que mal de codifier ces mouvements d'humeur, par la Trêve de Dieu, la Paix de Dieu, et surtout par les Croisades, qui utilisent le trop-plein d'énergie et d'agressivité de ces hommes qui n'oublient pas que la guerre est le seul moyen d'affirmer une personnalité et de se procurer des richesses supplémentaires. Et c'est alors que la chevalerie entre dans le jeu.

Au début, les chevaliers étaient de petits nobles situés au bas de l'échelle féodale, généralement des fils de famille écartés de l'héritage pour une raison ou pour une autre. Ils n'avaient pour toute fortune que leur cheval et leurs armes. Ces chevaliers louaient, pour ainsi dire, leurs services à un noble un peu plus riche qui avait besoin de renfort. Ceux qui avaient la bonne fortune de vaincre un adversaire recueillaient d'abord un butin de guerre : les armes et le cheval du chevalier vaincu, et une rançon pour celui-ci lorsqu'il n'était pas tué mais seulement prisonnier. Il faut dire d'ailleurs qu'il était plus avantageux pour un chevalier de faire prisonnier son adversaire. En plus, le maître du chevalier pouvait le récompenser en lui donnant des terres, moyennant quoi le chevalier devenait le vassal tenancier d'un fief. Certains chevaliers parvenaient ainsi à s'établir et devenaient des nobles à part entière.

Il est évident que les luttes perpétuelles entre les nobles, les nécessités de défendre des domaines contre des ennemis, ou simplement contre les pillards et détrousseurs de grand chemin, cela favorisait cette caste de guerriers que peu de choses séparait du mercenariat : car c'est bien de cela qu'il s'agit, d'une caste qui se structurait et devenait une véritable institution. La société féodale avait besoin de chevaliers. On en créa. De nombreux roturiers, des aventuriers qui avaient vécu à l'ombre et au service des chevaliers, soit comme simples valets, soit comme écuyers, s'infiltrèrent ainsi à l'intérieur de la caste des chevaliers. En effet, lorsqu'ils avaient montré leurs capacités guerrières, lorsqu'ils avaient obtenu certains avantages, ils pouvaient prétendre à être admis dans la confrérie, s'ils trouvaient des répondants, c'est-à-dire des parrains, et s'ils satisfaisaient aux rites d'initiation compliqués que constituait l'apprentissage de la chevalerie.

Cette caste ne se plaçait pas en dehors de la société féodale. Bien au contraire, elle en respectait intégralement les règles. Les chevaliers étaient au service exclusif de celui à qui ils avaient prêté le serment de fidélité. Parfois, cependant, la situation devenait inextricable du fait qu'un chevalier pouvait, au gré des circonstances, prêter serment à plusieurs seigneurs. C'est pour remédier à cet état de choses que fut institué l'*hommage-lige* qui donnait la préférence à l'un des seigneurs en priorité sur les autres en cas de conflit interne et horizontal dans l'échelle hiérarchique. Et puis, l'Eglise s'en était mêlée, prenant en charge moralement les chevaliers et les régissant selon un code qui n'était plus seulement pratique mais spirituel. Le chevalier, en dehors de sa mission qui consistait à aider son suzerain immédiat, devait obéir à un certain nombre d'impératifs plus vastes, en particulier de traquer l'injustice partout où elle se rencontrait.

Ainsi les chevaliers avaient tendance à devenir une milice presque policière, chargée du soin de protéger les biens de chacun, d'aider la veuve et l'orphelin, de soutenir le droit des faibles, d'œuvrer aussi au service du suzerain suprême, c'est-à-dire Dieu. Le fait de les charger de cette mission divine leur donnait d'ailleurs une importance toute particulière sur le plan moral et les plaçait à un rang quelque peu marginal. La conséquence, au XIIe siècle, est bien visible : les chevaliers vont bientôt se retrouver au sein d'un groupe social tout à fait à part, conscient de sa mission et de son importance matérielle. De là, il n'y avait pas loin à considérer que les chevaliers pouvaient jouer un rôle tout aussi considérable sur le plan politique. Et ce rôle, ils l'ont joué bien des fois, influant par leurs exigences sur la marche des événements.

C'est que la caste des chevaliers, composée de nobles *actifs*, prêts à tout tenter, offre une assez remarquable cohérence. Comme la caste des clercs au sein de l'Eglise, elle se distingue par ses règles et ses motivations communes. Au lieu d'être une fraternité du savoir, c'est une fraternité des armes qui a tendance à devenir une fraternité du pouvoir. Un chevalier n'agit jamais seul : il agit au nom de la communauté tout entière des chevaliers, qu'il représente au moment de l'action, et qu'il doit, au péril de sa vie individuelle, conduire à la plus grande gloire. Finalement, ce n'est plus pour le roi ou pour un quelconque suzerain que le chevalier entreprendra quelque chose, c'est pour l'ensemble de sa caste. Cette mentalité, qu'on voit apparaître dans les Romans de la Table Ronde, qui est donc une réalité de la seconde moitié du XIIe siècle, explique en partie pourquoi la caste des chevaliers était si importante, si nécessaire, mais en même temps si redoutable pour le pouvoir politique détenu par le roi ou les grands seigneurs ([4]).

Et c'est à cette caste de chevaliers comme à la caste des clercs que s'adresse Aliénor d'Aquitaine en sa cour de Poitiers. C'est de ces chevaliers turbulents et ambitieux qu'elle a besoin pour mener sa politique, comme elle a besoin de ces clercs innombrables qui diffusent une culture humaniste aux quatre coins des royaumes. Si elle est la reine des troubadours, elle est aussi la reine des chevaliers. D'ailleurs, étant donné les interférences qu'on observe dans cette société complexe du XIIe siècle, de nombreux troubadours étaient eux-mêmes des chevaliers. Elle a voulu rassembler autour d'elle les deux grandes forces agissantes de l'époque. Dans quel but? Probablement pour se les concilier. Et pour y arriver, elle utilisait les données fondamentales qui contribuaient à transformer la mentalité des hommes et des femmes.

En effet, puisque la longue période d'effacement des femmes était généralement considérée comme terminée, pourquoi ne pas profiter des nouvelles dispositions d'esprit qui se faisaient jour? Aliénor, nous l'avons vu, était une femme d'une remarquable intelligence, et qui savait calculer d'avance combien lui rapporterait une politique. Cela ne veut d'ailleurs pas dire qu'elle fût

([4]) On peut voir à ce sujet le livre d'Erich Köhler, *L'Aventure chevaleresque*, Paris, Gallimard, 1974. L'analyse du phénomène de la chevalerie se fait en fonction du roman arthurien, mais comme les modèles des héros arthuriens se trouvent dans la vie contemporaine, il s'agit bel et bien d'une étude sur la caste des chevaliers capétiens ou des chevaliers des Plantagenêt.

entièrement intéressée : elle croyait fermement qu'une société aristocratique devait — ici, c'est une notion de *devoir* — être cultivée et raffinée. Et elle s'efforçait de transcender dans la mesure du possible les désirs et les instincts fondamentaux des chevaliers et des clercs, afin de leur offrir un plus brillant avenir. Cet avenir, elle savait qu'elle avait elle-même tout avantage à le préparer. Et, en compagnie des femmes de sa cour, parmi lesquelles ses filles faisaient bonne figure, elle mit réellement sur pied un bataillon de charme qui n'avait rien à envier, pour ce qui est de la détermination et de l'énergie, à n'importe quel corps d'élite de ses chevaliers poitevins.

Rien n'est vraiment gratuit dans l'Histoire. On a traité Aliénor un peu trop souvent de « reine frivole ». C'est sans doute parce qu'elle s'est beaucoup préoccupée de la mode du costume, des fêtes et de la *fine amor*. Mais on oublie que tout est lié, et qu'à des modes vestimentaires ou artistiques, à des problèmes de casuistique amoureuse, peuvent très bien correspondre des nécessités sociales, des réalités matérielles. L'image d'une époque n'est jamais rendue que de façon fragmentaire si l'on se borne à raconter les expéditions militaires et les volontés politiques des gouvernants. Ces gouvernants ne gouvernent en dernier ressort que s'ils bénéficient d'un large *consensus* de la part du peuple qui leur est soumis. C'est, plus que jamais, le cas pour l'époque d'Aliénor. Donc, comprendre cette période, c'est en comprendre les rouages. Et la *fine amor* va devenir un de ces rouages.

Le but d'Aliénor est de constituer une nouvelle société fondée sur le respect du serment de fidélité, la connaissance parfaite du monde et de ses secrets, la bonne tenue des uns et des autres, le luxe et la prospérité. C'est évidemment une société idéale, et l'Utopie n'est pas loin. On pense à ces légendes celtiques de la Terre des Fées, là où règne une femme mystérieuse, disposant de pouvoirs quasi divins, héritière des anciennes divinités solaires, rayonnant sur l'univers de tout leur charme et de toute leur puissance d'aimantation. Aliénor n'a jamais oublié qu'elle était l'*azimant* des troubadours. Elle aurait voulu, dans cette cour de Poitiers, se sentir au centre d'un monde clos et parfait, d'où aurait été bannie toute méchanceté. C'est le mythe de l'île d'Avalon qui revient à la surface. C'est aussi ce qu'on retrouvera, au siècle suivant, dans le vaste roman du *Lancelot en Prose,* en particulier dans la description qui est faite du monde étrange de la Dame du

Lac. Le rêve d'Aliénor s'y manifeste de façon presque consciente, comme si les auteurs du roman avaient gardé la nostalgie de cet instant entrevu. Et n'est-ce pas aussi l'univers de la comtesse de Poitou que le clerc Ulrich von Zatzikhoven, dans sa version primitive de la légende, imagine : « Elle était reine, la meilleure qui eût vécu jusque-là. C'était une fille remplie de sagesse. Elle avait dix mille femmes avec elle dans sa terre qui n'avait pas connu l'homme ni les lois de l'homme. Toutes les femmes avaient des robes et des manteaux de soie brochée d'or... Toute l'année, cette terre était fleurie comme au milieu du mois de mai... » ([5]).

Nous sommes évidemment dans le domaine de la plus pure utopie. C'était le domaine des fées. Cet univers irréel correspondait avec un idéal gynécocratique qui s'affirmait chez les femmes de la noblesse depuis qu'elles avaient compris qu'on les avait volontairement écartées du pouvoir. Mais comme leur révolte ne pouvait avoir aucune autre issue que le rêve et la poésie, elles essayaient d'en tirer le maximum de possibilités. Depuis la plus haute antiquité, il a été question d'un pays entièrement régi par des femmes, comme en témoigne la légende des Amazones ou la parodie d'Aristophane dans *Lysistrata.* Mais aucune tentative de véritable féminisation de la société n'avait abouti. Cette fatalité qui s'acharnait sur les femmes et leur désir d'être sinon supérieures, du moins égales aux hommes, pesait lourd dans les préoccupations d'Aliénor et de ses compagnes. Nous avons vu que, pour son compte personnel, la reine d'Angleterre avait réussi à faire entendre sa voix. Mais comment faire pour étendre cette conquête personnelle et solitaire? Il faut croire que, tous les moyens de persuasion s'étant révélés inopérants, les femmes avaient décidé de se servir d'une sorte d'arme secrète qui était inhérente à leur charme et même à leur condition. Cette arme secrète n'était pas autre chose que la *fine amor.*

On a abondamment discuté de l'origine de cette *fine amor.* L'appellation d' « amour courtois » ou d' « amour provençal » est insuffisante pour rendre compte d'un phénomène très particulier qui est apparu au XIIe siècle dans les milieux aristocratiques de l'occident chrétien. D'abord, il convient de replacer ce phénomène dans son cadre et à sa juste place. Jamais l'ensemble de la

([5]) *La saga primitive de Lancelot du Lac,* dans J. Markale, *La Tradition celtique en Bretagne armoricaine,* p. 119.

population n'a été touché par cette conception de l'amour. Seuls les milieux aristocratiques, et encore les plus raffinés, les plus évolués, l'ont vécue de façon cohérente encore que bien souvent purement à l'état théorique. Il est bon de rappeler ce qui caractérise cet amour courtois, car Aliénor d'Aquitaine semble avoir été au cœur du débat.

Certains ont prétendu que la *fine amor* était d'influence musulmane, en se fondant sur l'existence, dans les pays arabes, mais surtout en Perse, d'une poésie amoureuse extrêmement précieuse, dans l'expression de laquelle les femmes se trouvaient placées à un très haut rang. Certes, les exemples ne manquent pas, et comme la *fine amor* est apparue en premier lieu dans le domaine occitan, en contact étroit avec le monde musulman, on serait en droit d'admettre la thèse de l'origine musulmane. Cependant, c'est prendre les poèmes d'amour musulmans de l'époque soit trop à la lettre, soit trop superficiellement. En effet, une bonne partie de ces poèmes sont en réalité des poèmes d'amour mystique dans lesquels la symbolique amoureuse recouvrant la Femme désigne en fait le culte rendu à une divinité cachée et qu'on ne peut connaître que par le biais d'une expérience humaine. D'autre part, à l'analyse, les poèmes d'amour musulmans, s'ils glorifient ouvertement la beauté et la perfection de la Femme, sont en réalité des offrandes lyriques à une *femme-objet* de la meilleure tradition, celle qu'on honore en parole et en cadeaux, mais que l'on tient soigneusement à l'écart, l'enfermant au besoin dans un harem. Si elle est la reine du harem, elle n'est pas pour autant la maîtresse absolue qu'on nous propose dans certains textes courtois.

De plus, la société musulmane, toute raffinée qu'elle dut être à cette époque, ne rend pas compte des tendances gynécocratiques qui s'affirment dans le cadre des œuvres inspirées par la *fine amor*. La valeur symbolique de la poésie des troubadours est plus complexe que celle qui consiste à y voir une exaltation, voire une adoration de la Femme. D'autres phénomènes se font jour à travers un lyrisme qu'on a considéré à juste titre comme la première manifestation de l'originalité de l'esprit médiéval. Il est donc très périlleux de prétendre que l'Amour Courtois serait d'origine arabe, même si les rapports des poètes occitans avec les poètes musulmans d'Espagne sont indéniables. Des contacts ne signifient pas toujours qu'il y ait influence en profondeur.

On a également parlé d'importantes composantes celtiques dans la constitution de ce véritable Code d'Amour qui se dégage des œuvres littéraires du XIIe siècle et que nous retrouvons dans un livre théorique d'André Le Chapelain, encore un protégé d'Aliénor d'Aquitaine. Le problème est trop vaste pour être traité ici, mais il est permis de supposer que la permanence des légendes celtiques concernant la primauté de la Femme et son rôle à la fois social et moral n'est pas étrangère à ce nouvel état d'esprit. Plus qu'une déification de la femme, la *fine amor* serait une formulation sociale, la charte d'une revendication féministe, préfigurant en cela les thèses des Précieuses du XVIIe siècle et leur Carte du Tendre, ainsi que les mouvements contemporains qui visent à la libération de la Femme et à la reconnaissance d'une identité spécifique féminine. Chez les Celtes, surtout chez les Bretons et les Irlandais, le statut de la Femme était privilégié, du moins en théorie, en comparaison de ce qu'il était chez d'autres peuples aux mêmes époques, et la tentation est grande de voir dans cette éclosion des théories de l'Amour Courtois une survivance, ou plutôt une renaissance d'un état d'esprit celtique plus favorable à la condition féminine [6]. Le fait de savoir qu'en Irlande chrétienne, en plein Moyen Age, le divorce était possible et que la Femme conservait des droits importants lorsque son mariage était dissous, doit nous inciter à accepter cette hypothèse comme infiniment probable. Nous en verrons d'abondantes traces dans la littérature dite « courtoise », c'est-à-dire essentiellement dans les romans arthuriens et tous les cycles qu'on y rattache.

Ce qui est peut-être plus important, ce sont les composantes mystico-religieuses de la *fine amor* et leur rapport avec l'élaboration d'une société parfaitement idéale.

En effet, l'apparition des thèses courtoises coïncide avec le

[6] J'ai exploré le problème en profondeur dans mon livre sur *La Femme Celte* en mettant en évidence une conception archaïque et certainement non-indoeuropéenne de la féminité. Les Celtes appartenaient au rameau indo-européen et étaient donc attachés à une société de type patriarcal, mais comme, en arrivant sur le domaine occidental, ils ont colonisé et assimilé des populations autochtones dont la société n'était pas forcément patriarcale, on est en droit de déduire que la civilisation celtique a été plus marquée par des influences gynécocratiques. Il ne s'agit pas, comme on l'a fait trop souvent, de société matriarcale, celle-ci n'ayant jamais pu être prouvée nulle part de façon absolue, mais d'une mentalité différente. Une autre preuve réside dans la tradition matrilinéaire qui est caractéristique de la société celtique au début de la période historique, aussi bien en Irlande qu'en Bretagne.

développement prodigieux du culte de la Vierge Mère. Celle-ci devenait le modèle de toutes les femmes, et prenait dans la pensée religieuse la place occupée jadis par les anciennes divinités féminines des religions de la Méditerranée aussi bien que de celles de l'Atlantique, druidisme compris. Dans cette optique la Vierge Marie, qu'on présente comme une anti-Eve (« une femme a perdu l'humanité, une femme la sauvera »), vient préparer une nouvelle période, celle où l'Amour remplacera la Haine. La mère de Jésus, symbole d'amour maternel, donne le jour à un fils qui incarnera l'amour universel, reconstituant ainsi le vieux rêve de l'Age d'Or ou du Paradis Perdu, du Jardin de Joie, où bêtes et gens vivent en paix dans un perpétuel printemps. C'est encore l'île d'Avalon, la fameuse *Insula Pomorum,* où l'on ne connaît ni maladie, ni vieillesse, ni mort : les fruits y sont perpétuellement mûrs, et c'est en fait la seule nourriture qu'on y connaisse. Or, qui règne sur cette île bienheureuse? la « fée » Morgane, incarnation de la déesse-mère primitive. Dans cette « Terre de Promesse », comme l'appellent les Irlandais, se trouvent réunies les conditions les plus favorables à l'établissement d'une société sans classes et surtout sans hiérarchie. Nous retrouvons là un concept cher aux vieux poètes des pays celtiques : c'est le concept de la société de type horizontal, qui établit des liens entre les familles et les tribus selon des rapports affectifs de nature complexe mais dictés par le souci de ne pas avantager une catégorie au détriment d'une autre, et surtout par le puissant intérêt qui se dégage d'une telle conception, celui de la cohésion d'un groupe social non obligatoire et non lié par des impératifs de défense. L'esprit du *Contrat Social,* du moins quand on le lit réellement dans sa totalité, apparaît très nettement : créer une société où les rapports inter-individuels sont la conséquence d'une acceptation réciproque d'ordre affectif avant d'être d'ordre obligatoire. Cette société de type horizontal, telle qu'on la discerne dans les récits qui concernent l'île d'Avalon, la Terre de promesse, la Terre des Fées ou l'île des Femmes, est évidemment, chez les Celtes, une actualisation et une visualisation d'un état utopique dans la tradition qui sera celle d'un Thomas Morus. Mais précisément, en plein XIIe siècle, cette utopie a été, sinon inventée, du moins repensée dans le cadre de la société aristocratique qui sortait à peine d'une féodalité brutale et quelque peu anarchique.

C'est donc, à l'origine, une volonté de changer la société et d'y faire apparaître l'élément féminin qui est occulté par la société patriarcale. Nulle légende ne rend mieux compte de cette occultation que celle de la Ville d'Is : l'image de l'engloutissement de la cité maudite et de sa princesse, Dahud, c'est-à-dire « la Bonne Sorcière », est l'image d'une forme de civilisation que l'on rejette dans les enfers, c'est-à-dire dans les ténèbres de l'inconscient. Mais cette forme de civilisation doit resurgir, comme le dit la légende qui prétend que la Ville d'Is réapparaîtra le jour où Paris sera englouti. La signification est claire : si Paris représente la société androcratique, Is représente la société gynécocratique occultée mais toujours présente dans la mémoire collective.

Dans quelle mesure, la *fine amor* résume-t-elle la tentative opérée au cours du XIIe siècle? Par l'établissement de nouveaux rapports sociaux fondés sur l'affectivité. En effet, en parallèle au serment féodal prononcé par le vassal devant son suzerain, et par lequel s'organisaient le service et l'échange, il fut désormais question d'un serment liant la femme du suzerain aux vassaux de son mari, et cela par le biais de l'Amour que devait nécessairement inspirer la Dame aux chevaliers qui servaient son mari.

On dira qu'il y a loin du mysticisme religieux de certains textes littéraires à cette notion sociologique. Pourtant, la stricte équivalence apparaît si on analyse les conditions dans lesquelles s'opérait le rituel de la *fine amor*.

La première règle consistait à écarter les époux de ce jeu. Comme plus tard, chez les habituées des Salons précieux, Amour et Mariage sont absolument incompatibles. Il faut dire que, la plupart du temps, les mariages n'étaient que des actes publics destinés à unir non pas deux personnes mais deux fortunes, deux domaines ou deux royaumes. Même si l'on pouvait prouver qu'Aliénor avait épousé Henry II parce qu'elle en était amoureuse, la principale motivation était l'union des différentes provinces de l'ouest dans un Etat plus puissant qui pouvait efficacement s'opposer aux prétentions du roi-suzerain. Donc, la question du mariage étant écartée et même bannie du jeu de la *fine amor,* restait celle de l'Amour. Mais de quel amour s'agissait-il?

Des exégètes du Moyen Age, surtout au début de ce siècle, ont vu dans l'amour qui unissait le chevalier à une Dame (la femme de son suzerain) un lien moral et spirituel, toujours platonique, qui permettait de conserver autour du seigneur le plus grand nombre de chevaliers et de se fier davantage à leur fidélité. Le tout étant béni par l'Eglise, il n'y avait, selon ces critiques, aucun doute sur le caractère théorique de l'Amour Courtois, ce qui amenait bien entendu des considérations sur le rôle bénéfique d'un tel usage quant à la Morale et à la Politique. En allant plus loin, on y découvrait même une ascèse des plus intéressantes, analogue à ce qui se pratique encore dans certaines formes de tantrisme bouddhique, et donc cela débouchait sur une vision entièrement spiritualiste de cet amour.

La réalité est bien différente. A la lumière de l'ouvrage d'André Le Chapelain et des différents livres, tant en prose qu'en vers, de l'époque courtoise, on peut s'étonner de cette fâcheuse manie qu'ont les exégètes du Passé de vouloir à tout prix faire passer leurs héros pour ce qu'ils ne sont pas, c'est-à-dire des petits saints.

Car il y a une Erotique très subtile dans la poésie des troubadours comme dans les romans de Chrétien de Troyes, *Le Chevalier de la Charrette* particulièrement, lequel, on le sait, fut inspiré au trouvère champenois par la comtesse Marie, elle-même inspirée par Aliénor. Cette Erotique, que René Nelli a si remarquablement mise en évidence, peut être résumée assez facilement.

Tout repose sur la Révélation et sur l'Initiation. L'acte de Révélation est important dans la mesure où il s'agit du choix. En effet, le chevalier, qui est le futur amant, doit choisir celle qui sera sa Dame. Généralement, ses yeux se portent sur la femme de son seigneur parce que c'est la maîtresse naturelle, pour ne pas dire « légitime ». Mais étant donné que le système féodal suppose des liens complexes entre vassaux et suzerains et qu'un vassal peut avoir plusieurs suzerains, être même suzerain d'un autre vassal, le choix est en fait beaucoup plus libre. Entrent en jeu des considérations de beauté, de richesse, mais également de réputation. On ne peut aimer une Dame que si elle est digne d'amour, si son rayonnement est tel qu'il n'y a pas déchéance à lui faire un jour ou l'autre un véritable serment d'allégeance. Bien sûr, les textes littéraires insistent tous sur la beauté exceptionnelle de la femme élue, même si c'est un procédé qui tourne au cliché (la femme aimée ne peut être que la plus belle femme du monde et jamais on n'a rencontré son égale en beauté et en sagesse). Mais cette outrance est nécessaire au jeu : puisqu'il s'agit de se transcender par un acte qui perturbe la vie antérieure et prépare le futur, l'idée de beauté et de perfection est indispensable même et à plus forte raison lorsque la réalité est différente.

Donc le chevalier choisit. Mais la Dame a, elle aussi, toute liberté pour accepter ou provoquer, le cas échéant, les hommages du prétendant. Elle peut refuser tout net un chevalier qui ne lui plaît pas, ou au contraire agir de telle sorte que celui-ci soit obligé de l'aimer. C'est le cas pour Yseult, amoureuse de Tristan dès le début, et qui provoque l'amour de celui-ci. Cette façon de procéder est incontestablement celtique et les modèles ne manquent pas dans l'épopée irlandaise primitive(7). Ce qui est remarquable en tout cas, c'est la liberté qui est dévolue à la femme. En aucun cas, elle n'est prisonnière d'un choix masculin et en dernier ressort, c'est elle qui décide.

Si le choix est important pour le chevalier qui manifeste ainsi ses intentions vers un idéal de beauté et de perfection, il l'est bien davantage pour la Dame qui va constituer un véritable réseau d'hommes autour d'elle. Ses soupirants — car il est rare qu'elle n'en ait qu'un — sont autant de chevaliers à son service, et par voie de conséquence au service de la collectivité dont elle devient le symbole et dont le chef exécutif est son mari, le seigneur. A ce compte, l'aspect politique de la *fine amor* est aussi important que son aspect mystique ou religieux.

Il ne faut pas oublier qu'au XIIe siècle, les chevaliers forment une caste relativement fermée et qui découvre peu à peu la puissance qu'elle représente. Les seigneurs, possesseurs des domaines, ne sont rien sans eux. Ces chevaliers commencent à dicter leur loi à leurs suzerains, faisant de ceux-ci des souverains « constitutionnels ». Henry II Plantagenêt s'en rendra parfaitement compte, lui qui, après avoir marchandé son appui à son suzerain le roi de France, se voit, en de nombreuses occasions, le jouet des caprices de ses vassaux.

Il était donc nécessaire pour tout seigneur de s'attacher les services de chevaliers fidèles. Les seigneurs ont donc, non

(7) Voir le chapitre que j'ai consacré dans *La Femme Celte* à « Yseult ou la Dame du Verger ». Il est inutile de revenir ici sur le *geis*, cette redoutable incantation magique par lequel une femme parvient à se faire aimer par un homme. Les deux archétypes irlandais de *Tristan et Yseult*, aussi bien l'histoire de Deirdré que celle de Diarmaid et Grainné, sont significatifs et doivent être pris en considération lorsqu'on s'interroge sur les origines de l'amour courtois.

seulement toléré mais encouragé l'institution de la *fine amor*. Il y avait tout intérêt pour eux à doubler le serment de vassalité qui leur était dû par un serment d'allégeance amoureuse qui les retenait encore davantage dans leur orbite. D'où le peu de jalousie manifesté par les grands seigneurs du XIIe siècle lorsque leurs épouses acceptaient les hommages de leurs soupirants.

Les chevaliers, d'autre part, voyaient dans cette institution un moyen d'ascension sociale. Plus la Dame choisie occupait une place élevée dans la hiérarchie, plus leur propre rang s'en trouvait rehaussé. Et l'on sait que de nombreux chevaliers ne possédaient que leur cheval et leur équipement, quand ils n'étaient pas obligés de les mettre en gage (8). L'intérêt matériel commandait donc le « service d'amour ».

C'est d'ailleurs pourquoi, dans les Romans de la Table Ronde, le personnage d'Arthur n'est jamais ridicule en dépit de l'infidélité de Guénièvre : le thème du Roi Cocu, qui y apparaît nettement, appartient à une très ancienne tradition et se réfère à des rituels magico-guerriers, de la même façon que la coutume improprement appelée « droit de cuissage » (9). Dans l'épopée irlandaise de la *Tain Bô Cuanlgé,* le roi Ailill, prévenu qu'on a découvert sa femme, la reine Mebdh, en flagrant délit d'adultère avec le héros Fergus, déclare seulement qu'il fallait qu'il en soit ainsi pour le succès de l'expédition. Cela n'empêche d'ailleurs pas certains réflexes de jalousie de la part du roi. Mais ce thème du Roi Cocu (dans le cadre de la *fine amor* du XIIe siècle, disons le

(8) On en a deux exemples significatifs, l'un dans le *Roman de Tristan* où le héros demande à Yseult, en la présence de Mark sur le pin, de lui donner de quoi récupérer son équipement qu'il a engagé, et dans un lai attribué à Marie de France, le *lai de Graelent-Meur,* où le futur roi d'Is, complètement ruiné, doit emprunter un cheval et des armes.

(9) Au lieu d'être un « droit », il est davantage un devoir que tout personnage important, roi, seigneur ou même prêtre, doit accomplir pour conjurer le maléfice du sang virginal répandu. En couchant, même symboliquement comme cela finissait par se pratiquer, avec la jeune femme de son vassal, le seigneur *lui rendait service.* Cela peut paraître paradoxal, mais c'était à l'origine un lien de plus entre le seigneur et son vassal. Ce qui est le plus curieux, c'est que la *fine amor* peut être considérée comme la contrepartie du « droit de cuissage », puisque si le seigneur couche avec la femme de son vassal, celui-ci peut, dans certaines conditions, coucher avec la femme de son seigneur. On n'a pas assez examiné le problème de ce soi-disant amour courtois en tenant compte des rapports sociaux extrêmement complexes qui régissent les sociétés de type archaïque.

thème du Seigneur Cocu) est lié à celui de la Prostituée Sacrée et à celui de l'adultère nécessaire.

Une fois le système mis en place, le processus suivait son cours. Le chevalier devait s'en tenir aveuglément au code qu'il avait accepté par son choix. Il fallait d'abord qu'il se montrât discret, qu'il respectât l'honneur de la Dame, lui faisant une cour assidue, et surtout, il lui fallait obligatoirement prouver qu'il était capable d'accomplir des prouesses pour l'amour de celle qu'il avait choisie. C'est en ce sens que la *fine amor* constituait un excellent moteur de l'action héroïque. Elle permettait au chevalier de prouver non seulement à sa Dame, non seulement aux autres, mais à lui-même qu'il était susceptible de dépassement. On sait que la chevalerie mettait son orgueil de caste en jeu chaque fois qu'un de ses membres était concerné. A cet égard, le fait que, dans les Romans de la Table Ronde, les héros envoient la plupart du temps leurs prisonniers à la reine Guénièvre ou à une grande dame, prouve l'importance de l'action masculine guerrière accomplie au nom de la Dame.

Tout cela se réfère à des rites d'initiation à la fois amoureuse et guerrière. Là encore, le modèle se trouve chez les Celtes. Le récit irlandais de *L'Education de Cûchulainn* nous montre le héros allant apprendre les méthodes de combat et les tours de magie en même temps que la sexualité auprès de femmes-guerrières qui ressemblent plus à des sorcières ou à des divinités infernales qu'à des femmes de la race humaine ([10]). Il en est de même dans un autre récit irlandais, *Les Enfances de Finn,* où le héros est élevé et éduqué par le même genre de femmes ([11]). Quant au gallois Peredur, il va acquérir sa pleine valeur et sa capacité d'accomplir des prouesses auprès des sorcières de Kaer Loyw, ce qui lui permettra d'ailleurs de les vaincre elles-mêmes à la fin du récit de ses aventures, puisqu'il est le seul à connaître tous leurs secrets, y compris les tours magiques dont les anciennes traditions sont remplies ([12]). Dans ces trois cas, magie, sexualité et art guerrier sont intimement liés. Il s'agit bel et bien d'une initiation des jeunes gens, à leur préparation totale pour un état adulte où le sexe, la mort (le pouvoir de tuer) et le défi (la magie qui dérange nécessairement l'ordre établi) sont les composantes essentielles.

([10]) J. Markale, *L'Epopée celtique d'Irlande,* p. 88-95.
([11]) *Id.,* p. 141-149.
([12]) J. Markale, *L'Epopée celtique en Bretagne,* p. 195-196.

C'est ce que nous retrouvons, sous une forme plus raffinée et plus conforme au goût du XIIe siècle, dans la *fine amor*.

Les ténébreuses étapes de cette initiation sont pourtant fort simples : de prouesse en prouesse, le chevalier atteint des stades où il peut recevoir une récompense. Cette récompense peut consister en un simple regard. Mais alors, le chevalier est encouragé à poursuivre son effort. Il sait maintenant qu'il est sur la bonne voie. Du regard, il en viendra au frôlement de mains, puis au chaste baiser. S'il a su se montrer persévérant dans son action et obéissant aux conseils de sa Dame, lesquels conseils sont plutôt des ordres, il gagnera d'autres récompenses. Il sera admis à pénétrer dans la chambre de la Dame, à converser avec elle. De rendez-vous en rendez-vous (le temps n'existe pas pour ceux qui aiment), il aura droit à des satisfactions que la Morale ordinaire réprouve mais que l'Eglise du XIIe siècle ne paraissait pas condamner.

Ces satisfactions n'ont rien de ce qu'on appelle généralement « platonique ». Il s'agit véritablement de rapports sexuels : ce sont d'abord la vision par l'amant de tout ou partie du corps de sa Dame, puis des caresses de plus en plus précises et de plus en plus intimes. L'amant peut également s'étendre sur un lit avec celle qui lui accorde la récompense tant attendue, mais si ces jeux étaient la plupart du temps conclus par un orgasme, jamais, du moins dans le cadre de la stricte *fine amor,* il n'y avait de coït, celui-ci étant banni pour des raisons beaucoup plus magiques que morales. On croyait que la pénétration de l'organe mâle dans le corps de la femme suffisait à produire un phénomène d'imprégnation et que la lignée légitime, c'est-à-dire les enfants du mari, serait altérée. Or, ne l'oublions pas, nous sommes dans un cadre qui demeure androcratique et le système social en vigueur est celui de la transmission héréditaire par les mâles. Il était donc impossible, même en allant très loin dans la voie des rapports sexuels, d'autoriser une union complète, d'autant plus que la contraception étant plus que rudimentaire, on pouvait craindre que l'acte fût suivi d'effets préjudiciables pour la pureté de la race ([13]).

([13]) On peut mesurer par là combien le *Roman de Tristan* est éloigné de la conception courtoise de la *fine amor,* car l'union de Tristan et Yseult ne peut être que totale. La légende a été incorporée à l'ensemble courtois, mais elle est anti-

Il ne faudrait pas croire que l'initiation du chevalier s'arrêtait à ce triomphe. Bien au contraire, elle continuait, car l'amour qu'inspirait la Dame obligeait le chevalier à recommencer sans cesse, et donc à poursuivre son effort de transcendance pour avoir l'occasion d'obtenir sa récompense. Le texte de Chrétien de Troyes, dans le *Chevalier de la Charrette,* est très précis à cet égard : Lancelot a déplu à la reine, car il a hésité un instant à monter dans la charrette d'infamie qui était pourtant le seul moyen qu'il avait pour rejoindre Guénièvre. Il a donc mal accompli son « service d'Amour » et il ne mérite pas la récompense qu'il est en droit d'attendre pour avoir délivré la reine. La *fine amor* a des exigences qu'on ne peut jamais transgresser. L'obéissance à la Dame est absolue. On le voit encore dans le même texte de Chrétien, lorsque Lancelot, dans le tournoi qui l'oppose à Méléagant — lui-même symbole de la Mort dans la légende primitive et symbole de l'anti-courtoisie chez Chrétien —, doit combattre « au pire », selon les directives de Guénièvre, c'est-à-dire combattre comme un lâche alors que son orgueil lui commande d'être courageux. En somme, dans cet épisode significatif, Guénièvre fait de Lancelot sa « chose » : il n'est qu'une marionnette dont seule la reine Guénièvre peut tirer les ficelles. Et Lancelot se battra comme un couard, sera la risée de tout le monde jusqu'au moment où l'ordre viendra de la reine : « combats au mieux ». Alors il pourra donner la pleine mesure de ses moyens et conquérir la victoire. Mais cette victoire, il la paie fort cher : au prix d'un extraordinaire dépassement de soi-même, au prix d'un *renoncement.* Ce n'est même plus un simple rituel, c'est un véritable système philosophique.

Ce système philosophique avait de quoi séduire une femme aussi cultivée et intelligente qu'Aliénor d'Aquitaine. Elle en a peut-être même inspiré certains détails. A coup sûr, elle a contribué à répandre une doctrine que, par nature, elle ne pouvait qu'approuver. La situation privilégiée dans laquelle elle se trouvait à Poitiers faisait d'elle une sorte d'arbitre des mœurs et

---

courtoise. Il en est de même des amours de Lancelot du Lac et de la reine Guénièvre, qui ne sont qu'une habile adaptation du *Tristan :* seul Chrétien de Troyes, dans son *Chevalier de la Charrette,* est en accord avec le dogme de la *fine amor.* Ce qu'on appelle le *Lancelot en Prose* ne procède déjà plus du même état d'esprit.

des mentalités. Nul doute qu'elle ne se fît écouter quand elle se mêlait de trancher un difficile problème d'amour, nul doute qu'elle se fît la « complice » de tous ces poètes qui convergeaient vers l'antique cité des *Pictones*. En fait, quand on analyse en profondeur l'action culturelle de la reine-duchesse, on ne peut qu'être étonné de l'énergie qu'elle manifesta à protéger et à encourager les *inventions* de quelque nature qu'elles fussent. Et comme la culture est inséparable de la vie sociale d'une époque, on peut affirmer qu'elle eut une influence décisive sur la pensée occidentale du XIIe siècle triomphant. De plus, cette action personnelle d'Aliénor est inséparable de l'action d'Henry II, puis de son fils Richard Cœur de Lion, et on sait que les Plantagenêt eurent le privilège de lancer définitivement la matière arthurienne en Europe, pour des raisons politiques d'ailleurs, mais qui n'en furent pas moins essentielles pour la connaissance de l'univers épique des anciens Celtes ([14]). On ne peut pas nier, en tout cas, qu'Aliénor eût une influence sur Henry ou Richard, et par conséquent, on peut lui faire partager la responsabilité de la diffusion du mythe d'Arthur avec tout ce que cela comporte d'éléments secondaires d'ordre social ou politique.

Au reste, si besoin en était, le témoignage d'André Le Chapelain nous confirmerait l'importance qu'a eue Aliénor dans l'élaboration des doctrines de la *fine amor*. L'auteur de l'*Art d'Aimer,* qu'il rédigea à la fin du XIIe siècle à la demande de Marie, comtesse de Champagne, était en effet un « commensal » d'Aliénor. Il l'a bien connue et rapporte dans son traité de casuistique amoureuse, inspiré de façon très vague d'Ovide, des thèmes et des débats qui devaient être chers à la reine-duchesse et à ses compagnes. C'est lui qui mentionne les *cours d'amour,* ces assises féminines dont Aliénor était, au propre et au figuré, la souveraine incontestée.

Ces cours d'amour datent probablement d'époques différentes,

([14]) J'ai recensé dans mon *Roi Arthur et la Société celtique* tous les arguments qui permettent d'attribuer aux Plantagenêt l'expansion et le développement incroyable des légendes arthuriennes sur le continent. La politique d'Henry II consistait essentiellement à faire reconnaître, lui qui était angevin, la légitimité de son pouvoir sur la Grande-Bretagne, pays d'origine celtique. Le mythe d'un Arthur, roi de l'île de Bretagne et d'une partie du continent, ne pouvait que renforcer sa position et contrebalançait le mythe de Charlemagne, lequel servait de « paravent » mythique aux Capétiens.

du début du règne d'Aliénor, sinon à Paris, du moins à Poitiers déjà en 1152 lorsqu'elle y résida seule pendant de nombreux mois, après son mariage avec Henry, lequel avait fort à faire avec la succession de Normandie et celle d'Angleterre. Il y en eut aussi dans ces cours itinérantes que tenait la nouvelle reine, au hasard des expéditions et des séjours qu'elle faisait dans les différentes villes de son immense territoire. André Le Chapelain nous la présente, entourée des deux Marie, de sa nièce Isabelle de Vermandois et d'une autre protectrice des troubadours, Ermengarde, vicomtesse de Narbonne. Bien entendu, les poètes étaient admis à ces assises féminines et donnaient leur avis sur toutes les questions qui étaient débattues. Pour la petite histoire, il faut retenir que sur les vingt et un « jugements d'amour » mentionnés par André Le Chapelain, six sont attribués à Aliénor, cinq à Ermengarde et sept à Marie de Champagne qui paraît avoir excellé dans cet art. Tout nous prouve d'ailleurs que la fille aînée d'Aliénor partageait les mêmes opinions que sa mère et s'enthousiasmait pour les mêmes causes.

Mais cet « Art d'aimer » d'André le Chapelain, ces cours et jugements d'amour ne sont que des manifestations, certes profondément vivaces, de cette philosophie qui anime la société intellectuelle plus ou moins protégée et inspirée par Aliénor. Nous avons mis en évidence l'aspect typiquement celtique que revêt le mouvement féministe du XIIe siècle, tout au moins sur le plan de l'esprit. Quant à la mise en forme, elle est incontestablement due à l'influence de la poésie des troubadours qu'on appelle faussement provençaux — la plupart étaient auvergnats ou limousins — et qui étaient largement répandus, non seulement dans le domaine occitan, mais aussi dans les territoires du nord. Ce sont les troubadours qui ont, les premiers, composé des poèmes à la gloire d'une dame fictive ou réelle, vantant la beauté et les mérites de celle-ci : les *ensenhamens,* tel est leur nom, ont contribué à répandre de la femme une image toute différente de celle qu'on en avait dans les siècles précédents. Le premier en date de ces *ensenhamens* est de 1155. Il est dédié « à une grande dame », et il n'est pas douteux que l'auteur, un certain Garin le Brun, seigneur de Châteauneuf-de-Randon, féal d'Ermengarde de Narbonne et arrière-vassal d'Aliénor, ait pensé à la reine-duchesse en composant son poème. Il faut d'ailleurs signaler que les Randon ont joué un rôle littéraire non négligeable, en particulier par le canal de leur cour du Puy, où, d'après des témoignages, on pratiquait le « jeu de l'épervier » dont se souviendra Chrétien de Troyes lorsqu'il écrira son *Erec et Enide.* Cela suppose d'ailleurs que le trouvère champenois ait, sinon séjourné au Puy, du moins qu'il ait eu connaissance de ce qu'on y faisait.

Un autre *ensenhamen* semble très important : il s'agit de celui composé entre 1170 et 1180 par Arnaut-Guilhem de Marsan et qu'on connaît sous le titre du « chevalier désireux de plaire aux dames ». On sait qu'il fut écrit dans les Etats d'Aliénor, certainement en Gascogne, et on y retrouve une influence très nette de ce qui se passait à la cour de Poitiers.

D'ailleurs, de tous ces jeux de société qu'étaient ces jeux littéraires, d'autres formes ont connu une rapide célébrité. La *tenso,* qui est une sorte de débat, était pratiquée dans tout le domaine occitan depuis le début du XIIe siècle. Son dérivé est le *partimen,* ou « jeu-parti », poème dialogué entre deux poètes dont chacun défend une thèse opposée à propos d'un problème qui relève de la casuistique amoureuse dont l'élite intellectuelle ne semblait nullement fatiguée.

Il est remarquable que ce soit entre un fils d'Aliénor, Geoffroy, duc de Bretagne, et le trouvère Gace Brûlé, que se traite le premier jeu-parti en langue française. Ce poème aurait été composé vers 1180. Et le même Geoffroy, dans un autre jeu-parti, échange des couplets français avec un troubadour qui s'exprime en occitan. Cette œuvre est, semble-t-il, significative de ce qui se passe à Poitiers et traduit éloquemment le mélange linguistique et culturel qui s'y opérait. On peut prétendre qu'après tout, il ne s'agit que de distractions de la part d'Aliénor et des grandes dames qui la fréquentaient, on ne peut nier l'immense répercussion que ces divertissements provoquent dans le monde intellectuel de l'époque. Aliénor est encore une fois le pivot d'une mutation qui dépasse son propre personnage et qui touche à la civilisation occidentale tout entière.

Si l'on admet que les Plantagenêt ont créé véritablement les lettres de langue française par les encouragements qu'ils ont prodigués à tous les poètes et littérateurs angevins, normands, bretons, poitevins et anglais, il faut préciser les nuances. Certes,

Henry II, en poursuivant une politique « impériale » couvrant la Grande-Bretagne et le continent, avait intérêt à développer le mythe du roi Arthur, coordinateur incontesté et incontestable de peuples divers. Mais s'il en a donné l'ordre et s'il a largement ouvert sa caisse pour commander des œuvres, il n'en est pas moins vrai qu'il fut surtout un roi-guerrier beaucoup plus préoccupé de ramener ses vassaux à la raison que de satisfaire ses penchants à la littérature. En fait, jamais souverain ne fut plus anti-courtois que Henry II Plantagenêt. La cour de Londres fut beaucoup moins touchée que celle de Paris par les idées « courtoises ». D'ailleurs, Henry résidait plus sur le continent que dans l'île qui lui était échue. Il est donc vraisemblable que la renaissance littéraire et artistique du XIIe siècle fut davantage l'œuvre d'Aliénor, et aussi de son fils Richard, lui-même poète, ne l'oublions pas. En tout cas, c'est essentiellement entre 1152 et 1174 que la littérature dite courtoise s'est développée, synthèse harmonieuse de la doctrine des troubadours, des contes bretons et de la dialectique française. Lorsque Aliénor disparaît momentanément de la scène politique, en 1173, le mouvement de production littéraire se raréfie instantanément : c'est la preuve que la reine-duchesse y était pour quelque chose. Aliénor est prisonnière, comme on sait, à Winchester et à Salisbury : il n'y a plus de capitale littéraire dans les Etats du roi Henry. Ce n'est qu'après la mort du roi que la formidable explosion littéraire va se poursuivre et déborder largement du cadre primitif pour envahir l'Europe de façon définitive. Là encore, la seule présence d'Aliénor à la tête de l'empire Plantagenêt semble positive. La petite-fille de Guillaume IX n'a-t-elle pas repris à son compte, et « avec usure », comme le dit Rita Lejeune, les propos courtois du Troubadour-chevalier qui s'agenouille devant sa « dame ». Après tout, le mot *dame* vient du latin *domina,* « maîtresse ». Aliénor n'est-elle pas la Maîtresse idéale et toute-puissante?

Il reste à voir comment Aliénor s'est comportée de façon concrète envers les poètes et littérateurs de son époque et quels étaient ceux-ci. Alfred Jeanroy, l'un des premiers médiévistes français à s'être penchés systématiquement sur la poésie des troubadours, affirme : « La frivole et vaniteuse Eléonore ne pouvait avoir que des regards complaisants pour ces distributeurs de gloire qu'étaient les troubadours. Bien que nous ne connaissions qu'un seul de ses protégés, nous pouvons affirmer que poètes et jongleurs pullulaient autour d'elle[15] ». Il faut certainement nuancer le jugement sévère porté par Alfred Jeanroy, à la fois sur la reine « frivole », ce qu'elle n'était pas, et sur la poésie des troubadours qui n'est laudative qu'en apparence, mais c'est reconnaître par là qu'Aliénor régnait sans contestation possible sur le monde littéraire.

Le protégé dont parle Jeanroy est évidemment Bernard de Ventadour. La légende en fait le soupirant, voire l'amant d'Aliénor, mais il faut bien admettre qu'il a été le plus favorisé par la reine et que celle-ci est présente dans de nombreux poèmes du troubadour limousin.

Il n'était cependant pas le seul poète à bénéficier des largesses d'Aliénor. Les plus grands noms de la poésie du XIIe siècle sont originaires de ses propres Etats. On peut ainsi citer Jaufré Rudel, Cercamon, Marcabru, Arnaut-Guilhem de Marsan, Peire Roger, Peire d'Auvergne, Bernard Marti. A l'exception de Jaufré Rudel disparu prématurément, les autres se connaissaient, se rencontraient, se critiquaient, comme on peut en juger par certains débats et jeux-partis. Il est même plus que probable que ces troubadours aient célébré Aliénor sous différents pseudonymes, comme il était d'ailleurs d'usage, ou encore avec des allusions que nous ne comprenons pas.

D'ailleurs, en dépit des caractères spécifiques, il faut admettre une certaine unité de style entre tous ces poètes. Leur conception de l'amour est identique. C'est ce qui a fait dire, un peu vite, que la poésie des troubadours était froide et impersonnelle, qu'elle était un jeu littéraire plus que l'expression de sentiments vécus de façon authentique. Il ne faudrait cependant pas oublier que nous nous trouvons en présence d'une *poésie de cour*, destinée à un milieu privilégié, où le ton est volontiers appuyé, et où l'objet de la flamme collective des poètes-courtisans correspondait admirablement bien à l'objet de leur flamme individuelle. En somme Aliénor pouvait très bien être leur propre maîtresse, idéalisée et revêtue de toutes les qualités qu'on pouvait imaginer. Le phénomène n'est pas unique. Qu'on relise Nerval dans la poésie duquel la Vierge Marie, la déesse Isis, sa mère et toutes les femmes qu'il a connues prennent le seul visage de Jenny Colon. C'est de la poésie, c'est tout, et c'est l'art du poète de transposer

(15) *La poésie des Troubadours,* I, p. 151.

des sentiments et des sensations d'une personne réelle sur une personne imaginaire ou *inaccessible* comme l'était en fait la reine Aliénor pour la plupart de ces poètes.

Bien sûr, à la fin du siècle, quand Aliénor, toujours reine, mais devenue une vieille femme, ne régnera plus que par sa légende et la renommée de sa beauté passée, la formulation des poètes deviendra un genre littéraire, utilisant à foison des éléments stéréotypés. Mais il en est de même pour toute innovation : de réalité sincère, elle devient mode qu'on suit aveuglément, parfois même jusqu'au ridicule. Et la poésie des troubadours deviendra une poésie formelle, sous couleur de laquelle, d'ailleurs, les auteurs masqueront diverses préoccupations, d'ordre religieux notamment, désignant par leur « dame », la religion cathare combattue officiellement par l'Eglise.

Mais ce qui caractérise aussi les troubadours féaux de la reine Aliénor, c'est le ton persifleur qu'ils emploient volontiers, les invectives qu'ils lancent lorsque la passion devient jalousie ou colère. On découvre dans cette poésie toutes les nuances de la psychologie amoureuse que ne renieraient pas les habitués des Salons Précieux du XVIIe siècle. Que de querelles d'amoureux, que de protestations enflammées, que de jalousies, que de pleurs n'y a-t-il pas dans ces vers qui sont évidemment de circonstance mais qui ne tombent jamais dans la platitude... Que la femme aimée soit mise au pilori par son soupirant si elle a osé porter les yeux sur un autre homme, ou encore si elle se montre trop coquette avec plusieurs amis, cela n'a rien qui puisse surprendre. Tout se passe comme si Cercamon, Marcabru, Peire d'Auvergne, Bernard Marti et les autres, jaloux de voir Aliénor point de mire de tous les hommes de son temps, avaient exprimé ainsi leur armertume et leur rancœur. On ne peut penser qu'à l'attrait qu'exerçait la reine Guéniève sur les chevaliers du roi Arthur.

Nous avons dit que l'ouvrage d'André Le Chapelain, qui résume admirablement les thèses courtoises chères à Aliénor, est inspiré librement d'Ovide. Il est certain que la reine-duchesse, qui avait reçu une éducation soignée pendant son enfance et son adolescence, a dû contribuer à mettre à la mode l'auteur des *Métamorphoses* et de l'*Art d'Aimer*. Cette influence d'Ovide est visible dès 1155 dans un ouvrage anonyme, très proche encore du genre épique traditionnel, le *Roman de Thèbes*, et qui, par l'étude de sa langue, décèle une origine poitevine. Elle l'est bien davantage dans le *Roman d'Enéas,* qui date des environs de 1160. On n'en connaît pas l'auteur, mais on sait qu'il appartenait à cette école littéraire normande qui s'était formée à la cour des Plantagenêt. Il s'agit d'une habile transposition de Virgile, mais le succès de l'œuvre, et aussi son originalité, tiennent essentiellement à un épisode ajouté qui est celui, largement exploité, des amours tumultueuses de Lavine et d'Enée. Toute la problématique de l'amour courtois y est exposée de façon concrète : les plaintes, les cris, les souffrances morales, les monologues intérieurs, rien n'y manque. C'est déjà la préfiguration de ce que sera le *Roman de Tristan* de Thomas qui, on le sait, défie toute concurrence dans le domaine de la casuistique délicate et raffinée. Et même s'il s'agit d'un arsenal littéraire, il n'en est pas moins évident que les thèses d'Ovide ne devaient pas laisser indifférents les lecteurs ou auditeurs de ce *Roman d'Enéas* qui retrouvaient là les grandes questions qu'ils se posaient à propos des relations entre amants.

Cette influence d'Ovide, sensible dans des œuvres narratives comme *Thèbes* ou *Enéas,* est encore plus nette dans la poésie de Bernard de Ventadour et dans celle de ses contemporains. C'est dans ce milieu de la poésie occitane que se recrutent les auteurs — de langue française — de *Pyramus et Thisbé* et de *Narcissus,* romans faussement antiques bâtis sur les mêmes thèmes. Et que dire du *Philomena* de Chrétien de Troyes? On sait qu'il a écrit de nombreuses œuvres inspirées d'Ovide, œuvres aujourd'hui perdues, mais qu'il a dû composer dans l'optique des cours d'Aquitaine. Quant au monumental *Roman de Troie* de Benoît de Sainte-Maure, il constitue un événement littéraire de toute première importance et qui a marqué les années 1160-1165.

Benoît de Sainte-Maure ne cite pas le nom d'Aliénor, mais nous savons qu'il a conçu son ouvrage en songeant à elle et en pensant lui plaire. On a pu, en effet, prouver que c'est Aliénor la « riche dame de riche roi » à qui il dédie le roman ([16]). Il présente

([16]) Voici la traduction du passage du *Roman de Troie,* passage qui se trouve inséré dans le milieu de l'ouvrage : « De cette femme (Briséïs), je ne veux être blamé en vérité par celle qui a tant de bonté, d'honnêteté, d'honneur, de richesse, de mesure, de sainteté, de haute noblesse et de beauté. Grâce à elle, les méfaits des autres femmes sont effacés. En elle, toute science abonde. Par le monde, il n'y a aucune autre femme comparable à elle. Riche Dame de riche roi, sans mal, sans colère et sans tristesse, puissiez-vous avoir toujours joie... » On dirait la description de Guénièvre par Gauvain dans le *Lancelot* de Chrétien de Troyes : cette femme est même ses excuses à cette « riche dame » parce qu'il fait de son héroïne Briséïs un modèle d'inconstance féminine. Or, n'importe qui pouvait reconnaître certains traits du caractère d'Aliénor dans le personnage de Briséïs, même si ces traits étaient empruntés davantage à la légende qu'à l'histoire réelle de la reine-duchesse.

En tout cas, les romans « antiques » représentent la préoccupation qu'on avait dans l'entourage d'Aliénor de mettre l'Antiquité classique à la portée d'un plus large public. Autrefois domaine réservé des clercs, cette tradition gréco-romaine (en langue latine, puisque la langue grecque, langue hérétique, était inconnue de l'Occident) pénètre en force dans la vie culturelle, se chargeant du même coup de toutes les innovations de la *fine amor*. La culture franchit les murs des couvents et les portes des grandes écoles pour se mêler à la vie aristocratique. L'événement est évidemment considérable. Et si, comme tout nous l'indique, Aliénor a été l'un des principaux artisans de cette redécouverte d'une culture en même temps que de son expansion, il nous faut lui rendre hommage comme à l'une des femmes les plus considérables du Moyen Age. Comme le fait remarquer Rita Lejeune, on croira difficilement « que des dizaines de milliers de vers de la triade classique aient surgi par hasard en quelques années, dans le sillage de sa cour. Il y eut sans doute volonté consciente, patronage officiel et distribution de rôles ». En fait, tout semble organisé, « planifié », comme si Aliénor et son entourage avaient voulu donner une dimension culturelle extraordinaire à l'empire Plantagenêt.

C'est encore Aliénor qui est responsable de deux œuvres majeures du XIIe siècle, le *Roman de Rou* et le *Roman de Brut* dus

---

à la fois l'inspiratrice et la maîtresse de tout homme de bien et elle surpasse toutes les autres femmes en beauté physique et en qualités morales. C'est aussi, de la part de Benoît de Sainte-Maure, une sorte de mise au point sur la réputation de la reine-duchesse qu'on a si souvent accusée d'adultère. Un peu plus loin, le poète revient à la charge : « Salomon dit en son écrit, lui qui eut tant de sagesse : « qui forte femme pourrait trouver, le créateur devrait louer ... Forte est celle qui se défend que les cœurs fous ne la prennent. Beauté et chasteté ensemble sont chose bien précisuse, ce me semble. Sous le ciel, n'y a-t-il rien de plus désirable? » La *forte* femme dont il question ici ne peut être qu'Aliénor, si on prend le mot *forte* dans son sens psychologique. De plus, l'allusion à l'alliance si rare de la beauté et de la chasteté est caractéristique des laudateurs habituels d'Aliénor. C'est un hommage rendu à celle qui avait le courage de refuser les hommages qui lui étaient rendus par des soupirants fort nombreux et fort assidus.

à Maître Robert Wace, chanoine de Bayeux et au service de la reine. Cela, on le sait par un témoignage postérieur à la mort d'Aliénor, celui de Layamon, qui écrivait au début du XIIe siècle. Layamon déclare en effet que c'est à Aliénor que Robert Wace offrit, dès 1155, son *Roman de Brut,* qui est une transposition française de l'*Historia Regum Britanniae* du Gallois latinisant Geoffroy de Monmouth. D'ailleurs, dans son prologue, Robert Wace indique clairement quelles sont ses intentions : il veut écrire l'histoire des rois qui ont régné sur l'Angleterre et la Normandie, c'est-à-dire celle des prédécesseurs d'Henry II. C'est pourquoi le clerc normand a commencé par traduire librement l'ouvrage insulaire le plus important qui opérait la synthèse de toute une série de traditions, en particulier la tradition celtique de l'île de Bretagne qui permettait de justifier l'union entre deux couronnes. Le plan que se proposait Wace, et qu'il a d'ailleurs suivi, était d'écrire le *Brut* comme une sorte de préface et ensuite de parler vraiment des Normands avec le *Roman de Rou* (c'est-à-dire de Rollon, le premier des ducs de Normandie) pour en arriver à Etienne de Blois, à l'impératrice Mathilde et aux Plantagenêt.

Or, ce qui est fort curieux, c'est que le *Brut,* dont le but est l'éloge des Plantagenêt, soit dédié, non pas à Henry II mais à Aliénor. Il faudrait donc admettre avec certains médiévistes qu'Aliénor a non seulement reçu le *Brut,* mais qu'elle l'a commandé. Et comme Wace n'a pu commencer son énorme travail qu'avant le « divorce » d'Aliénor, cela en dit long sur l'intérêt que portait la duchesse d'Aquitaine, bien avant son remariage, à l'histoire — même légendaire — des Bretons. Donc, s'il convient de ne pas négliger le rôle évident d'Henry II dans la diffusion des légendes arthuriennes, il ne faut pas non plus rejeter le fait qu'Aliénor en est tout autant responsable, pour des raisons qui sont peut-être différentes, mais qui finissent par converger.

Toujours est-il que le *Roman de Brut* fut la cause directe de toute une série de romans sur des sujets arthuriens. Mais Wace, ne l'oublions pas, visait ailleurs. Les Bretons ne l'intéressaient pas outre mesure et il les considérait surtout comme des affabulateurs (« Bretons vont souvent fablant... »), mais il s'en servait pour démontrer la prédominance effective des Normands. A cet égard, son *Roman de Rou* correspond nettement à ses convictions. Et ce *Rou,* il le dédie à la fois à Aliénor et à Henry, à cette nuance près qu'il insiste davantage sur la reine que sur le roi. Cela prouverait qu'il était plus attaché à la brillante petite-fille de Guillaume le Troubadour, en qui il trouvait une femme susceptible de goûter les raffinements de la pensée, qu'à son seigneur naturel le belliqueux Plantagenêt, plus occupé à faire la guerre qu'à apprécier les œuvres littéraires. Il serait tentant de prétendre que Wace fut disgracié à cause de cet indéfectible attachement à Aliénor lorsque celle-ci fut emprisonnée par son mari : en effet, il n'avait pas achevé son *Rou* qu'il fut « doublé » par un confrère et néanmoins rival, Benoît de Sainte-Maure, à qui Henry II confia le soin d'écrire une *Chronique des Ducs de Normandie.* Cette hypothèse a d'autant plus de chances de se révéler exacte qu'il semble, à la même époque, y avoir eu une autre disgrâce, celle de Chrétien de Troyes, lequel pourtant ne dépendait pas directement d'Aliénor, mais de sa fille Marie de Champagne.

De toute façon, le personnage de Chrétien de Troyes pose un problème. On est en droit de se demander s'il n'était pas parent à la famille ducale de Normandie. Il aurait en effet été cousin d'Etienne de Blois et c'est par ce canal qu'il serait entré dans la mouvance des Plantagenêt et donc d'Aliénor. S'il est difficile de répondre à cette question, il est néanmoins incontestable que Chrétien a eu des contacts étroits et suivis avec la cour de Poitiers. Où aurait-il eu cette connaissance approfondie du légendaire breton si ce n'est à Poitiers où l'on pouvait rencontrer autant de *bardes* celtes que de troubadours occitans?

On sait que les premières œuvres du trouvère champenois ont été assez nombreuses mais qu'à part un fade roman intitulé *Guillaume d'Angleterre,* elles ont été perdues. Il a certes écrit un *Tristan,* qui serait donc le premier en date, en langue française, mais son premier ouvrage arthurien à nous être parvenu est le roman *Erec et Enide,* dont le sujet devait être très connu en Grande-Bretagne puisqu'il en existe une version galloise conforme dans les grandes lignes à l'œuvre de Chrétien, mais provenant d'une source différente. Mais l'*Erec* de Chrétien est postérieur au *Brut* de Wace qu'il utilise avec habileté, ce qui suppose également une origine savante, tout au moins une volonté délibérée de rattacher un épisode arthurien à un ensemble cohérent comme pouvait l'être le *Roman de Brut*.

Ce qui est intéressant, c'est de constater que l'*Erec* est rempli d'allusions à des événements qui se sont déroulés en Bretagne armoricaine. On y trouve en effet une transposition des fiançailles de Geoffroy Plantagenêt, fils d'Henry II et d'Aliénor avec Constance, héritière de Bretagne, alors âgée de cinq ans, en 1166. De plus, la réception d'Erec dans ses Etats — qui a lieu à Nantes, comme par hasard — fait évidemment songer à la réception de Geoffroy comme duc de Bretagne au mois de mai 1169, et on peut voir dans la somptueuse description de la cour d'Arthur un écho de l'assemblée plénière tenue par Henry et Aliénor à la Noël de la même année, à Nantes précisément, où est censé se dérouler le couronnement d'Erec. Il n'y a aucun doute sur les influences armoricaines dont est imprégné *Erec.* Et ces influences, Chrétien, s'il n'a pas été lui-même témoin des faits qu'il transpose, les doit à des gens qui entouraient Aliénor ou qui avaient participé aux dites manifestations.

D'autres passages du roman prouvent aussi que Chrétien n'ignorait rien de ce qui se passait à la cour d'Angleterre : de nombreux détails invitent à penser que l'auteur était familier de l'île de Bretagne. Dans son autre roman, *Cligès,* présenté d'ailleurs comme un anti-Tristan (est-ce un hommage à Aliénor en tant qu'épouse irréprochable, puisque le roman est une glorification de l'amour conjugal?), Chrétien de Troyes n'est pas avare de détails d'ordre géographique, et tous ces détails sont exacts — ce qui montre que l'auteur connaissait l'Angleterre pour y être allé lui-même.

Ce fait dûment constaté n'autorise cependant pas à penser, du moins *a priori,* que Chrétien ait vécu dans la mouvance d'Aliénor d'Aquitaine. Mais d'autres éléments, épars dans son œuvre, font reconsidérer la question. Il est d'abord évident que Chrétien s'est mis tout de suite à l'école des troubadours pour composer ses poèmes lyriques. C'est dans les œuvres de ceux-ci qu'il a appris les rudiments de la « courtoisie », avec cette différence essentielle qu'il a transposé cette « courtoisie » du genre lyrique au genre épique, ou romanesque, si l'on veut. Or, cela, il l'a appris nécessairement quelque part. Une de ses chansons s'inspire directement d'un modèle occitan bien connu, la célèbre « Chanson de l'Alouette » de Bernard de Ventadour. Cela laisse supposer qu'il a connu le protégé d'Aliénor et que les deux hommes se sont rencontrés dans le sillage de la reine-duchesse. L'influence d'Ovide sur les deux poètes est également un élément d'appréciation important : d'ailleurs, s'il est exact que Chrétien ait composé des *Ovidiana,* certainement avant 1170, il ne peut les avoir écrits qu'à la cour d'Aliénor où ces thèmes étaient de rigueur. C'est par la suite, et après la période où Aliénor est prisonnière de son mari, que Chrétien suit la fille d'Aliénor, Marie, à la cour de Champagne où il compose pour elle le *Lancelot* et l'*Yvain*, le premier encore tout imprégné de l'atmosphère des cours d'amour et de la casuistique des troubadours. En fait, il est permis de croire que Chrétien de Troyes a fait ses premières armes dans l'entourage d'Aliénor. C'est ce qu'on appelle volontiers chez les Médiévistes *la période Tristan* du trouvère champenois. Et cette *période Tristan* a dû être aussi importante pour d'autres poètes.

On sait que la légende de Tristan s'était répandue très tôt dans la littérature occitane. Les deux principaux textes en langue française de la légende de Tristan, celui de Béroul et celui de Thomas, s'ils sont d'esprit différent, sont tous deux en anglo-normand et ont été composés pour un public plus habitué à la cour des Plantagenêt qu'à celle des Capétiens. Si le *Tristan* de Béroul est d'essence plus « populaire », il est néanmoins aussi chargé de détails empruntés à la casuistique amoureuse des troubadours que celui de Thomas. Disons cependant que ce dernier, en présentant la thèse selon laquelle l'amour est plus fort que toutes les contraintes, rejoint davantage les préoccupations de l'entourage d'Aliénor et qu'il a, par conséquent, un lien direct avec celle-ci. De toute façon, le thème de Tristan porte la marque d'Aliénor dans la façon dont il est traité par les deux principaux auteurs du roman. Il faudrait aussi, pour être juste, ajouter qu'à Béroul et à Thomas, ainsi qu'à l'auteur anonyme de la *Folie Tristan* d'Oxford, vient se joindre Marie de France dont le *Lai du Chevrefeuille* est tout empreint d'une atmosphère courtoise.

De fait, il semble bien que Marie de France, dont nous ne savons pratiquement rien sinon qu'elle était fille naturelle de Geoffroy Plantagenêt, père d'Henry, ait accompli toute sa carrière littéraire et mondaine dans l'ombre d'Aliénor d'Aquitaine, sa belle-sœur et conseillère. Toute l'œuvre de Marie de France porte la marque des discussions et jugements de la cour d'Aliénor. Les épisodes les plus divers, qui sont empruntés indubitablement à la tradition bretonne armoricaine, sont traités à la mode courtoise la plus rigoureuse, et les discours moraux de l'auteur se réfèrent la plupart du temps à des problèmes bien connus d'André Le Chapelain qui les a traités de façon théorique. Là encore, nous sentons la présence obstinée de celle qui était la *Maîtresse* idéale, si renommée et si écoutée qu'elle a contribué à donner de l'amour sa propre conception à travers une floraison d'œuvres qui sont autant de sujets de réflexion. On peut affirmer que sans Aliénor, il n'y aurait pas eu de littérature courtoise, du moins en langue française et que la plupart des légendes celtiques relatives à l'amour eussent été complètement ignorées de l'Europe cultivée du XIIe siècle. Il a suffi qu'une reine passionnée d'amour et de poésie prête l'oreille aux conteurs bretons qui sillonnaient ses États continentaux et insulaires pour que se déclenche un processus unique dans l'histoire littéraire : l'invasion d'un mythe vieux de plusieurs siècles et son rajeunissement par des poètes dont le génie apparaît dans la grandiose fresque qu'ils nous ont laissée. Tristan, Yseult, Arthur, Guénièvre, Lancelot, Gauvain, Merlin, Yvain, Laudine, Luned, Viviane et Morgane : ces noms, devenus des symboles universels, nous en devons le souvenir à la reine Aliénor. Sans elle, ils ne seraient que des ombres. Plus que jamais, la duchesse d'Aquitaine, comtesse de Poitou, protectrice des arts et des lettres, est la reine incontestée des Troubadours.

4

La légende d'Aliénor

En survolant les principales étapes de la vie d'Aliénor d'Aquitaine, on met en lumière un certain nombre de faits authentiques prouvés par des documents d'une incontestable valeur. Mais à côté de ces faits, combien de suppositions sont nécessaires pour tracer un portrait complet de celle qui fut deux fois reine de deux pays ! Car on se heurte constamment à des incertitudes concernant le rôle exact qu'elle a joué, à des lacunes qui excitent singulièrement l'imagination. Et ce sont ces incertitudes et ces lacunes qui sont en grande partie responsables de la formation d'une légende d'Aliénor, légende colportée dès le XIIe siècle par des écrivains et des chroniqueurs que le personnage même de la duchesse d'Aquitaine ne laissait pas indifférents et qui s'attachèrent à elle comme à un modèle, transformant et transposant tout ce qui ne leur plaisait pas pour créer un véritable objet artistique. Car, en définitive, le personnage d'Aliénor dépasse de loin, dans les chroniques, la femme réelle qu'elle fut : on en est venu très tôt à faire d'elle une héroïne de roman courtois, symbole particulièrement coloré de la Femme idéale du XIIe siècle.

Bien sûr, dans tout cela, il faut aussi tenir compte des antipathies et même des haines qu'Aliénor a suscitées autour d'elle. Les chroniqueurs du « Nord » ne l'aimaient guère : c'était l'Etrangère, celle qui avait des manières pas comme les autres femmes et qui scandalisait par son attitude, même si celle-ci n'avait, en soi, rien de répréhensible. Elle devenait donc, pour eux, une de ces femmes d'avant-garde, une de ces méridionales dont la méconnaissance accentuait le mystère et qu'il fallait dénoncer parce qu'elle apportait une profonde transformation dans les mœurs. Il en était de même pour les chroniqueurs « anglais », qui, la plupart du temps, étaient des Normands. Ils n'étaient pas tendres pour leur reine, coupable, à leurs yeux, de s'intéresser davantage à ses domaines aquitains qu'à la Normandie et à l'Angleterre. Pour eux aussi, elle était l'Etrangère. Et qui plus est, surtout à l'époque où elle était prisonnière, c'était une façon de faire sa cour à Henry II que de dire du mal d'Aliénor et d'inventer sur elle des histoires plutôt sordides. Le tout a pris corps dans le contexte de la renaissance littéraire de l'époque, au milieu de la poésie des troubadours ou celle inspirée par leur exemple, et également au milieu de l'essor des romans dits « courtois », où toutes les légendes celtiques concernant la Femme se matérialisaient et s'actualisaient dans des personnages typiques, bien souvent résultat de la transposition d'un modèle contemporain.

Il n'en reste pas moins vrai que la duchesse d'Aquitaine a exercé sur l'élite intellectuelle de son époque une véritable fascination, et cela dès son mariage avec Louis VII. Les raisons de cette fascination sont triples. D'abord, Aliénor était très belle, ce qui est assuré par de nombreux auteurs, et elle n'a pas perdu sa beauté en vieillissant. Ensuite, c'était une femme extrêmement cultivée, ce qui était rare à l'époque, et d'une intelligence qui se manifestait à chaque moment de sa vie. Enfin, c'était une femme puissante, détentrice de souveraineté sur un large domaine, et parfaitement consciente du rôle politique qu'elle pouvait jouer. Et comme on ne prête qu'aux riches, il n'est pas étonnant de voir qu'Aliénor est devenue le pivot d'une légende sans cesse ranimée et complétée, toujours incontrôlable mais reposant sur quelques bribes de réalité. En fait, c'est en étudiant les principales anecdotes où Aliénor apparaît comme héroïne légendaire qu'on peut finir de brosser le portrait du personnage.

La première anecdote concerne une liaison possible qu'aurait eue Aliénor avec son jeune oncle Raymond, cela avant son mariage. Nous avons constaté qu'il semble y avoir eu effectivement une grande affinité entre eux : ils avaient en commun la culture, la poésie, le goût des arts, une grande ambition aussi Lorsque Guillaume X était parti en pèlerinage, c'est à Raymond qu'il avait confié la tutelle d'Aliénor et de sa sœur. Aliénor et son oncle se trouvèrent très souvent ensemble, parfois seuls, en particulier quand ils s'en allaient chevaucher. De là à imaginer autre chose qu'une grande affection et des goûts communs, il n'y avait qu'un pas et qui fut vite franchi. Et, plus tard, lorsque les choses se gâtèrent entre Aliénor et Louis VII à Antioche, on ne fut pas long à ressortir cette vieille complicité entre la jeune reine et Raymond, accusant celui-ci d'être un élément perturbateur pour l'harmonie du couple et d'aller plus loin que n'aurait dû aller un oncle.

La vérité nous échappera toujours. Il est impossible d'infirmer ou d'affirmer les bruits concernant une liaison entre Aliénor et Raymond. On sait seulement que c'est par jalousie que le roi de France décida de ne pas suivre le plan préparé par Raymond et d'emmener la reine à Jérusalem dans un départ quelque peu précipité. Par contre, nous nous trouvons en présence ici d'un thème épique et mythologique qui a certainement joué sur la formation de la légende. Ce thème, c'est celui de l'inceste.

Il ne faut pas oublier que le XIIe siècle est le moment du Moyen Age qui a été le plus hardi dans l'évolution des mœurs, et qui a été, théoriquement du moins, le plus *immoral* dans le sens d'un rejet de la morale traditionnelle au profit d'une autre morale, plus souple et moins liée aux impératifs du Christianisme. C'est l'époque qui va voir se développer la légende de Tristan et Yseult, triomphe absolu de l'amour qui rejette tout tabou. Dans l'histoire de Tristan, l'inceste rôde sans cesse, sans que les auteurs y fassent allusion. Quand on y réfléchit, en effet, Yseult est la tante par alliance de Tristan. Or, comme Mark, oncle maternel de Tristan, est le substitut du père, et joue d'ailleurs ce rôle auprès de son neveu orphelin dont il veut faire son héritier, l'équivalence avec la légende de Phèdre est évidente. Et lorsqu'on va chercher les origines celtiques de la légende de Tristan, on se heurte à chaque instant au thème de la transgression du tabou sur l'inceste ([1]).

([1]) En particulier dans le récit irlandais de *Diarmaid et Grainné* qui est l'archétype du *Tristan*. Diarmaid est parent du roi Finn, et Grainné, femme du roi, oblige Diarmaid à l'enlever, puis à avoir des relations sexuelles avec elle. Diarmaid refuse tant qu'il le peut : on voit bien qu'il se retranche derrière des interdits. Mais, obligé par la puissance supérieure de Grainné, il ne peut que lui obéir, transgressant du même coup ces interdits. Voir les détails sur cette légende dans mon *Epopée celtique d'Irlande*, p. 153-164, et dans *La Femme Celte*, p. 307 et suivantes. Il faut également signaler le fameux tombeau de Tristan en Cornwall, où celui-ci est signalé comme étant *le fils* de Mark-Konomor (voir *La Tradition celtique en Bretagne armoricaine*, p. 22-23).

Il était donc tentant d'imaginer une liaison entre la nièce et son oncle, et cela d'autant plus que les exemples historiques ne manquaient pas. L'empereur de Byzance, Manuel Comnène, qui avait reçu si magnifiquement les Croisés, ne faisait-il pas scandale en affichant une liaison tumultueuse avec sa nièce Théodora? C'était un défi aux coutumes, une transgression presque magique des interdits sociaux en usage. Bien entendu, un tel inceste ne pouvait être le fait que d'êtres exceptionnels, à l'image des anciens dieux et des anciens héros : l'inceste demeure dangereux pour le commun des mortels, et seuls des personnages surhumains peuvent en assumer les conséquences de toute sorte. Inventer une liaison entre Raymond et Aliénor était donc placer ces deux êtres à un rang supérieur où les lois qui régissent la grande masse n'ont plus cours. C'était en quelque sorte « diviniser » le couple, et surtout *charger* Aliénor de toute une *aura* étrange. Pendant que se développait l'idée de l'initiation amoureuse du chevalier par la Dame, n'était-il pas nécessaire de faire initier également la Dame par quelqu'un de plus âgé et qui appartenait à la famille même? Car, déjà toute jeune, Aliénor est véritablement la *Dame,* c'est-à-dire la *Domina,* la « Maîtresse », non seulement des chevaliers et des troubadours, mais aussi des rois et des princes sur lesquels elle exerce sa souveraineté. On la retrouvera plus tard, presque trait pour trait, dans le personnage devenu littéraire de la reine Guénièvre, femme du roi Arthur.

Mais en dehors de cet aspect mythologique incontestable, les amours de Raymond et d'Aliénor sont tout à fait dans le ton des revendications féministes de l'époque. D'ailleurs, la vie d'Aliénor, dans sa trame historique, sera une illustration de cette montée du féminisme. En effet, l'amour courtois prône la liberté de la femme en dehors du mariage. Plus que jamais, au XIIe siècle, le mariage est ressenti comme un esclavage pour la femme, et de toute façon, il est considéré comme incompatible avec l'amour. Le mariage est un acte social, et uniquement cela. Comme tel il est nécessaire pour la procréation, pour les héritages et pour assurer à la société son équilibre, puisque la famille constitue la base essentielle de tout groupement humain de quelque nature et de quelque dimension que ce soit. Mais on se rend compte, à l'époque, de l'ambiguïté du mariage : le Christianisme ne l'a toléré que comme exutoire à la sexualité et comme la seule issue possible au problème de la continuation de l'espèce. Le grand conflit entre l'Amour et le Mariage commence en Occident, et il n'est pas près de se terminer. Une liaison entre Aliénor et son oncle, avant le mariage de la jeune duchesse, était donc un élément en faveur de la liberté des filles à disposer de leur cœur et de leur corps en dehors de toute contrainte politique ou religieuse. Si, dans le cadre d'une société bien organisée, la femme n'était pas libre de se marier comme il lui plaisait, puisque tout était décidé par l'autorité paternelle, du moins affirmait-elle, par son attitude avant et après le mariage, son indépendance vis-à-vis de l'homme qui était son mari. Selon l'esprit courtois du temps, le mari donne des enfants à la femme, mais c'est l'amant qui lui donne sa personnalité.

Il est impossible d'examiner les aventures réelles ou imaginaires d'Aliénor d'Aquitaine sans faire référence à la problématique courtoise. Aliénor incarne la Femme Courtoise. Etait-elle consciente du rôle que les circonstances lui faisaient jouer? Sûrement, car elle se trouvait, depuis son enfance, dans un milieu pour lequel ces questions revêtaient une grande importance et qui les débattait avec passion. La petite-fille de Guillaume le Troubadour, inventeur du *Trobar clus,* cette poésie hermétique, raffinée et précieuse qui allait bouleverser le lyrisme et développer la casuistique amoureuse, ne pouvait être insensible aux problèmes de l'Amour, puisque, par ce biais, c'est toute la féminité qui était en cause. D'ailleurs, dans cette poésie des troubadours, imprégnée de mystique musulmane provenant d'Espagne, se retrouvait l'image de la Femme idéale, d'origine celtique : belle, cultivée, quelque peu magicienne, donc *enchanteresse,* et surtout symbole de la souveraineté et de la liberté. Aliénor était tout cela.

Un autre épisode caractéristique se passe au temps où Aliénor était reine de France, l'épisode du jeune Saldebreuil. On sait que, lors des tournois que présidait Aliénor, de nombreux chevaliers désiraient combattre pour elle, porter ses couleurs, comme on disait. Jusque-là, il n'y a rien qui ne soit historique : c'était une coutume, d'ailleurs d'origine occitane, qu'on rendît ainsi hommage à la beauté et à la noblesse d'une Dame en accomplissant des prouesses pour elle. Mais l'épisode de Saldebreuil, même s'il est authentique, ce que personne ne peut affirmer ou nier, est rempli de sous-entendus qu'on pourrait qualifier de scabreux et qui l'apparentent à une légende. Bien sûr, cette légende ne fait que développer un thème, et ce thème, c'est celui de la sensualité qui entoure Aliénor : elle-même a une réputation de femme sensuelle, ce qui n'est pas admis par l'austère cour de France, et en plus, elle est objet sexuel pour ceux qui l'entourent, et elle contribue donc à développer leur sensualité.

Reprenons les faits tels qu'ils sont rapportés. Aliénor, un jour, par jeu, demande à ses chevaliers servants lequel d'entre eux acceptera de combattre, entièrement nu sous une de ses chemises à elle, contre un adversaire en armure. Le jeune Saldebreuil, un Aquitain, d'ailleurs, se propose immédiatement. Au cours du combat, il est blessé et Aliénor le soigne avec beaucoup d'attention. Puis, au cours du repas qui suit, la reine apparaît revêtue de la fameuse chemise tachée de sang, ce qui mécontente passablement le roi.

Que l'anecdote soit authentique ou non ne change rien à l'affaire. Nous nous trouvons en présence d'un phénomène bien connu à notre époque : celui du fétichisme. Le comportement de Saldebreuil n'est pas différent de celui des « fans » des nombreuses vedettes du *show-business,* qui entrent en transes lorsque leur idole chante sur scène et qui se précipitent sur elle pour lui arracher des lambeaux de vêtement qu'ils garderont précieusement. Certes, le phénomène touche actuellement davantage les jeunes filles que les jeunes gens, mais il resterait à déterminer ce qui se passe dans la conscience et surtout dans l'inconscient des jeunes gens devant une *idole* féminine.

Les composantes sexuelles de ce comportement sont indéniables et ont été mises en évidence par la Psychologie des profondeurs. De très nombreux individus, mâles ou femelles, ont cette tendance au fétichisme, à des degrés divers ([2]). Il s'agit tout simplement d'une tentative de contact intime avec une personne aimée, ou pour qui on a une grande admiration ([3]). Si le contact réel est impossible avec cette personne, le fétichisme sert de

([2]) Même les animaux ont cette tendance. Il n'est pas rare de voir un chat habitué à venir sur les genoux de sa maîtresse, se coucher délicieusement et même voluptueusement dans un vêtement appartenant à sa maîtresse lorsque celle-ci est absente ou ne peut le prendre sur ses genoux.

([3]) Par exemple, collectionner des objets ou des vêtements ayant appartenu à un personnage illustre. Dans le domaine religieux, la vénération des reliques n'est pas un phénomène différent bien que, dans ce cas, la composante sexuelle soit sublimée.

substitution : ne pouvant toucher le corps de la personne, on touche un vêtement ou une partie de vêtement qui est encore imprégné du corps de la personne. Et cette tendance, qui est très commune, peut, dans certains cas, aller très loin, jusqu'à certains actes qu'on juge un peu hâtivement dépravés ([4]), et dans les aboutissements ultimes, jusqu'au transvestisme ([5]).

Dans le cas de Saldebreuil, ce fétichisme se double d'un processus d'identification à la Dame, représentée par Aliénor. C'est la Dame elle-même qui combat puisque le chevalier porte la chemise à même la peau, et s'il est victorieux, c'est la Dame qui obtiendra la victoire par personnage interposé. De plus, il y a des composantes plus troubles : l'alliance du sexe et de la mort apporte une excitation supplémentaire au chevalier qui sait qu'il peut être tué. Mais être tué en portant la chemise de la Dame aimée, n'est-ce pas la volupté à son degré le plus élevé ? Quant au rôle qu'on fait jouer à Aliénor dans cette histoire, c'est celui de la Maîtresse tyrannique, exigeante, cruelle. Elle n'hésite pas à mettre en danger son chevalier-amant, sachant très bien qu'il est en état d'infériorité physique et qu'il risque gros. Mais, ce faisant, elle recueille une preuve d'amour absolu, puisque le chevalier-amant accepte de se sacrifier pour elle.

Nous sommes encore ici dans le domaine de la problématique courtoise telle qu'elle sera illustrée un peu plus tard dans *Le Chevalier à la Charrette*, de Chrétien de Troyes, largement inspiré par Marie de Champagne, fille d'Aliénor, c'est-à-dire en définitive par Aliénor elle-même. L'obéissance totale de l'Amant à la Maîtresse est nécessaire pour que le chevalier reçoive sa récompense. En l'occurrence, la récompense de Saldebreuil est d'être soigné par la reine. Et le triomphe d'Aliénor se manifeste par son

([4]) Les pratiques masturbatoires du jeune garçon attiré par les vêtements de la mère (ou de la sœur) sont bien connues. Elles n'ont rien d'extraordinaire ni de pervers, mais constituent une étape importante, à la fois biologique et psychologique, dans la maturation de l'individu. L'échange de vêtements qui se pratique dans certaines familles, de façon parfaitement innocente, relève de la même tendance.

([5]) Contrairement à ce qu'on pense communément, le transvestisme n'est pas homosexuel. Un homme qui se travestit en femme passe d'abord par le stade du simple fétichisme, puis, comme il n'est pas satisfait entièrement, il veut s'identifier à la personne aimée, et enfin à la Femme idéale. En un sens, il incarne lui-même la féminité. C'est à partir de là qu'il peut devenir homosexuel par identification complète, mais ce n'est pas une conséquence obligatoire.

exhibitionnisme : elle paraît au repas, vêtue de la chemise sanglante. Ainsi affirme-t-elle qu'elle est désirable, qu'elle est belle, et qu'elle peut obtenir tout ce qu'elle veut de ceux à qui elle commande une action héroïque. Et on ne manquera pas, par la suite, de faire de Saldebreuil l'un des amants de la reine.

C'est la conséquence logique de l'initiation amoureuse qu'entreprend Aliénor auprès de lui. Dans le cadre de l'anecdote, telle qu'elle est rapportée, Saldebreuil, comme de nombreux chevaliers qui entourent Aliénor, est amoureux d'elle parce qu'elle est la Beauté, la Perfection, la Souveraineté. Ses yeux sont aveuglés par la lumière morale qui émane de cette femme. Mais la reine doit choisir celui qui, parmi ses soupirants, est capable de l'aimer jusqu'à la folie. Elle les soumet à une épreuve, donnant en contrepartie un gage, la chemise, qu'elle sait devoir fortifier le candidat. C'est le premier stade de l'initiation : le contact par objet interposé. La deuxième étape est constituée par les soins que prodigue la reine au chevalier blessé. Bien des chevaliers se contentaient d'un simple baiser ou d'un simple frôlement de la main de leur dame. Et pour en arriver là, ils devaient mériter leur récompense, suivre les règles de l'Art d'Aimer, obéir en tous points à leur dame. Saldebreuil a satisfait à l'épreuve imposée. Il reçoit sa récompense. Si, plus tard, il franchit d'autres étapes, s'il se montre un parfait amant, il obtiendra bien plus. C'est pourquoi la légende s'est emparée de cet épisode, et comme on voulait faire d'Aliénor une nouvelle Messaline, on en a conclu à une liaison entre elle et Saldebreuil. Qui sait ?

De toute façon, et n'en déplaise à certains qui veulent voir dans l'Amour Courtois une forme épurée et platonique de l'amour, l'élite intellectuelle du XIIe siècle est hantée par l'érotisme. La poésie des Troubadours est érotique, subtilement dans certains cas, directement dans d'autres, et le contexte des Romans de la Table Ronde baigne dans un érotisme raffiné mais parfaitement charnel. L'image que les chroniqueurs du XIIe siècle ont laissée d'Aliénor ne peut qu'être dépendante de ce cadre. Au fond, Aliénor, c'est la Femme dans toute son intégralité, objet des désirs avoués ou refoulés d'un certain nombre de courtisans ou de poètes. Et le fait qu'on ait attaqué la reine de France sur ses mœurs prouve à la fois l'attrait qu'elle exerçait, au point de vue érotique, et la réprobation qu'elle suscitait en même temps dans son entourage, peu habitué à tant de liberté d'esprit et de corps. Il est bien connu que la Femme est, d'une façon ambiguë, le centre du désir et de la répulsion, objet de plaisir et de dégoût. Et dans le contexte chrétien du XIIe siècle, où se développe le culte marial, Aliénor représente à la fois la salvation (vers des paradis d'ailleurs douteux), et la perdition, en tant qu'être satanique. Il ne peut en être autrement, à l'époque : tout ce qui n'est pas conforme aux normes, tout ce qui sort de l'ordinaire sent le soufre, et l'ombre du diable l'enveloppe dans son auréole de mystères.

La réputation de la reine Aliénor s'est faite sur le scandale de son comportement, réel ou imaginé. L'auteur d'une chronique rimée du XIIIe siècle, Philippe Mousket, ne la présente-t-il pas, après le concile de Beaugency, se déshabillant entièrement devant ses barons et leur disant, sans aucune ombre de pudeur :

« Voyez, seigneurs :
mon corps n'est-il pas délectable?
Le roi disait que j'étais diable! »

Et s'il faut en croire Etienne de Bourbon, prédicateur du XIIIe siècle, elle se serait un jour fait tancer vertement par Gilbert de la Porrée, alors évêque de Poitiers, parce qu'elle lui avait fait un compliment des plus aimables, mais des plus risqués quant aux sous-entendus, sur la beauté de ses mains. Détail véridique ou légende? Peu nous importe, si nous constatons qu'Aliénor n'est pas seulement un personnage mais aussi et surtout le symbole de la femme de son époque. Et cette femme veut se libérer par tous les moyens de la tutelle des hommes, cette femme veut dominer le monde. Alors, tous les moyens sont bons, particulièrement la sensualité qu'elle peut inspirer et grâce à laquelle elle sera écoutée. C'est ainsi qu'Aliénor devint le point de mire de l'Europe. Quand elle eut épousé Henry II, l'auteur d'une satire en langue allemande lui consacra dans ses vers l'impertinente expression de ses désirs : « Si le monde entier m'appartenait, depuis la grande mer jusqu'au Rhin, je voudrais en user pour obtenir que la reine d'Angleterre reposât entre mes bras. » Ce poète anonyme ne fait que dire tout haut ce que pensaient tout bas ceux qui entouraient Aliénor.

La croisade à laquelle participa Aliénor permit à la légende de prendre corps et de se développer encore davantage. Comme les chroniqueurs ne disent pas grand-chose de la reine de France au moment de cette expédition, les racontars allèrent bon train. Et l'une des plus fameuses légendes concernant Aliénor à la croisade est, bien qu'elle soit tardive, celle qui la présente à la tête d'une troupe de femmes et guerroyant contre les Sarrazins.

Il fallait évidemment justifier la présence d'Aliénor et des femmes des autres barons dans l'armée des Croisés. On a dit qu'Aliénor a voulu accompagner le roi de France. C'est peu probable, quoi que ce soit bien dans le caractère de cette femme d'avoir eu l'idée de participer à une expédition guerrière. Or la présence de la reine et de nombreuses femmes dans une expédition guerrière et religieuse était choquante. Les chroniqueurs nous disent que l'atmosphère qui régnait dans l'armée était peu conforme avec les buts sacrés de la Croisade. Alors, soit pour justifier Aliénor, soit pour la montrer sous un aspect encore plus redoutable, plus « diabolique », on en a fait la reine d'une troupe d'amazones fondant sur l'ennemi, le harcelant, mais aussi, c'est le revers de la médaille, prenant des initiatives hasardeuses qui mettent l'ensemble de l'armée dans le péril.

C'est une image très « romantique » de représenter ainsi Aliénor chevauchant un destrier à la tête d'une troupe de cavalières. Cela contribue d'ailleurs à modeler davantage la Femme idéale dont nous parlions. Elle est non seulement cultivée, belle, intelligente, elle est non seulement la détentrice légitime de la souveraineté, elle est également celle qui combat, elle est l'impératrice-guerrière qui sait exalter les foules et les conduire vers la bienheureuse prouesse. De la même façon qu'elle subjuguait un Saldebreuil (lequel était, comme par hasard, dans la troupe des Croisés) en le faisant combattre dangereusement pour elle, elle animait le courage des guerriers, dont un bon nombre étaient parmi ses propres vassaux, mais cette fois pour la bonne cause.

Cette image d'Aliénor conduisant une troupe armée est cependant peu conforme à ce qu'était la Femme courtoise. Celle-ci se contentait de susciter la prouesse du chevalier, mais elle n'intervenait jamais elle-même dans quelque lutte que ce soit. Dans *le Chevalier à la Charrette* de Chrétien de Troyes, la reine Guénièvre, enlevée par Méléagant, roi de Gorre, attend patiemment qu'un de ses chevaliers-servants, Lancelot ou Gauvain, vienne la délivrer. Si la Dame est détentrice de souveraineté, c'est au chevalier à agir. La Femme du XIIe siècle, même si elle occupe un rang qui en fait la responsable d'une guerre, ne participe jamais elle-même à la bataille (6). Il faudra attendre le XIVe siècle pour voir une femme chevaucher à la tête d'une troupe, Jeanne de Flandre, dite « Jeanne la Flamme », épouse du prétendant à la couronne ducale de Bretagne, Jean de Montfort, qui se distinguera à Hennebont par des prouesses dignes du guerrier le plus endurci. Et ne parlons pas de Jeanne d'Arc (7).

Mais dans tout cela, il y a le souvenir de la légende des Amazones, et aussi une série de recoupements avec des héroïnes celtiques, notamment celles que l'on découvre dans les épopées irlandaises. Là, les femmes-guerrières ne manquent pas. Il y a d'abord des reines comme Ness, la mère du célèbre roi d'Ulster Conchobar (8) et Mebdh, la reine de Connaught, redoutable personnage, héroïne de plusieurs récits, en particulier de *La Razzia des Bœufs de Cuanlgé* (9). Ces femmes détiennent évidemment l'autorité suprême, mais en plus, elles interviennent directement dans la bataille à la tête de leurs troupes et se montrent souvent des furies déchaînées. Il en est de même, dans l'Histoire, avec l'aventure de la reine bretonne Boadicée, qui combat avec acharnement contre les légions romaines (10).

Sur un autre plan, mais dans un contexte qui fait remonter ces éléments à une période certainement pré-celtique, il est aussi beaucoup question, dans les épopées irlandaises, de femmes-guerrières, plus ou moins sorcières ou magiciennes, et qui enseignent aux jeunes gens le métier des armes. Généralement, ces femmes-guerrières résident en Ecosse, et les futurs héros irlandais vont s'initier auprès d'elles pour parfaire leur connaissance de l'art militaire. Et en plus du métier des armes, y compris les tours magiques qui peuvent surprendre l'adversaire, ces femmes guerrières sont des initiatrices sexuelles. Elles contractent de véritables mariages temporaires avec les jeunes gens qui

(6) Il y a une exception littéraire dans *La Chanson d'Aliscans*, où Guibourc, épouse de Guillaume d'Orange, tient tête, en l'absence de son mari, aux Sarrazins qui assiègent sa forteresse.

(7) A la fin de sa vie, en 1201, Aliénor sera obligée de prendre elle-même le commandement de la citadelle de Mirebeau assiégée par son propre petit-fils, Arthur de Bretagne.

(8) J. Markale, *L'Epopée celtique d'Irlande*, p. 60.

(9) *Id.*, p. 95-106.

(10) J. Markale, *Les Celtes*, p. 239-242.

prennent pension chez elles, en quelque sorte. C'est ce que raconte un texte comme *L'Education de Cûchulainn* (11), où nous voyons le futur défenseur de l'Ulster quitter sa fiancée Emer pour aller en Ecosse apprendre les tours guerriers et accomplir une véritable initiation sexuelle auprès de femmes-guerrières, dont l'aspect est évidemment un aspect de sorcière, et dont les noms, *Scatach* et *Uatach,* signifient respectivement « celle qui fait très peur (ou celle qui protège) » et « la Très terrible », noms qui en disent long sur leur caractère (11).

Quant au héros du Leinster, Finn, alors qu'il est pourchassé, tout enfant, par les meurtriers de son père, il est élevé et éduqué par des femmes-guerrières à l'aspect de magiciennes, qui font de lui un personnage hors du commun et prêt à affronter tous les dangers qui se présenteront à lui (12). Il en est de même dans l'épopée galloise, où le récit de *Peredur* nous montre le héros allant s'initier aux armes chez les sorcières de Kaer Loyw qui lui enseignent des moyens infaillibles pour vaincre (13).

C'est ce thème de femme-guerrière initiatrice qu'on retrouve dans la légende d'Aliénor conduisant sa troupe d'amazones. L'aspect érotique n'en est pas absent, comme il ne l'était pas de cette autre légende du temps des Croisades, les amours de Tancrède et de Clorinde (14). La guerre et la sexualité sont inséparables, mais dans le cas qui nous occupe, ce ne sont pas les femmes des villes conquises qui étaient promises aux guerriers : c'étaient leurs propres femmes qui les entraînaient au combat, excitant à la fois leur fureur guerrière et sexuelle. On ne s'étonne pas, après cela, que les chroniqueurs aient fait allusion à certains désordres dans l'armée des Croisés.

Cela dit, il est en effet possible que la présence des femmes au sein de l'armée des Croisés ait gêné les opérations militaires. Mais

(11) *Id.,* p. 88-95.
(12) *Id.,* p. 141-149.
(13) J. Markale, *L'Epopée celtique en Bretagne.*
(14) Tancrède est un chevalier chrétien, Clorinde une reine musulmane. Tous deux s'aiment, mais la religion les sépare. Un jour Tancrède combat un musulman inconnu qui n'est autre que Clorinde travestie en guerrier. Il blesse à mort son adversaire et s'aperçoit enfin qu'il s'agit de Clorinde. Le combat de Tancrède et Clorinde, si magnifiquement mis en musique par Monteverdi, est un chef-d'œuvre d'érotisme noir, le combat des deux amants étant évidemment l'équivalent du jeu amoureux qui conduit à l'acte sexuel, et la mort de Clorinde l'équivalent de l'orgasme.

on n'a aucune preuve de la participation d'Aliénor et des femmes des autres barons dans les combats. Il est probable qu'elles formaient un groupe prudemment mis à l'écart et surveillé étroitement par des chevaliers. Le reste n'est qu'invention. Mais cette invention, curieusement, rejoint des mythes anciens et les intègre à l'actualité. Il semble qu'on ait tout fait, du vivant d'Aliénor, pour *mythifier* au maximum le personnage, afin d'en faire le modèle exemplaire de la Femme, telle qu'elle était vue dans un certain milieu intellectuel du XIIe siècle. On avait ainsi l'occasion de montrer une femme détentrice de toute sa personnalité, et on n'a pas manqué de la mettre en avant. On y a réussi, puisque au cours des siècles, nombreux ont été les auteurs qui, faisant fi des données historiques, ont préféré s'attacher à cet aspect légendaire de la duchesse d'Aquitaine.

Ce qui s'est passé à Antioche, pendant cette même Croisade, a donné le coup d'envoi à de nouvelles inventions. Rappelons qu'on ne sait rien de ce qui a réellement eu lieu, mais que selon toute évidence la reine a commis une ou plusieurs infidélités vis-à-vis de son mari. On ne peut expliquer autrement la jalousie exacerbée du roi, la brouille certaine entre les époux, le départ précipité d'Antioche, et plus tard la tentative de réconciliation opérée par le pape Eugène III. Et là les commentaires vénéneux sont allés bon train. On a ressorti la liaison possible entre Aliénor et son oncle Raymond de Poitiers. On a ressorti l'aventure avec Saldebreuil. On a cité d'autres noms, et surtout, on a parlé d'une tentative faite par la reine pour fuir avec un beau Sarrazin, le sultan Saladin lui-même, lequel, rappelons-le, n'avait que douze ans à l'époque.

C'est un auteur anonyme, le Ménestrel de Reims, qui nous a laissé le récit le plus circonstancié de l'affaire, confondant d'ailleurs la ville de Tyr avec Antioche. Selon lui, dès son arrivée à Tyr, Aliénor entendit parler du sultan Saladin et surtout prit plaisir à écouter ce qu'on disait de sa beauté, de sa générosité et de son courage. Elle en tomba ainsi amoureuse sans l'avoir jamais vu et entra en correspondance avec lui. Il reçut fort courtoisement les messagers de la reine de France, et, lui aussi, en entendant ce qu'ils racontaient au sujet de la beauté, de la prestance et de la fine intelligence d'Aliénor, il en devint éperdument amoureux. Il renvoya les messagers avec des présents de grande valeur et une lettre dans laquelle il lui avouait son grand amour. Aliénor lui répondit immédiatement, lui proposant de venir l'enlever afin de l'épouser. C'était un moyen pour elle d'échapper à un mari dont elle appréciait de moins en moins le côté monacal. Toujours par l'intermédiaire de messagers, ils mirent au point un plan d'évasion. Saladin arma une galère qui quitta le port d'Ascalon pour gagner Antioche. Cette galère, ayant Saladin lui-même à son bord, arriva un peu avant minuit. Aliénor quitta alors l'endroit où elle résidait, accompagnée de deux demoiselles qui l'aidaient à porter deux coffres bien remplis d'or et d'argent, et elle se dirigea vers le navire, à l'endroit convenu. Mais, car il y a toujours un « mais » dans ce genre d'histoire, une autre de ses suivantes avait découvert l'affaire. Voyant sa maîtresse se diriger en cachette vers le port, elle courut à la chambre du roi, le réveilla et lui dit : « Sire, un malheur se prépare : Madame veut s'en aller en Ascalon, vers Saladin, et la galère est au port, qui l'attend. Pour Dieu, sire, hâtez-vous ! » Le roi, stupéfait de cette nouvelle, sauta au bas de son lit, s'habilla, s'équipa et fit préparer ses gens. Puis il courut à son tour vers le port. Il trouva la reine qui avait déjà un pied sur la galère, il l'attrapa et la ramena immédiatement à sa chambre. Là, le roi lui demanda pourquoi elle avait essayé de s'enfuir. La reine lui répondit : « Au nom de Dieu, c'est à cause de votre mauvaiseté, car vous ne valez pas une pomme pourrie. Et j'ai tant de bien entendu dire de Saladin que je l'aime mieux que vous. Et sachez bien, en vérité, que de me tenir vous ne jouirez jamais. » Alors le roi décida de partir sur-le-champ, en emmenant la reine avec lui.

Historiquement parlant, l'anecdote ne tient pas debout. Mais les éléments qui s'y trouvent compilés ont une assez grande importance, et il est probable qu'ils traduisent, de façon voilée, les causes profondes de la mésentente entre les deux époux. Aliénor se lassait de Louis VII pour différentes raisons. Il se comportait trop comme un moine, soit en prêtant une oreille complaisante aux clercs, soit en agissant disons timidement dans ses rapports intimes avec son épouse, ce qui n'était sûrement pas du goût de celle-ci, sa sensualité n'étant pas satisfaite. Et puis, Aliénor avait tendance à considérer le roi comme incapable de lui assurer une descendance. Aliénor avait le désir d'être mère. En fait, pendant toutes ces années de mariage, elle n'avait eu qu'une fille. Et il y avait le caractère de Louis VII, fort austère, peu brillant, médiocre politique et encore moins habile à la guerre. Ce n'était pas l'homme qu'il lui fallait. Ainsi s'explique la réflexion que lui prête le Ménestrel de Reims : « vous ne valez pas une pomme pourrie ». On sait que pendant son séjour à Antioche, Aliénor a vraiment envisagé de se séparer de son mari : elle a même mis en avant l'argument de la consanguinité qui n'avait pas effleuré le roi de France. Qu'elle ait pensé s'enfuir avec un autre homme, ce n'est pas impossible : il ne manquait pas de beaux partis à Antioche, puisque toute la fine fleur de la chevalerie européenne se trouvait dans les environs immédiats.

Ce qui est absurde, c'est l'intervention de Saladin. Ce qui ne pouvait être, nous l'avons dit, que le sultan Nour-ed-Din, ce qui est tout à fait improbable. Et l'on ne voit guère Aliénor, chrétienne convaincue en dépit de ses égarements, s'enfuir avec un infidèle. Le nom de Saladin a été projeté dans cette légende parce qu'à l'époque où elle a été recueillie par écrit, le sultan Saladin était le plus connu de tous les adversaires sarrazins des Croisés. Pendant la troisième Croisade, il s'était mesuré avec Richard Cœur-de-Lion qu'il estimait grandement. Il avait une réputation de générosité et de courtoisie, une grande ambition, un courage à toute épreuve. Pour tenter d'expliquer la brouille entre Louis et Aliénor, il était le personnage idéal qui s'interposait entre les époux et qui devenait ainsi le maudit musulman, le responsable du « divorce » d'Aliénor. Il ne faut pas chercher plus loin cette apparition de Saladin.

Par contre, ce qui est intéressant dans cette anecdote, c'est le fait que, d'un côté, Aliénor tombe amoureuse de Saladin sans l'avoir jamais vu, du fait de ses grandes vertus, et de l'autre, Saladin éprouve pour elle un grand amour lorsqu'il entend vanter ses mérites par les messagers. C'est un thème littéraire lancé par les troubadours et qui va obtenir un grand succès dans toute la poésie courtoise, qu'elle soit occitane ou de langue d'oïl. En fait, le thème apparaît dans les légendes celtiques anciennes, particulièrement en Irlande. Il est souvent question d'un héros, ou d'une héroïne, qui, ayant entendu vanter les mérites et la beauté de quelqu'un sans l'avoir jamais vu, va lui offrir son amour. Tel est le cas dans la très curieuse *Histoire de Derbforgaille,* où l'héroïne, une sorte de fée qui peut se transformer en cygne, vient trouver le héros Cûchulainn en lui disant qu'elle l'aime et qu'elle veut être à lui ([15]). On trouve la même idée dans *La Navigation d'Art, fils de Conn :* là, le héros part à la recherche de celle qui lui est promise, qu'il n'a jamais vue, mais qu'il aime déjà d'un grand amour. Il la découvrira, après de nombreuses aventures qui sont autant d'épreuves initiatiques, dans une île féerique, où elle est gardée par des parents cruels et des personnages à têtes de chiens ([16]). Dans l'épopée galloise, le récit de Kulhwch et Olwen est de même nature. Le héros est amoureux, par magie, d'une jeune fille dont il ne sait rien, même pas où elle se trouve ([17]). Et que dire des contes populaires de Bretagne armoricaine? Beaucoup d'entre eux font état de cette recherche accomplie par le jeune héros pour découvrir la Princesse du Soleil, la Reine des Prouesses ([18]) ou la fille d'un roi mystérieux ([19]).

En poésie, à l'époque d'Aliénor, le thème est illustré en particulier par le troubadour Jauffré Rudel, chantre de « l'Amour Lointain ». Une légende, postérieure à Rudel, fait de celui-ci un prince de Blaye tombé amoureux de Mélissende, comtesse de Tripoli, qu'il n'a jamais vue mais dont il a entendu vanter le charme et la beauté. Il s'embarque pour l'Orient, tombe malade en mer et parvient à Tripoli dans un état désespéré. Mais la comtesse, prévenue, accourt à son chevet, et le troubadour meurt dans les bras de celle qu'il a toujours aimée. Cette touchante histoire, qui a servi de base à Edmond Rostand pour sa pièce *La Princesse Lointaine* (1895), a évidemment été inventée de toutes pièces à partir des poèmes de Rudel qui s'adressent effectivement à une femme « lointaine » qu'il ne nomme pas :

« Amour de terre lointaine,
pour vous, tout mon cœur est en souffrance,
et je n'y puis trouver remède
si d'abord je ne me rends,
attiré par un amour grisant,

([15]) J. Markale, *L'Epopée celtique d'Irlande*, p. 106-107.
([16]) *Id.*, p. 184-191.
([17]) J. Markale, *L'Epopée celtique en Bretagne.*
([18]) J. Markale, *La Tradition celtique en Bretagne armoricaine*, p. 39-46, le conte intitulé *La Reine des Prouesses.*
([19]) *Id.*, p. 148-168, le conte intitulé *La Saga de Yann*, dont il existe de très nombreuses variantes.

en un verger, dessous la courtine,
près de l'amie désirée... »

Et le poète de se plaindre de son sort actuel. Il ne peut vivre en dehors de la présence de cette femme mystérieuse :

« Mon cœur ne cesse de désirer
cet objet que j'aime plus que tout,
et je crains de la perdre
en la désirant trop,
car elle blesse plus qu'une épine,
la douleur que je soigne au jeu d'amour,
et dont je ne veux pas être plaint... »

Alors le poète envisage de partir pour les pays lointains à la recherche de celle qui occupe toutes ses pensées :

« Quelle joie, quand je lui demanderai,
pour l'amour de Dieu, l'abri lointain,
et s'il lui plaît, je m'abriterai
près d'elle, quoique venu de loin,
alors, par des paroles amies,
amant lointain si près d'elle,
quelles belles joies seront les miennes ! »

Les chants de Jaufré Rudel offrent un parallèle assez net entre le thème de « l'Amour Lointain » et l'histoire d'amour attribuée à Aliénor et Saladin. Et cela est d'autant plus curieux qu'on a maintenant la certitude que la « Princesse Lointaine », objet de tous les désirs de Jaufré Rudel, n'est autre qu'Aliénor elle-même ([20]). Le troubadour était un des nombreux amoureux d'Aliénor et il a célébré à sa manière un impossible amour, se gardant bien, comme tous ses confrères, de donner des détails qui auraient pu faire reconnaître la Dame. Pourtant, la référence à Blaye, dans la vie romancée de Jaufré, et certains détails concernant la deuxième Croisade, sont fort troublants, et l'atmo-

([20]) Cf. Salvatore Santangelo, *L'amor lontano di Jaufré Rudel*, dans *Siculorum Gymnasium*, 1953, p. 1-28. Il est prouvé que les poèmes de Rudel ont été écrits avant 1148 en l'honneur de la duchesse d'Aquitaine.

sphère générale des poèmes du soi-disant prince de Blaye est bien dans le ton de la casuistique amoureuse qui se développait à l'époque autour de la reine de France. Jaufré Rudel n'a d'ailleurs pas été le seul à composer des chants enflammés sur et pour Aliénor.

Ce qui est important à constater, c'est que la légende d'Aliénor et Saladin n'a pas été inventée au hasard, mais comme pour illustrer un thème littéraire à la mode dans l'entourage de la duchesse d'Aquitaine, protectrice et « Dame » des troubadours. Ainsi se constituait la « mythologie » d'Aliénor en un siècle qui redécouvrait la puissance des symboles.

Et puis, en dehors de cet aspect littéraire, intellectuel de la légende, il y a son aspect moral et social. C'est, une fois de plus, une revendication féministe : le droit à disposer de son cœur et de son corps en dehors de toute contrainte, surtout maritale. Il faut rappeler que nous sommes à l'époque d'Héloïse et Abélard, personnages bien réels et qui ont laissé des écrits significatifs. N'est-ce pas Héloïse, qui, dans une de ses lettres, disait : « *amorem conjugio, libertatem vinculo praeferebam* » (je préférais l'amour au mariage et la liberté à l'esclavage)? On ne peut mieux définir cette tentative de la femme du XIIe siècle pour se libérer de la tutelle masculine. Lorsqu'on prête à Aliénor la réponse cinglante qu'elle fit au roi son époux, le jugeant encore plus vil qu'une « pomme pourrie », on ne fait qu'affirmer solennellement le droit de la femme à choisir en toute liberté son propre destin. Et bien entendu, le sacro-saint mariage est entièrement remis en question. Il n'est plus, selon les théoriciens de l'Amour Courtois, comme plus tard, au XVIIe siècle, pour les Précieuses, qu'un acte social, temporaire comme tous les contrats de ce genre. Encore une fois, sous ces tentatives de libération féminine, nous retrouvons une idée celtique, car chez les anciens Celtes, la Femme jouissait non seulement de beaucoup plus de liberté, mais pouvait prétendre à assumer pleinement sa personnalité dans une société qui considérait le mariage comme un état provisoire et nullement indissoluble ([21]). Le plan d'évasion d'Aliénor et son mariage futur avec

([21]) C'est l'argumentation que j'ai développée dans *La Femme Celte* (Payot, Paris, 4e édition, 1977), montrant d'abord la place de la Femme dans la société celtique et l'image de la Féminité telle qu'elle apparaît à travers les contes et les légendes. Le mariage celtique, même sous l'influence chrétienne en Irlande, n'a été qu'un contrat

Saladin, même si l'anecdote a été inventée, sont des éléments de propagande en faveur d'une libéralisation des mœurs. Des romans comme *Tristan et Yseult* ou le *Lancelot* prolongeront la revendication.

Le « divorce » d'Aliénor et son remariage presque immédiat avec Henry Plantagenêt provoquèrent toute une floraison de contes. Gautier Map ([22]) et Giraud de Cambrie ([23]) rapportent que la reine de France, avant que son mariage ne fût annulé, avait eu des rapports très intimes avec Geoffroy le Bel, le père d'Henry. Gautier Map parle d'adultère consenti par Aliénor, tandis que Giraud de Cambrie avance que c'est par violence que Geoffroy devint l'amant de la reine.

On voit que les deux chroniqueurs ne sont d'accord que sur une seule chose : la reine a eu des relations avec le comte d'Anjou. Il y a tout de même une grande différence entre le viol dont parle Giraud de Cambrie et la liaison volontaire que nous rapporte Gautier Map. Il faut préciser que ces deux hommes sont considérés généralement comme des colporteurs de ragots. Gautier Map était normand, inféodé à Henry II, et il n'est pas impossible qu'il ait voulu faire plaisir à son maître, qui était alors en froid avec Aliénor, en montrant la turpitude de cette femme, qu'il n'aimait guère d'ailleurs. Quant à Giraud de Cambrie, c'était un gallois, très détaché de ce qui se passait sur le continent, et toujours prêt à raconter une anecdote salace dont les héros étaient

provisoire entre deux personnes, et susceptible d'être dénoncé à chaque instant, pour des motifs divers, par les deux parties contractantes. Ainsi le divorce par consentement mutuel existait-il, fait tout à fait exceptionnel dans les législations de l'époque.

([22]) Il déclare dans son *De Nugis Curialum* qu'Henry épousa Aliénor « bien qu'elle ait eu, selon ce qu'on disait en privé, des rapports avec son père Geoffroy ».

([23]) Dans son *De principis instructione,* il prétend que « le comte d'Anjou, Geoffroy, lorsqu'il était sénéchal de France, abusa de la reine Aliénor, en conséquence de quoi, à ce qu'on dit, il avertit plusieurs fois son fils Henry, l'admonestant et lui défendant de la toucher en aucune façon parce qu'il n'était pas convenable qu'un fils épousât une femme que son père avait connue avant ». L'accusation est grave, mais elle est incontrôlable. Elle semblerait vouloir dire que, du vivant de son père, Henry Plantagenêt avait l'intention d'épouser Aliénor. Ce qui est curieux dans cette histoire, c'est que, plus tard, Richard Cœur-de-Lion refusera d'épouser sa fiancée Alaïs de France sous prétexte qu'elle a été la maîtresse de son père Henry II.

pour lui des ennemis de son peuple. Il est hors de doute que les « révélations » de ces deux chroniqueurs sont seulement des racontars.

Et puis, après tout, un grand personnage qui détient une place de choix sur la scène du monde est toujours exposé à ce genre de calomnie. Aliénor n'a pas échappé à la règle. Si c'est une légende, et tout prouve que c'en est une, elle n'est pas mythologique. Elle est tout simplement politique. Elle a permis à certains auteurs d'exhaler leur rancœur à la fois contre Henry II, lequel n'était guère aimé de ses vassaux et de ses commensaux à cause de son autorité et de sa brutalité, et contre Aliénor, qui était l'*Etrangère*. Comme lorsqu'elle se trouvait à la cour de France, on jugeait ses manières peu conformes avec ce qu'on avait l'habitude de voir en Normandie et en Angleterre. Au fond, c'était une vieille querelle qui se vidait à cette occasion : l'antagonisme permanent entre le Nord et le Midi. Le Nord, marqué par un héritage germanique assez fort, peu urbanisé, peu familiarisé avec les belles-lettres, ne connaissant pas le luxe, était quelque peu jaloux de la richesse occitane, et bien entendu envieux d'une civilisation plus raffinée et plus en avance que celle qu'on trouvait dans les pays de langue d'oïl ou de langue saxonne.

De toute façon, il fallait *salir* la duchesse d'Aquitaine. La moindre occasion était bonne pour ce faire. Certes, nous savons qu'Aliénor a eu des contacts avec Geoffroy Plantagenêt, et cela avant son divorce, et que c'est au cours de ces entrevues qu'aurait pu être décidée l'attitude future de la reine de France. Il ne peut pas y avoir de ragot sans une base de départ, mais où les chroniqueurs se sont trompés, c'est qu'ils ont vu une intrigue amoureuse là où il n'y avait qu'un complot politique. Et puis, on ne prête qu'aux riches : on en avait déjà tellement dit sur cette « fille du diable » qu'on pouvait encore continuer. On ne pardonne pas à une femme intelligente et volontaire d'être belle et de manifester ouvertement sa sensualité.

Avec l'aventure entre Aliénor et Bernard de Ventadour, nous retrouvons la poésie et la mythologie. Le plus célèbre troubadour du XIIe siècle était fils d'un soldat et d'une fille de cuisine du château de Ventadour (Ventadorn), dans le Limousin. Le châtelain, Ebbe de Ventadour, était lui-même poète et aimait à s'entourer d'une société de musiciens et d'artistes. Il avait remarqué les dons du jeune garçon et l'avait fait instruire soigneusement. C'est ainsi que Bernard devint poète à son tour et qu'il composa des chants à la louange de son bienfaiteur. Mais Ebbe avait une femme très belle, et Bernard, dit-on, en devint amoureux et lui dédia des poèmes enflammés, ce qui ne fut pas tout à fait apprécié par le châtelain, qui chassa bientôt le troubadour de ses domaines.

Alors, nous dit la *Vie* anonyme de Bernard, tout aussi fantaisiste que celle de Jaufré Rudel, « il partit et alla vers la duchesse de Normandie qui était jeune et de grand mérite. Il fut un bon juge en matière de talent et d'honneur, et fit des chants à la gloire de la duchesse. Les vers et les chants de Bernard plaisaient fort à celle-ci. Elle le recevait et l'honorait, lui faisait des dons et accomplissait tout ce qui pouvait lui plaire. Il séjourna longtemps à la cour de la Duchesse, et devint amoureux d'elle. Et la Dame devint amoureuse de Bernard qui faisait tant de bonnes chansons sur elle. Mais le roi Henry d'Angleterre l'épousa et l'emmena hors de Normandie, en Angleterre. Alors Bernard demeura sur le continent, triste et malheureux ».

On remarquera dans cette légende de grossières erreurs historiques : Aliénor est déjà duchesse de Normandie avant son mariage avec Henri II, et celui-ci est déjà roi d'Angleterre. Cela n'empêche pas la réalité du fait que Bernard de Ventadour, après avoir été prié de quitter le Limousin, s'en est allé à la cour d'Aliénor, probablement à Poitiers. Il était déjà suffisamment connu par ses chants pour que les portes des plus importantes maisons princières s'ouvrissent devant lui. Il est donc incontestable que Bernard a connu Aliénor, à l'époque même de son mariage avec Henry II. Ce que nous ne savons pas, c'est combien de temps exactement, il est resté dans la suite d'Aliénor. Le troubadour du XIIIe siècle, Uc de Saint-Circ, insinue que le roi d'Angleterre prit très vite ombrage des poèmes chaleureux que Bernard adressait à sa protectrice, et il n'est pas du tout impossible qu'Henry ait interdit à la reine de garder le troubadour dans son voisinage.

En tout cas, le germe de la légende se trouve essentiellement dans les poèmes de Bernard. Certains d'entre eux sont « envoyés » (dans l'*envoi* qui termine le chant) au roi et à la reine d'Angleterre, le plus souvent à la reine. Cela ne constitue rien de probant, car c'était un usage très répandu à l'époque que le troubadour dédiât ses œuvres à la femme du Seigneur qui le protégeait, laquelle femme ne pouvait, dans la poétique courtoise, que devenir la *Dame,* cristallisation de toutes les beautés et de toutes les vertus, symbole vivant de la Perfection physique et morale. En fait, Bernard fait une allusion directe à Henry dans cinq de ses chansons et ne désigne nommément Aliénor qu'une seule fois (reine des Normands), mais il ne faut pas oublier que les troubadours avaient coutume de ne pas nommer la Dame de leurs pensées : ils la désignaient sous un *senhal,* c'est-à-dire sous un surnom. En l'occurrence, le *senhal* de la Dame de Bernard est *Mos Aziman,* autrement dit « Mon Aimant ».

On s'est beaucoup interrogé sur l'identité de cet « aimant » du troubadour limousin. Compte tenu du fait que huit poèmes de la période « anglaise » de Bernard font allusion à l'*Aziman* et que trois d'entre eux lui sont dédiés, on a fini par admettre que l'*aimant* n'était autre qu'Aliénor, suzeraine naturelle du troubadour et inspiratrice de bien d'autres poètes. Cette identification a été rejetée par certains critiques modernes ([24]), mais leurs arguments n'étant pas convaincants, on peut affirmer que Bernard de Ventadour a bien écrit quelques-uns de ses plus beaux chants pour Aliénor.

Doit-on pour cela en conclure qu'il y a eu effectivement des rapports amoureux entre Aliénor et Bernard de Ventadour? Là encore, nous en sommes réduits aux suppositions. Bien sûr, on peut citer le fameux poème où Bernard, s'adressant à *Mos Aziman,* la supplie de lui donner l'ordre de venir dans sa chambre, « là où on se déshabille ». Il est vrai qu'un peu plus loin, il ne lui demande que de lui permettre, « à genoux et s'humiliant », de lui ôter sa chaussure, mais pour qui connaît l'érotisme raffiné des troubadours, un tel détail ne fait que renforcer la croyance qu'on peut avoir de la réalité d'une liaison amoureuse entre la reine et le chantre de Ventadour. Et que signifient, dans

([24]) En particulier Zingarelli dans *Ricerche sulla vita di Bernard de Ventadorn.* Dans son article *Rôle littéraire d'Aliénor d'Aquitaine et de sa famille* (*Cultura Neolatina,* XIV, p. 18), Rita Lejeune fait remarquer que tous les arguments de Zingarelli sont à revoir en fonction des déplacements d'Aliénor et d'Henry, lesquels n'avaient aucune résidence fixe. Il est fort probable que les poètes et les musiciens de la cour suivaient les souverains dans leurs voyages.

l'œuvre de Bernard, les perpétuelles allusions à l'histoire de Tristan et Yseult? Bernard se compare lui-même à Tristan,

« qui souffrit maintes douleurs
pour Yseult la Blonde ».

C'est évidemment la preuve que la légende de Tristan était devenue un thème littéraire à la mode. Il l'était d'autant plus que, dans une certaine mesure, Aliénor pouvait incarner le personnage d'Yseult, elle qui avait aimé en dehors du mariage et qui justifiait l'adultère. On ne dira jamais assez combien le roman de *Tristan et Yseult* a été, en pleine austérité chrétienne, un plaidoyer pour l'adultère, une glorification du « péché » en même temps qu'un argument de plus en faveur de la liberté de la femme à aimer qui bon lui semble, en dehors de toutes les contraintes morales et sociales. L'allusion à cette légende prend nécessairement une certaine signification dans la bouche de Bernard de Ventadour, même s'il n'a pas été l'amant réel d'Aliénor. Il pouvait l'être sur un plan idéal — et cela est plus que probable —, mais avec quelque chose de plus : ses poèmes ont un accent de sincérité qui dépasse la simple *technique* employée par les troubadours pour chanter l'amour et les chagrins qu'il provoque. On ne manque pas d'être frappé par l'ardeur et la beauté du poème où Bernard évoque sa séparation d'avec la Dame aimée. Elle est loin de lui, mais la nature sert de lien entre elle et lui :

« Quand la fraîche brise souffle,
venant de votre pays,
il me semble que je respire
un vent de paradis,
par l'amour de la gente
qui m'a soumis à elle,
en qui j'ai mis ma passion
et mon cœur assis,
car de toutes les femmes me suis départi,
pour elle, tant elle m'a charmé... »

Mais, curieusement, la fin du poème peut nous offrir la solution du problème des relations amoureuses entre la reine d'Angleterre et le troubadour limousin. Voici ce que dit Bernard :

« Je suis celui que point ne gêne
le bien que Dieu lui fait :
sachez donc qu'en la semaine
où je me départis d'elle,
elle me dit très clairement
que mes chants lui plaisaient.
Que toute âme chrétienne
en ait joie telle que j'ai eue
et telle que j'ai encore :
car c'est seulement alors qu'elle s'est déclarée. »

Peut-être faut-il interpréter cette strophe par le rappel que fait le troubadour de ses adieux avec Aliénor : il n'y a jamais rien eu entre eux, mais à la dernière minute, la reine s'est déclarée, alors que jamais elle ne l'avait fait avant. Le texte est ici très précis. Nous pouvons donc supposer que l'amour entre Aliénor et Bernard a existé réellement, mais n'a jamais été concrétisé. Au reste, comme tout cela se passait aux premiers temps du mariage d'Aliénor et d'Henry, il est peu probable que la duchesse d'Aquitaine, très amoureuse de son mari, ait eu l'idée de commettre une infidélité.

Il n'en est pas moins vrai que le couple Aliénor-Bernard devient un symbole. Le poète est le chevalier-servant, celui qui ne peut vivre que par la Dame et pour la Dame. Aliénor est la Maîtresse, tyrannique et absolue, unique et parfaite, celle vers qui tous les regards doivent être dirigés. Déjà s'esquisse le visage de la reine Guénièvre dans les romans arthuriens qui seront, directement ou indirectement, encouragés par Aliénor — et par Henry II. Cette maîtresse absolue est aussi la mère toute-puissante qui donne à ses fils la nourriture qu'ils attendent. Cette nourriture, elle est symbolique : c'est la force, qui permettra aux fils d'accomplir le but de toute initiation courtoise : la *prouesse.* Et c'est cette prouesse, une fois accomplie, qui fera des fils-chevaliers des amants parfaits. La légende d'Aliénor et de Bernard de Ventadour est loin d'être dénuée de tout fondement historique, mais surtout, elle rend compte du schéma qui se dessine alors autour des problèmes amoureux : la Dame, l'Amant, et le Mari.

La problématique des troubadours cherchait à résoudre l'antinomie entre l'Amour et le Mariage, sans y réussir d'ailleurs, puisque le résultat de tous leurs chants ou de tous leurs jeux-partis était que l'Amour en tant que sentiment vécu et involontaire ne pouvait jamais coïncider avec le Mariage, acte social volontaire et réfléchi. Mais les rapports entre Aliénor et celui qu'on a appelé le « prince des troubadours » ne pouvaient pas être fortuits : ils découlaient de la nécessité où ils étaient, l'un et l'autre, de trouver les mots qui convenaient pour chanter le *mal d'amour* qui résultait de cette répression sociale. Et c'était encore une occasion pour la duchesse d'Aquitaine de devenir plus que jamais la Reine des Troubadours, celle qu'on honorait plus qu'il n'était de raison, même si c'était à mots couverts :

« Dame, vôtre suis et serai
à votre service donné.
Votre homme suis, et l'ai juré,
et l'étais dès auparavant.
Et vous êtes ma joie première,
et vous serez ma joie dernière
tant que sera ma vie durant... »

Ces paroles enflammées de Bernard de Ventadour ne sont-elles pas conformes à cet idéal rêvé par Aliénor? Au centre de l'univers, une femme merveilleusement belle, entourée par la plus belle société du monde, recevant les hommages de tous les chevaliers qui sont amoureux d'elle, n'est-ce pas le mythe de la reine des Fées, maîtresse absolue du destin des hommes?

Une femme comme Aliénor, à qui l'on prêtait tant d'aventures humaines, ne pouvait échapper, dans le cadre médiéval toujours ouvert au surnaturel, à des aventures extra-humaines. C'est ainsi que l'on racontait qu'elle ne se contentait pas de jouer les Messaline auprès des hommes : elle avait reçu le diable dans son lit, et de ces amours bizarres était né son fils Richard.

Pourquoi Richard et pas les autres? Parce que Richard a été le roi d'Angleterre qui a fait le plus peur aux Français (c'est-à-dire aux partisans des Capétiens). On sait que si Richard avait vécu, il aurait isolé complètement le royaume de France et l'aurait probablement absorbé, faisant de l'Angleterre et de la France un seul et même royaume. Il était beau, intelligent, courageux, fin diplomate, excellent poète, infatigable travailleur, impitoyable dans ses jugements mais d'une équité sans faille. Bref, c'était pour les Capétiens, et pour Philippe Auguste, un adversaire redoutable. Et puis, il avait les défauts de ses qualités : s'il était infatigable dans le travail, il l'était aussi dans la débauche. Et en plus, il avait des mœurs « contre nature ». Lorsqu'il fut libéré de sa prison allemande, Philippe Auguste envoya une lettre à Jean Sans Terre pour l'avertir que « le diable était revenu ». Et Bernard de Clairvaux, qui ne le connut que jeune, aurait prononcé cette curieuse phrase : « Il vient du diable et il y retournera. »

C'est dire que l'origine de cette légende concernant les rapports d'Aliénor avec un diable est à chercher dans le caractère et la réputation de Richard. Mais en fait, ce n'est pas si simple. D'autres éléments, mythologiques et politiques, entrent en ligne de compte.

Au Moyen Age, la croyance dans les démons incubes et succubes est générale. Il s'agit de démons qui revêtent une forme masculine ou féminine et qui se glissent dans le lit des gens pour les tenter et la plupart du temps pour leur faire commettre le péché de chair ([25]). Cette croyance remonte très loin dans le temps puisqu'on la trouve dans des textes bibliques non officiels, comme le *Livre d'Hénoch* à propos de la chute des anges qui s'unirent à des femmes. Comme le dit Geoffroy de Monmouth dans son *Historia Regum Britanniae*, à propos de la naissance de Merlin : « Nous avons lu dans les livres de nos philosophes et dans de nombreuses histoires que beaucoup d'hommes ont été conçus de la sorte. Ainsi que le soutient Apulée à propos du dieu de Socrate, il habite entre la terre et la lune certains esprits que nous appelons des incubes. Ceux-ci participent à la fois de la nature des hommes et de la nature des anges, et quand il leur plaît, ils prennent figure humaine pour approcher les femmes. » Et la mère de Merlin, une jeune fille innocente, explique ainsi ce qui lui est arrivé : « Je n'ai point connu d'homme qui ait engendré en moi. Je ne sais qu'une

([25]) L'origine de cette croyance est facile à déterminer : il s'agit des réactions biologiques inconscientes qui se produisent pendant le sommeil, accompagnées ou non de rêves érotiques. Les succubes, ou démons femelles, ne sont que la culpabilisation de réactions parfaitement inconscientes qui conduisent à ce qu'on appelle des « pollutions nocturnes ». Quant aux incubes, ou démons mâles, ils étaient bien commodes pour expliquer des naissances inopportunes.

chose : comme j'étais avec mes compagnes dans la chambre, à me reposer, alors m'apparaissait souvent un jeune homme de très bel aspect. Et il m'entourait de ses bras et me baisait la bouche. Et au bout de quelques instants, il disparaissait et je ne voyais plus rien de lui. Et quand il m'eut fréquentée longtemps de cette façon, il s'unit à moi sous l'aspect d'un homme et me laissa enceinte. »

Ce texte date de 1135 environ, et il fut traduit, sur ordre d'Aliénor et de Henry II, par Robert Wace, dans son *roman de Brut*, vers les années 1155, constituant ainsi le point de départ littéraire de la légende arthurienne et de celle de Merlin l'Enchanteur. Or, dans le cas qui nous occupe, la référence à la naissance de Merlin est évidente. On a voulu faire de Richard un nouveau Merlin, avec cette différence que l'enchanteur participait de la nature des diables mais utilisait ses pouvoirs pour le bien, tandis que Richard était définitivement classé comme diabolique.

Ce n'est pas l'unique référence à Merlin que nous trouvons dans la légende d'Aliénor. On a prétendu plusieurs fois qu'Aliénor était désignée dans les *Prophéties* attribuées à Merlin et intégrées dans l'*Historia Regum Bitanniae.* On sait que ces fameuses prophéties, qui eurent un incroyable succès, non seulement au XIIe siècle, mais dans les siècles suivants, ont été inventées de toutes pièces par Geoffroy de Monmouth, probablement sur commande de la dynastie anglo-normande. S'il est vrai qu'il y a eu un Merlin historique, le barde Myrddin, originaire du pays des Bretons du Nord, c'est-à-dire de la Basse-Ecosse, s'il est vrai que circulaient de nombreuses légendes bretonnes à ce sujet, l'intention qui a présidé à l'élaboration de ces prophéties est manifestement politique : il s'agissait d'allier les tendances à l'indépendance des Celtes de Grange-Bretagne (essentiellement les Gallois et les habitants du Cornwall) et les intérêts de la monarchie normande contre les Saxons. Les Plantagenêt ne firent pas autre chose : ils encouragèrent la diffusion de tout ce qui était celtique pour appuyer leur politique d'unification et pour se référer à des ancêtres celtes afin de contrecarrer la mauvaise volonté évidente des Saxons à accepter un pouvoir qu'ils considéraient comme étranger.

La référence aux prophéties de Merlin date de l'époque où elle était reine de France. Louis VII avait emmené Aliénor au concile de Sens qui s'était réuni pour juger et condamner les doctrines d'Abélard. On se souvient qu'un vieillard nommé Jean d'Etampes aurait dit à la reine qu'elle était le grand aigle dont parlait l'enchanteur Merlin, ce grand aigle qui étendait ses ailes à la fois sur la France et l'Angleterre. De toute évidence, cette anecdote a été inventée après qu'elle fut devenue reine d'Angleterre, mais elle n'en est pas moins significative de l'état d'esprit qui animait les clercs anglo-normands et de leur volonté de rattacher le destin d'Aliénor au fonds mythologique celtique.

Le thème de l'Aigle fut exploité de nombreuses fois. Le continuateur de Richard le Poitevin, dans un appel adressé à Aliénor prisonnière d'Henry II, s'écrie : « Dis-moi, Aigle à deux têtes, dis-moi : où étais-tu quand tes aiglons, volant hors de leur nid, osèrent lever leurs griffes contre le roi de l'Aquilon? » Et plus loin encore, reprenant les termes de Geoffroy de Monmouth : « Toi, l'Aigle de l'alliance rompue, jusqu'à quand clameras-tu sans être exaucée? » C'est d'ailleurs le moment où circulaient, dans tout l'empire Plantagenêt, ces quelques extraits des Prophéties de Merlin : « L'Albanie [= la Grande-Bretagne] sera secouée par la colère... Un mors sera placé dans ses mâchoires, qui aura été forgé dans la baie d'Armorique. Alors viendra l'Aigle de l'alliance brisée, recouvert d'or, et l'Aigle se réjouira dans sa troisième nichée. »

C'est une allusion à la captivité d'Aliénor, à la mort d'Henry II et à la délivrance de la reine par son fils Richard. Le chroniqueur Ralph de Diceto interprète ainsi la Prophétie : « Aliénor la reine, qui avait été gardée en prison pendant de nombreuses années, reçut de son fils le pouvoir de décréter comme elle le voulait dans le royaume. Ainsi, en ce temps-là, revint en pleine lumière cette prophétie qui, jusque-là, avait été cachée par l'ambiguïté des mots : « L'aigle de l'alliance brisée se réjouira dans sa troisième nichée. » Elle est appelée « aigle » parce qu'elle étend ses deux ailes sur deux royaumes, celui des Français et celui des Anglais. Mais des Français, pour cause de consanguinité, elle fut séparée par divorce. Et des Anglais, elle fut également séparée par emprisonnement, loin du lit de son mari. Son emprisonnement dura seize ans. Ainsi est-elle « l'Aigle de l'alliance brisée » de chaque côté. Et quand on ajoute : « elle se réjouira dans sa troisième nichée », on doit comprendre ceci : le premiers fils de la reine Aliénor mourut en bas âge; Henry, le second fils de la reine, n'atteignit la royauté que pour montrer son hostilité à son père, et il mourut également; Richard, son troisième fils, qui est signifié par la « troisième nichée », a lutté pour exalter le nom de sa mère ([26]).

On peut également rappeler l'interprétation qu'aurait faite Henry II d'une peinture du palais de Winchester représentant des aiglons s'attaquant à un aigle : pour le roi, il s'agissait de ses fils en révolte contre lui. Cela veut dire que l'Aigle était un symbole très répandu à propos de la famille royale des Plantagenêt. Et si l'on veut bien explorer en détail les *Prophéties de Merlin,* on trouvera bien d'autres envolées lyriques qui, par leur imprécision et leur ambiguïté, peuvent s'appliquer à Aliénor et à sa famille. Ainsi ces quelques phrases : « Alors surviendra le bouc du camp de Vénus, aux cornes d'or, à la barbe d'argent, et qui obscurcira toute la surface de l'île. En ce temps-là, les femmes prendront une démarche de serpent, et tout, dans leur attitude, dénotera l'orgueil. Le camp de Vénus sera rénové et les flèches de Cupidon ne cesseront pas de blesser. La fontaine d'Amne versera du sang et deux rois se battront en duel pour la Lionne du Gué du Bâton. » Il peut être tentant, évidemment, de voir Aliénor dans la Lionne que se disputent deux rois, celui de France et celui d'Angleterre. Quant au « camp de Vénus rénové », comment ne pas y voir une allusion aux fameuses cours d'amour qu'aurait présidées Aliénor? Mais on peut aller très loin en ce sens, et les *Prophéties de Merlin,* comme toutes les autres vaticinations de ce genre, peuvent être interprétées comme on veut, et surtout comme les circonstances politiques l'exigent.

L'essentiel à considérer dans cette légende concernant Aliénor qui aurait eu des rapports avec un diable et qui aurait ainsi donné naissance à Richard, est le lien évident qui est fait avec l'histoire de Merlin. C'est l'intrusion de la féerie dans l'Histoire. L'univers de Merlin était un univers de rêve, de fantasmagories, où se cristallisaient toutes les anciennes croyances. On racontait bien que l'ancêtre des Plantagenêt était une fée, une mauvaise fée d'ailleurs. Pourquoi Aliénor n'aurait-elle pas elle aussi un aspect féerique? Elle se plaisait à écouter les récits des aventures extraordinaires prêtées à Arthur et à ses guerriers. Elle commandait des ouvrages qui traitaient de la « matière de Bretagne ». Et

([26]) On notera que Ralph de Diceto élimine complètement les deux filles nées du mariage français d'Aliénor, ainsi que Mathilde, qu'elle eut d'Henry II et qui était l'aînée de Richard.

encore une fois, elle incarnait le féminisme de l'époque. Au nom de la liberté de la femme, pourquoi lui refuser le droit d'avoir des rapports avec le diable? La chose n'était pas incroyable pour les contemporains : ils étaient toujours prêts à trouver quelque chose de diabolique à la femme. Et comme le dit précisément l'auteur du *Roman de Merlin,* à propos de la fée Viviane, « femme est plus rusée que le diable ». Avec sa personnalité hors du commun, sa beauté presque « infernale », Aliénor avait tout ce qu'il fallait pour être, sinon une *diablesse, du moins une femme du Diable.*

La plus connue de toutes les légendes concernant Aliénor, et celle qui a certainement eu la plus grande fortune, est celle qui relate ses rapports avec Rosemonde Clifford, la jeune maîtresse d'Henry II.

On sait que le roi d'Angleterre ne fut pas un époux modèle. Il n'avait épousé Aliénor que pour son ambition et pour ses domaines. Il lui était infidèle, et c'est en grande partie pour se venger de l'abandon progressif de son époux qu'Aliénor suscita la révolte de ses trois fils aînés contre leur père, à la suite de quoi elle fut emprisonnée pendant de longues années. Alors, comme le dit Giraud de Cambrie, « une fois qu'il eut emprisonné son épouse Aliénor, lui qui avait auparavant pratiqué l'adultère en secret, ne se gêna pas et agit au vu et au su de tout le monde, ouvertement et sans honte, avec la Rose du Monde, qui, en l'occurrence, était plutôt une Rose Immonde ». Il s'agit bien sûr de Rosemonde Clifford.

D'après le chroniqueur Higden, cette Rosemonde fut adorée par Henry. Mais il en était atrocement jaloux, et voulant l'éloigner du monde, à la fois pour en écarter des rivaux éventuels et pour la soustraire à une vengeance possible de la reine, il fit bâtir à Woodstock, non loin d'Oxford, un palais en forme de labyrinthe. Il était extrêmement difficile d'y pénétrer car le château était bien gardé de l'extérieur. Et quand on était à l'intérieur, on se trouvait en présence d'un enchevêtrement inextricable de couloirs qui ne menaient nulle part, avec des murs recouverts de glace qui contribuaient à égarer celui qui ne connaissait pas le chemin exact. C'est au milieu de ce palais quelque peu fantasmagorique qu'Henry avait fait construire des appartements pour Rosemonde, et en dehors de quelques servantes, claustrées elles aussi, il était le seul à pouvoir y pénétrer.

On voit ici que cette histoire est bien dans le ton des contes du XIIe siècle, de Marie de France en particulier, où il est toujours question de vieux maris qui retiennent prisonnières leurs jeunes et jolies femmes. C'est notamment le cas pour le fameux lai de *Guigemer*, où le héros parvient par voie de mer jusqu'à la demeure de son amie, qui est une tour, complètement isolée du reste du monde par la volonté d'un vieux barbon jaloux. Donc, l'invention est ici manifeste, même s'il est exact que le palais de Woodstock ait été aménagé vers les années 1170 pour servir de résidence royale selon des plans qui dénotent une influence occitane et orientale.

Mais reprenons l'histoire, ou plutôt la légende. Aliénor, ayant été avertie que son époux cachait sa maîtresse dans le palais de Woodstock, se rend en Angleterre et parvient à corrompre à prix d'or un des maçons qui ont travaillé à la construction de l'édifice. Par ce moyen, elle se trouve en possession du plan détaillé du labyrinthe. Profitant de l'absence d'Henry, elle prend vingt hommes d'armes avec elle et gagne Woodstock. Là, elle cache ses compagnons dans un bosquet et se présente toute seule à la porte du palais. Le portier, qui ne se méfie pas d'une femme sans escorte, abaisse le pont-levis et c'est à ce moment que les hommes d'armes surgissent et parviennent sans difficulté à maîtriser le portier et les quelques gardiens qui sont de faction. Alors la reine les guide à travers les couloirs en s'aidant du plan qu'elle a fait mettre par écrit. Au premier couloir, elle compte huit portes et pousse la neuvième. Elle se trouve dans une nouvelle galerie qui comprend des accès perpendiculaires et obliques. Au troisième croisement, elle prend à droite et compte vingt-cinq pas. A cet endroit se trouve une trappe, peu visible. Elle la soulève et descend six marches. Elle se trouve maintenant dans un obscur caveau. Elle suit la paroi de droite, trois fois la longueur des bras. Elle remonte six autres marches et parvient à un long couloir. Alors, sans hésiter, elle se dirige vers la dernière porte à gauche ([27]).

Aliénor pénètre dans une chambre. C'est la que se trouve la

([27]) On peut remarquer l'abondance des détails et leur précision. On croirait lire un véritable roman policier belle Rosemonde, couchée sur un lit recouvert de draperies et de fourrures. La reine l'empoigne par les cheveux qu'elle avait très longs et dénoués, et elle la transperce de son épée, satisfaisant à la fois sa vengeance et sa haine pour celle qui lui avait enlevé le cœur de son mari ([28]).

Bien sûr, tout est faux dans cette histoire. Rosemonde mourut en 1177 dans un couvent où elle s'était retirée, et cela à une époque où Aliénor était retenue prisonnière et sévèrement gardée. Et il est probable qu'Aliénor avait renoncé depuis longtemps à « récupérer » son mari : elle n'avait donc aucune raison de haïr mortellement cette jeune fille qui, en réalité, elle le savait, avait été la victime d'Henry II beaucoup plus que sa complice. Cela n'empêcha pas la légende de se répandre et d'accentuer le mauvais rôle joué par Aliénor. Dans toute l'Europe, et dans toutes les langues, on se mit à plaindre la malheureuse victime d'une reine sanguinaire. Un passage de la ballade médiévale anglaise *Fair Rosamund* est caractéristique à cet égard :

« La reine alla où se trouvait la dame Rosemonde,
là où elle était comme un ange...
— Enlève cette robe, dit la reine,
rejette ces vêtements riches et coûteux,
et bois ce breuvage de mort
que j'ai apporté pour toi! »

Rosemonde essaye de plaider sa cause, mais Aliénor se montre d'une dureté impitoyable :

« Alors, levant ses yeux vers le ciel,
elle demanda merci pour elle,

([28]) Il y a de nombreuses variantes, bien entendu. Dans l'une d'elles, Aliénor se jette sur Rosemonde, lui arrache ses vêtements, la met entièrement nue dans une baignoire remplie d'eau et fait venir une vieille femme qui lui coupe les veines des deux bras. Et tandis que la malheureuse se saigne à mort, une autre vieille femme arrive et place des crapauds sur ses seins (*Chroniques de Londres*, XIVe s.). On voit que la mise en scène de ce mélodrame était soigneusement étudiée. Une autre version nous montre Aliénor faisant choisir à sa rivale le poignard ou le poison pour mourir. Rosemonde se résigne à boire une coupe de poison. Quelques auteurs plus récents prennent cependant pitié de Rosemonde : pour eux, Aliénor se contente de s'emparer de sa rivale et de l'enfermer dans un couvent. Cette dernière version serait plus conforme à la réalité historique.

et buvant le violent poison,
elle perdit aussitôt la vie... »

A la suite des nombreuses ballades qui furent composées sur le thème, la belle Rosemonde devint une véritable héroïne romantique et fut célébrée par de nombreux poètes et écrivains, non seulement en Angleterre, mais un peu partout en Europe. En 1707, Addison emprunta le sujet pour un livret d'opéra, et au XIXe siècle, Franz Schubert utilisa l'argument pour un ballet qui devint célèbre. Comme dans les tragédies raciniennes, on assistait à une lutte sournoise et devenant violente entre deux types de femmes, l'un celui de la douce jeune fille timide, prisonnière de son destin, l'autre celui de la femme passionnée, jalouse, autoritaire. C'est probablement ce qui a séduit les poètes et le public toujours disposés à accentuer le manichéisme des situations dramatiques.

Mais en l'occurrence, si on a voulu noircir le visage d'Aliénor, on y a parfaitement réussi avec cette histoire. La duchesse d'Aquitaine, de vierge folle, était devenue meurtrière après avoir été adultère et sorcière. Si elle avait jeté le trouble autour d'elle et déclenché une véritable adoration de la part de ses commensaux, Aliénor avait réussi à déchaîner une haine farouche autour d'elle, et c'est cette haine qui transpire dans la plupart des légendes qui la concernent. Mais paradoxalement, son personnage sort grandi de cette boue où on a voulu l'ensevelir : car, en définitive, c'est un hommage de plus à son caractère extraordinaire et à sa personnalité hors du commun.

Une autre ballade médiévale anglaise a beaucoup circulé sur la reine d'Angleterre, la fameuse *Confession de la Reine Aliénor,* et cette ballade est remplie de calomnies contre elle. Qu'on en juge :

« Une fois que la reine Aliénor était malade
et comme elle avait peur de mourir,
elle envoya chercher deux moines de France
pour qu'ils vinssent rapidement la confesser.
Alors le roi (29) fit descendre tous ses nobles,

(29) Henry II, qui soupçonne sa femme d'infidélité et qui veut profiter de la situation pour faire parler Aliénor.

un à un, par deux, par trois.
— Comte maréchal [30], dit-il, allons confesser la reine,
tu vas venir avec moi! »

Le comte maréchal est plutôt mal à l'aise. La proposition du roi tourmente sa conscience. Il se fait prier, mais finit par obéir à son maître. Tous deux s'habillent alors comme des moines et vont au chevet de la reine. Celle-ci s'assure qu'ils sont bien des moines français et non des Anglais, puis elle commence sa confession :

« La première vilenie que j'ai commise,
je ne vous la cacherai pas :
le comte maréchal a eu ma virginité
sous ce drap d'or.
— C'est un vilain péché, dit le roi,
puisse Dieu te le pardonner!
— Amen, amen, dit le comte maréchal
en parlant d'un cœur très lourd.
— Voyez-vous là-bas ce petit garçon
en train de lancer la balle?
C'est le fils aîné du comte maréchal,
et je l'aime plus que tous les autres!
Voyez-vous là-bas ce petit garçon
en train d'attraper la balle?
C'est le plus jeune fils du roi Henry,
et c'est celui que j'aime le moins! »

Le roi ne peut en supporter davantage. Il s'écrie que ce petit garçon est justement son préféré, puis,

« Le roi rejeta ses vêtements de moine
et apparut tout en rouge.
La reine poussa un cri et tordit ses mains,
et elle dit qu'elle était trahie.
Le roi regarda par-dessus son épaule gauche,
son regard était terrifiant,

(30) Vraisemblablement Guillaume le Maréchal, compagnon et confident d'Henry II, puis fidèle serviteur de Richard et d'Aliénor

— Comte maréchal, dit-il, si ce n'était mon serment [31], tu aurais été pendu ! »

Il est évident qu'avec cette ballade, nous sommes en plein délire. Certes, Guillaume le Maréchal, car il ne peut s'agir que de lui, a été, depuis le second mariage d'Aliénor, un fidèle compagnon du couple royal, mais rien ne peut laisser supposer qu'il y ait eu des relations intimes entre lui et la femme de son roi. Quant à sa virginité, Aliénor l'avait perdue depuis fort longtemps, bien avant de connaître Henry II et son confident. Encore une fois, il fallait *salir* Aliénor, et tracer d'elle un portrait de femme voluptueuse, de femme sans scrupules, en multipliant les aventures amoureuses qu'elle aurait eues. Bien sûr, le comportement d'Aliénor a toujours permis de telles suppositions, mais en dehors de l'élément historique qui s'attache à ces inventions, il y a autre chose, sur un plan tout différent et qui nous amène à examiner la légende d'Aliénor sous son aspect le plus mythologique.

On ne peut manquer en effet d'être frappé par le fait que, sauf dans le cas de Rosemonde, il est toujours question d'inceste et d'adultère. Cette légende d'Aliénor pourrait s'intituler « de l'adultère considéré comme un des beaux-arts ». La haine et la défiance qu'elle inspira ne suffisent pas à expliquer une telle accumulation d'aventures prêtées à la reine-duchesse. Pour cela, il faut se référer encore une fois au cadre dans lequel se sont développées ces aventures réelles ou fictives et dépasser l'individu Aliénor pour en arriver à ce qu'elle représente.

Dans de nombreux commentaires de la vie d'Aliénor, un nom revient souvent pour qualifier la deux fois reine : on la compare à Messaline. C'est avoir une vue bien courte du phénomène Aliénor. Rien n'est plus inexact que de faire d'elle l'équivalent de la femme de Claude. Cette dernière a été réellement une nymphomane (même si ce qu'on raconte sur elle est exagéré) qui passait ses nuits dans les bordels de Rome pour assouvir une sensualité quelque peu perverse. Le cas d'Aliénor est totalement différent : ce n'est pas une nymphomane, et les adultères qu'on

[31] Le roi, pour décider le comte à l'accompagner, a fait le serment de ne rien retenir de ce que dirait la reine.

lui prête sont loin d'être prouvés ([32]). C'est seulement une femme qui affirme son droit à la liberté. Et en fait, c'est cela qu'on ne peut tolérer, c'est cela qu'on ne peut lui pardonner : quand une femme de n'importe quel milieu se manifeste par des allures trop libres, la tendance générale est de la considérer comme une femme de mœurs légères, voire de prostituée. A plus forte raison, quand une femme épouse un homme plus jeune qu'elle, elle est accusée de dévergondage et de perversité ([33]). Dans les sociétés qui nous régissent — et c'était aussi vrai au XIIe siècle —, la femme qui ne se cantonne pas à un rang inférieur et qui met en avant sa personnalité est nécessairement en dehors des normes admises, et la bonne conscience de la collectivité la rejette dans les ténèbres de la culpabilisation ([34]).

De plus, nous touchons, avec le personnage d'Aliénor, le thème de la Souveraineté. Dans la tradition celtique qui, au XIIe siècle, remonte à la surface non seulement dans les îles Britanniques mais en Armorique et en Occitanie, cette Souveraineté est incarnée par la Femme. Aliénor, en se mariant avec Louis VII, lui a apporté ses propres domaines d'Aquitaine et du Poitou. En « divorçant », elle reprend ce qui lui appartient de droit et le redonne à Henry II en l'épousant. Elle est donc, réellement, détentrice de souveraineté, et durant toute sa vie, elle s'arrange pour qu'on le sache. Il était donc normal d'aller plus loin et de faire de cette souveraine temporelle le symbole de la Puissance

([32]) Seul peut être retenu contre Aliénor ce qui s'est passé à Antioche et qui a provoqué la rupture entre elle et Louis VII. Encore ne savons-nous pas ce qui s'est effectivement passé. Aucune autre accusation n'est appuyée sur une preuve, ou même une présomption de preuve.

([33]) Par contre, un homme âgé qui épouse une toute jeune fille est respectable et respecté. A l'époque d'Aliénor, de nombreux hommes mûrs épousaient des princesses de 11 ou 12 ans. Personne ne criait au scandale. Mais le mariage de Geoffroy Plantagenêt avec l'impératrice Mathilde plus âgée que lui avait déjà provoqué des commentaires péjoratifs. Alors, quand Aliénor, moins de deux mois après son « divorce » avait épousé le jeune Henry, ce fut évidemment l'occasion de ramasser tout ce qui traînait en fait de ragots.

([34]) C'est le sens qu'on peut donner à une légende bien connue, celle de la ville d'Is : la ville est entièrement sous l'autorité de la princesse Dahud, ce qui est intolérable. La légende va donc inventer des débauches sans nom qui sont imputées à la princesse, ce qui justifiera le châtiment divin infligé à la ville, à ses habitants et à la princesse responsable. Et la culpabilisation de Dahud, dont le nom signifie « Bonne Sorcière », conduit à un *engloutissement* sous les eaux de la mer, c'est-à-dire, symboliquement, à un rejet dans l'inconscient. Voir mon chapitre sur « La Princesse engloutie » dans *La Femme Celte*, p. 61-109.

mise en œuvre par l'Homme. Dans les contes irlandais, le futur roi part toujours à la quête de la Femme, et il ne peut devenir roi que lorsqu'il a conquis celle qui lui était destinée. Il en est de même dans les contes populaires armoricains, où nous voyons souvent un jeune homme pauvre, d'un milieu on ne peut plus ordinaire, devenir, après de multiples aventures qui sont autant d'épreuves initiatiques, un prince ou un roi en épousant une fille qu'il a littéralement « gagnée ». La tradition populaire a gardé intact le symbolisme des anciennes mythologies ([35]). De la même façon, un roi impuissant n'est pas capable de régner, puisque son autorité réside symboliquement dans l'union qu'il réalise avec la Femme titulaire de la Souveraineté. Et ce n'est, ni plus ni moins, que l'aspect social du *hiérogame,* c'est-à-dire du mariage sacré entre le mortel et la Déesse. Dans l'épopée babylonienne, quand la déesse Ishtar propose à Gilgamesh de s'unir à elle, c'est pour lui communiquer une partie de son pouvoir. Gilgamesh refuse pour diverses raisons, mais le sens du hiérogame apparaît nettement. Il en est de même dans l'*Odyssée,* où Ulysse refuse de partager la couche de Circé tant que celle-ci ne lui a pas juré de ne pas porter atteinte à sa virilité. Car le contact avec la Déesse, c'est-à-dire la Souveraineté, peut se terminer par la castration si le mortel (= l'Homme) n'est pas capable de supporter l'infinitude de la divinité. Donc seuls les élus, c'est-à-dire les initiés, ceux qui ont fait la preuve de leur valeur, sont capables d'assumer la lourde charge de Souveraineté.

Or, dans tous les textes traditionnels, et particulièrement dans les anciens récits celtiques, la Femme qui détient la Souveraineté a une activité sexuelle importante. Elle partage sa couche avec de nombreux hommes, et quand elle est mariée, elle est *nécessairement* adultère. Un exemple typique se trouve dans la légende irlandaise de la reine Mebdh. Cette héroïne d'épopée, reine de Connaught, a épousé le roi Ailill. Mais c'est par son mariage

([35]) Le plus caractéristique de ces contes est certainement *La Saga de Yann,* que j'ai publiée dans *La Tradition celtique en Bretagne armoricaine,* p. 148-168. Le jeune héros n'a absolument aucun droit à être roi. Il est vraiment un « usurpateur », mais ce droit, il l'a conquis de haute lutte en faisant la preuve qu'il était capable d'assumer les plus hautes responsabilités, le tout symbolisé par l'amour qu'il inspire à une princesse féerique. Légalement, c'est en épousant la princesse qu'il devient roi d'un pays dont l'ancien roi, injuste et incapable, a été éliminé par la princesse elle-même.

qu'elle a permis à celui-ci de devenir roi : sans elle, il n'est rien, et d'ailleurs même avec elle, il n'est pas grand-chose, se bornant bien souvent à permettre la victoire par sa seule présence à la bataille, et se contentant d'être le pivot théorique d'une société de type horizontal [36]. Le moteur même de l'action populaire, pourrait-on dire, c'est la reine, animatrice des énergies et des volontés pour qui tous les moyens sont bons pour arriver au but. C'est la justification de son adultère quasi permanent. Quand elle a besoin des services d'un guerrier, elle lui promet, doux euphémisme des textes irlandais, *l'amitié de ses cuisses,* ou *l'amitié de sa hanche.* Et elle ne se contente pas de promettre : elle tient parole. Ainsi dans la grande épopée de *La Razzia des Bœufs de Cuanlgé,* elle s'écarte bien souvent de la troupe avec le héros Fergus, qui est l'un de ses lieutenants les plus indispensables. Et son mari, le roi Ailill, faisant passer sa jalousie au second plan, trouve bon d'expliquer à ses compagnons : « Il était nécessaire qu'elle agît ainsi pour le succès de l'expédition [37]. »

Cette conception de la reine adultère est fort ancienne et se réfère évidemment au mythe de la Souveraineté : la Femme qui incarne cette souveraineté doit la partager avec des hommes qui agissent en son nom mais qui ont besoin de cette sorte de transmission de pouvoir par l'union sexuelle. Le désir masculin est nécessaire pour stimuler l'ardeur belliqueuse, donc l'action au profit de la collectivité. La reine, qui incarne la collectivité, se doit de susciter ce désir masculin. C'est le cas dans ce qu'on appelle improprement l'Amour Courtois : la Dame, objet des désirs des chevaliers, les excite à accomplir des prouesses pour elle. Mais d'un autre côté, s'il n'y a pas connivence, complicité, entre la Dame et son amant potentiel, rien ne peut se passer. Le contact de la Divinité était indispensable aux héros de l'Antiquité classique pour atteindre la plénitude de leurs moyens. Le contact de la Reine, détentrice de la Souveraineté, est indispensable aux héros celtiques pour qu'ils accomplissent des actions d'éclat au bénéfice de la Reine, c'est-à-dire de la collectivité. Il en est de même dans le contexte de la *fine amor* du XIIe siècle, et Aliénor

[36] Je me suis expliqué assez longuement sur la conception celtique de la royauté, et sur le système horizontal qui caractérise leur société, dans *Le Roi Arthur et la Société celtique* (Payot, Paris, 1976), notamment dans le chapitre consacré à « l'originalité celtique », p. 351-396.

[37] J. Markale, *L'Epopée celtique d'Irlande,* p. 95-106.

d'Aquitaine incarne très nettement le personnage pivot de ce système.

Il n'est donc pas étonnant de trouver tant d'allusions à ses adultères dans la légende que les contemporains nous ont tracée d'elle. Ce ne sont pas des adultères réels, mais parfaitement symboliques et en accord avec ce qu'elle représente dans le contexte de la société de son temps. C'est la Prostituée Royale, qui dispense ses pouvoirs à qui bon lui semble, au mieux des intérêts de la communauté. Et c'est aussi l'image historicisée de la Grande Déesse, qui elle aussi se prostitue dans le temple, cette Grande Déesse qui est la seule capable de donner les moyens de vaincre aux audacieux qui acceptent de s'unir à elle. Et nous verrons combien cette image est importante, dans le cas d'Aliénor, lorsque nous découvrirons qu'elle a servi de modèle à la reine Guénièvre, l'épouse infidèle — il ne peut en être autrement — du roi Arthur des anciennes légendes celtiques.

5

De Guenièvre à Mélusine

L'image que nous a laissée l'Histoire de la reine Aliénor est une image faussée par des racontars et des médisances. Nous avons vu comment et pourquoi s'était développée la légende d'une Aliénor frivole et adultère. On a voulu systématiquement en faire une Messaline alors que rien ne permettait de l'affirmer. C'est en définitive la preuve que tout personnage historique ne peut échapper au mythe. Le mythe s'infiltre partout et, avec une ténacité obscurément active, il réduit — ou transcende — ceux que le destin a placés sur le devant de la scène du monde. L'Histoire n'est que le récit d'une mythologie constamment réactualisée au gré des circonstances.

Les composantes de la légende d'Aliénor se trouvent dans les préoccupations de l'époque. Ces préoccupations sont de tout ordre. On y voit une motivation d'abord politique : il fallait se débarrasser d'Aliénor lorsqu'elle était reine de France parce qu'elle gênait un ordre moral établi depuis des siècles par une Eglise toute-puissante et surtout maîtresse de la monarchie française. Aliénor a été rejetée par l'Eglise comme suspecte de vouloir une transformation profonde de la société féodale du Nord. Une fois séparée de Louis VII et remariée au Plantagenêt, il fallait évidemment la déconsidérer par tous les moyens : il était inadmissible qu'une ancienne reine de France triomphât et devînt plus puissante qu'auparavant. Et puis, surtout, la querelle entre les Capétiens et les Plantagenêt apparaissait comme un élément essentiel de l'équilibre politique en Europe. On ne constitue pas une nation avec des paroles : il faut que les peuples qu'on gouverne soient « manœuvrés », et quelle manœuvre plus habile y aurait-il en dehors du développement de l'agressivité? Il importait donc au premier chef que chacun se sentît agressé par l'autre. Quel merveilleux sujet de discorde que cette ancienne reine de France passée à l'ennemi...

Une autre motivation est d'ordre religieux. Il peut paraître surprenant de prétendre qu'Aliénor fut un symbole religieux, mais c'est pourtant ce qui ressort d'une analyse de la légende. A partir du moment où une femme est héroïsée par la voix des poètes et par la voix du peuple, elle passe du domaine humain au domaine surnaturel. Or, si l'on tient compte de la mystique chrétienne du XIIe siècle, la femme est l'être qui sauvera l'humanité des puissances diaboliques et qui lui montrera le chemin qui mène à Dieu. Le culte de Marie, médiatrice entre Dieu et les hommes, si implanté dans les rites religieux du siècle, est un témoignage de cette volonté profonde de hisser un être au sommet de la hiérarchie pour en faire le modèle unique. L'humanité souffrante est une femme. L'Eglise est une femme, l'épouse du Christ. Atteindre Dieu, c'est donc passer par la femme. Et comment passer par la femme sinon en l'*aimant,* c'est-à-dire en cristallisant en elle toutes les aspirations, fussent-elles les plus inavouables et les plus refoulées? Aliénor, reine de légende, symbolisait l'amour terrestre par lequel on accédait à l'amour du seigneur, qu'il fût le suzerain féodal ou le suzerain des suzerains, Dieu lui-même.

Une troisième motivation est nettement d'ordre mythologique et découle des deux précédentes. On avait besoin du mythe d'Aliénor au XIIe siècle, dans un monde déchiré par la lutte permanente du bien et du mal. En l'image symbolique de la femme se révélait un principe de féminité dont l'humanité avait été frustrée jusqu'à ce jour. Comment pourrait-il en être autrement quand on en vient à rabaisser la femme au rang de reproductrice ou de servante, comme ce fut le cas sous la tutelle d'un christianisme phallocratique, parce que culpabilisé par la faute d'Eve. A force d'étrangler le mythe féminin, on a fait en sorte que ce mythe a resurgi plus violemment qu'il ne l'avait jamais fait. Aliénor constituait un excellent support pour un mythe qui ne demandait qu'à prendre corps. Ce fut le mythe d'Aliénor d'Aquitaine, reine des troubadours, certes, mais également reine des hommes de bonne volonté qui ne savaient plus comment il fallait faire pour vivre en paix les uns avec les autres. Ainsi s'expliquent les images stéréotypées d'Aliénor, images que nous retrouvons non seulement dans la littérature du temps mais aussi dans celle qui va se prolonger au cours des siècles suivants.

Mais là, une besogne de décryptage s'impose. De la même façon que de nombreux troubadours ne nommaient Aliénor que sous des termes ambigus ou analogiques, les œuvres littéraires vont maintenant nous transmettre le portrait idéalisé de la reine des cours d'amour. Et c'est dans trois directions principales qu'il faut se diriger pour la reconnaître : vers Yseult, vers Guénièvre et vers Mélusine, trois héroïnes de légende qui ont marqué d'une façon ou d'une autre la tradition occidentale.

Nous avons vu combien la légende d'Yseult, ses amours avec Tristan, constituaient un excellent thème pour les discussions sur l'amour. Nous savons qu'Aliénor a dû connaître très tôt cette légende et en encourager la diffusion. Or la légende de Tristan et Yseult est une sorte de glorification de l'adultère, donc un défi au mariage. On peut supposer à juste titre que la duchesse d'Aquitaine, voulant rompre son mariage avec le roi de France, a considéré d'un œil favorable le sort d'Yseult, tourmentée entre son devoir et son amour. Mais précisément, cet amour mettait en évidence la puissance de la femme, en proposant *la quête de l'Homme par la Femme*. Aliénor ne pouvait que se reconnaître dans Yseult. Et si elle s'y est reconnue, les poètes ont également fait cette identification. C'est pourquoi on peut affirmer que de nombreux portraits d'Yseult, chez Béroul, chez Thomas et chez des écrivains postérieurs, ont été conçus sur le modèle de la reine Aliénor. Le caractère solaire du personnage s'y prêtait d'ailleurs facilement. Yseult, divinité solaire des anciens Celtes, se permettait d'illuminer Tristan, symbole lunaire : c'était reconnaître la primauté d'Aliénor, c'était mettre en avant l'éblouissante renommée de celle-ci. Alors la légende vient au secours de l'Histoire en donnant à celle-ci les éléments qui lui manquent pour impressionner le regard du peuple.

La légende d'Aliénor en fait une héroïne de roman. A l'époque, qui pouvait démêler le vrai du faux et croire qu'Aliénor était innocente des aventures amoureuses qu'on lui attribuait? *Tristan et Yseult*, c'est une fresque admirable qui bafoue les valeurs traditionnelles, enfonce un coin dans le sacro-saint mariage et défie l'Eglise, gardienne farouche des unions conjugales lorsqu'elle jugeait bon de ne pas les annuler pour des raisons politiques ou économiques. En fait, cette entreprise séditieuse se servait du personnage d'Aliénor pour démontrer l'incompatibilité de l'amour et du mariage. Et à quoi bon respecter les lois en vigueur puisque Dieu, d'après la version de Béroul, *protège les amants et les garde de tous leurs ennemis*. Si Dieu est le premier à bafouer les lois, comment n'en serait-il pas de même pour les pauvres humains? Certes, Béroul a beau répéter tout au long de son texte que si Tristan et Yseult s'aiment, ce n'est pas de leur faute mais à cause du philtre qu'on leur a fait boire par mégarde, une lecture attentive rétablit la vérité : Tristan et Yseult s'aimeraient sans le secours du philtre. Et cela est conforme à l'archétype irlandais de la légende, *La Poursuite de Diarmaid et Grainné,* où la volonté magique de l'héroïne suffit à provoquer l'amour de l'homme. Le philtre est une invention commode pour faire accepter une situation que le christianisme ne pouvait juger que scabreuse.

De plus l'Yseult des romanciers français est une reine *courtoise.* Elle est cultivée, raffinée. Elle aime la poésie et la musique. Elle est aussi, et c'est très important, magicienne. Elle guérit les blessures empoisonnées, ce qui est la trace de ses pouvoirs surnaturels dans l'archétype. Elle est celle qui règne sur une cour peuplée de chevaliers jeunes et bien appris. Ses serviteurs sont de noble famille et sa suivante Brengaine n'est autre qu'une des figurations de l'ancienne déesse galloise de l'amour, Branwen, fille de Llyr et sœur du héros Brân le Béni. Et quand on vient nous dire que Brengaine s'est trompée de vase et a donné par mégarde le philtre à boire à Tristan et à Yseult, il faut lire entre les lignes : c'est sciemment que, sur l'ordre de la future reine de Cornouailles, la suivante verse le contenu du vase dans le hanap d'argent. Symbole, évidemment, mais pourquoi ne pas y voir la signification la plus claire qui est celle de l'union de deux êtres que rien ne peut séparer, surtout pas les interdits et les lois qui régissent le commun des mortels? Car enfin, dans le cadre de cette société aristocratique du XIIe siècle, l'amour n'est pas fait pour les manants : seuls les gens de qualité sont capables d'aimer. C'est en tout cas ce qui ressort de la lecture des troubadours et des textes relatifs à Tristan et Yseult. L'esprit de caste, la toute-puissance de la chevalerie, les ambiguïtés du système féodal, tout cela concourt à l'élaboration d'une doctrine valable pour des initiés. Quand la reine Yseult se trouve dans la forêt du Morois, vêtue comme une paysanne, elle se sent mal, et si on analyse en détail le texte de Béroul, on s'aperçoit qu'après tout, c'est la véritable raison pour laquelle elle renonce à Tristan et demande à se réconcilier avec le roi Mark. Il y a loin de la Grainné du récit irlandais à l'Yseult de Béroul ou de Thomas, et tout se passe comme si l'on avait pris comme modèle la femme d'un roi contemporain. Or, ce qui est significatif, dans la version de Thomas, ce n'est pas sur le royaume de Cornouailles que règne Mark, mais sur l'Angleterre, et sa capitale est Londres. On ne dira pas que Thomas, qu'on surnomme d'ailleurs « d'Angleterre », n'a pas voulu rendre hommage à son seigneur le roi Henry II. Il fait un éloge sans mesure de la ville de Londres, la plus riche cité du monde. Mais en accomplissant son devoir de loyal serviteur d'Henry, il identifiait par la même occasion la reine Aliénor à Yseult la Blonde.

On pourrait opposer à cela que jamais Aliénor n'a connu de situation semblable à celle d'Yseult. Mais ce n'est pas sur le plan de l'histoire que les auteurs ont voulu procéder à l'identification : c'est sur le plan de la « courtoisie » et de la renommée. C'était autrement habile et cela permettait de mettre en valeur encore une fois la couronne anglaise face à la couronne française concurrente. Quant à Tristan, amoureux mais chevalier servant de la reine, il symbolisait assez bien les liens qui attachaient traditionnellement Aliénor à ses vassaux : à lui seul, il était la chevalerie au service de la reine-duchesse. On voit que sous l'aspect mythologique, on retrouve assez facilement le contexte politique qui ne peut en aucun cas être disjoint.

Yseult, telle que l'ont décrite les romanciers de langue française, qui étaient tous des sujets d'Aliénor, c'est une Aliénor idéalisée, transcendée, magnifiée par un mythe qui la rend encore plus extraordinaire, plus inaccessible aussi. Yseult, c'est la femme qui choisit son destin librement et qui l'assume jusqu'au bout. C'est un hommage rendu à la tenacité et à la fermeté dont Aliénor fit toujours preuve dans la vie.

Cependant, un personnage éclipse tous les autres si l'on essaye de découvrir le visage d'Aliénor sous les masques des héroïnes de romans courtois. Il s'agit de Guénièvre, l'épouse du roi Arthur.

On connaît la légende. Guénièvre épouse Arthur avant que celui-ci soit au faîte de sa gloire. Elle se montre d'abord, si on en croit le texte du *Lancelot en prose*, une épouse modèle et effacée, ce qui ne l'empêche pas d'avoir des admirateurs passionnés, selon la mode courtoise et les lois de la *fine amor*. Comme elle représente indéniablement la souveraineté qui est mise en action par Arthur, elle se trouve donc au centre de la cour, mais seulement dans la mesure où elle fait converger les regards des chevaliers qui ont prêté serment à son époux. Elle justifie en quelque sorte et stimule le zèle de tous ceux qui se sont décidés à s'engager aux côtés d'un grand roi. Il faut voir avec quelle admiration on nous parle d'elle. Elle est à l'image d'une divinité descendue sur terre pour le bien de chacun. Elle peut aussi représenter la Mère qui rassemble autour d'elle la communauté de ses enfants, tous ceux-ci étant unis par des liens d'interdépendance assez étroits et doués d'une égalité parfaite. C'est ce que symbolise la Table Ronde, qui, à l'origine, n'était pas du tout une table mais la réunion des guerriers autour d'un foyer (1). Comme ils étaient assis en rond, il n'y avait pas de prééminence et chacun était l'égal de son voisin, la reine étant la seule à se distinguer. On voit tout le parti que les auteurs des romans de la Table Ronde ont tiré de cette situation : ils décrivaient les grandes lignes d'une société idéale, communautaire, réservée bien entendu à une classe de privilégiés, ou d'initiés, société qui trouvait son cheminement naturel dans l'exploitation de la sensibilité et des rapports affectifs. En somme, le monde arthurien était un grand rêve dont les données se dessinaient à travers la cour bien réelle que tenait Aliénor un peu partout, mais surtout à Poitiers.

Bien sûr, cette « sagesse » de Guénièvre ne dure pas. Une fois le

(1) L'invention de la cheminée murale date du XIIe siècle. Auparavant le foyer était sinon au milieu de la pièce, du moins dans un espace éloigné du mur. Un trou dans le toit permettait l'évacuation de la fumée. Le plus simple, pour les repas, était de se réunir autour de ce foyer, de s'asseoir en cercle et de partager la nourriture qui y cuisait. Cette façon de procéder était caractéristique des Celtes, d'après les textes irlandais qui sont très précis à ce sujet. C'est probablement de cette notion de repas pris en commun et en cercle autour du foyer que provient l'image de la Table Ronde.

chevalier Lancelot arrivé à la cour, tous les engagements moraux de la reine seront rompus par la force de la passion qui l'unit à celui qui sera bientôt le « meilleur chevalier du monde ». Dans le *Lancelot en prose,* cette passion exclusive de Guénièvre pour Lancelot est révélatrice d'un certain état d'esprit. En effet, s'il y a adultère, et il est réel, ce ne peut être que pour la bonne cause. Cela devient presque un symbole, Lancelot représentant à lui seul la caste de la chevalerie fidèle au roi et à la reine. Car cet amour adultère est facteur de prouesse. L'héroïsme de Lancelot passe par le lit de la reine, ce qui est conforme en tous points au code de la *fine amor*.

Et comme Lancelot est à lui seul une caste de privilégiés, nous retrouvons le thème de la souveraineté partagée entre le roi et l'amant de la reine, déjà vu dans les épopées celtiques d'Irlande. D'ailleurs, dans le *Lancelot en prose,* Arthur ne joue positivement aucun rôle guerrier. Il se contente d'envoyer ses chevaliers aux quatre coins du monde avec des missions qui ne sont pas toujours bien définies. Il constitue le pivot de la société idéale dont on nous trace les grandes lignes, mais seulement le pivot : il est passif et seule sa présence garantit la légalité de tout ce qui est accompli. Là, le modèle est indiscutablement irlandais : plusieurs récits nous montrent le roi se contentant d'assister à un combat et n'y participant point. Et on explique alors que sa présence est nécessaire pour le succès de la bataille mais qu'il est inutile qu'il prenne lui-même les armes. En somme, Arthur est semblable au roi du jeu d'échecs : il est indispensable mais ne joue aucun rôle. Quant à la reine du jeu d'échecs, elle est la maîtresse incontestée des opérations, elle est la seule à pouvoir se déplacer en tous sens, elle est la puissance incarnée que défendent ou mettent en œuvre les fidèles cavaliers et autres pions de l'échiquier.

Car, en dépit de la transposition opérée par les auteurs de romans courtois, le caractère de l'antique Guénièvre, que les Gallois nomment *Gwenhwyfar,* persiste et se développe même au contact de la casuistique amoureuse des troubadours. Primitivement, si l'on procède par des recoupements entre les différentes versions de la légende, particulièrement les textes archaïsants postérieurs au *Lancelot en Prose,* ainsi qu'en analysant les textes gallois, on s'aperçoit que Guénièvre n'a pas été la femme d'un seul amour. En fait, elle a eu bien d'autres amants que Lancelot, d'autant plus que la légende primitive arthurienne ne connaît pas le personnage de Lancelot, lequel est un ajout probablement dû à Chrétien de Troyes (2).

Cette reine infidèle qui se partage entre ses nombreux amants dont le fameux sénéchal Kaï et le propre neveu du roi, Gauvain, appartient au thème de la Souveraineté. Symboliquement, cela veut dire que la souveraineté ne peut appartenir qu'à la communauté et non pas seulement au roi. Cela est conforme non seulement à la tradition celtique, mais aussi au système féodal selon lequel le roi n'est rien sans ses vassaux et ne peut théoriquement rien décider sans le consentement de ses hommes de guerre. Ce n'est pas un principe démocratique mais simplement aristocratique, le pouvoir étant équitablement réparti entre le roi et ses vassaux.

C'est aussi l'affirmation de l'importance de la femme dans un univers pourtant entièrement patriarcal. Le succès de la reine Guénièvre en tant que personnage de roman tient au fait qu'il y a identification entre la reine légendaire et la reine réelle qui incarnait le féminisme au XIIe siècle. Puisqu'on fabriquait de toutes pièces une société idéale, il était normal d'y placer une femme hors du commun à la fois par sa beauté, par sa puissance morale et par ses exactions. Mais encore une fois, les unions de la reine et des chevaliers du roi n'ont rien de choquant dans l'optique mythologique qui sert de base à tous les romans arthuriens.

Seulement, lorsque Chrétien de Troyes s'est emparé de la légende, il n'a pu, en bonne logique, conserver à Guénièvre son caractère de prostituée sacrée : il travaillait pour Aliénor et Marie de Champagne qui étaient ses protectrices et il était impensable de présenter au public un portrait de femme aussi criticable. Donc Chrétien de Troyes, en écrivant son *Lancelot* ou *Le Chevalier de la Charrette,* a tranché dans le vif et éliminé tout ce qui pouvait

(2) J'ai donné dans *La Tradition celtique en Bretagne armoricaine,* p. 108-132, des arguments et des textes concernant ce problème. Lancelot est inconnu des textes gallois antérieurs à Chrétien de Troyes. Une version allemande, dont l'origine bretonne ne fait aucun doute, raconte les aventures de Lancelot (nommé Lanzelet dans ce texte) dans un cadre absolument différent du cadre arthurien. Lancelot est un héros armoricain et il le demeure dans les romans de la Table Ronde où l'on spécifie bien qu'il est de « Petite Bretagne ». C'est sans aucun doute Chrétien de Troyes qui a opéré la fusion du personnage de Lancelot et des récits concernant Arthur, comme plus tard on le fera pour Tristan et Yseult, ou comme Geoffroy de Monmouth l'avait fait pour Merlin. En tout cas, jamais Lancelot n'apparaît dans les *Triades* insulaires.

nuire à la réputation d'Aliénor, qu'on aurait pu — et qu'on devait — reconnaître dans le personnage de Guénièvre. Il a fondu tous les amants de Guénièvre en un seul, Lancelot, justifiant cette forme d'adultère par la passion impérieuse qui unit les deux amants. Et là, il démarquait déjà la légende de Tristan et Yseult, faisant de Guénièvre une nouvelle Yseult. Cela ne l'empêche d'ailleurs pas, dans son *Lancelot,* de conserver des passages fort ambigus sur les relations qu'entretient Guénièvre avec d'autres chevaliers : en effet, un épisode insiste lourdement sur les liens qui unissent la reine à Kaï; un autre nous montre Gauvain amoureux de sa tante. Quant aux rapports de Guénièvre et de Méléagant qui l'a pourtant enlevée, le moins qu'on puisse dire, c'est qu'ils sont assez troubles : la version primitive de l'enlèvement de la reine par Méléagant, qu'on peut d'ailleurs suivre sur des sculptures de la cathédrale de Modène en Italie [3], devait raconter les amours de Guénièvre et du roi du « pays d'où nul ne revient ». Ce n'était pas un enlèvement, mais une fugue.

Cependant, telle qu'elle nous est décrite, la Guénièvre de Chrétien de Troyes est un vivant portrait d'Aliénor tant au point de vue psychologique qu'au point de vue physique. La reine est d'une grande beauté, d'un charme inestimable, d'une grande intelligence, d'une parfaite courtoisie. Et Chrétien d'en faire, non pas dans son *Lancelot,* mais dans sa dernière œuvre, *Perceval,* et par la voix de Gauvain, un curieux éloge : « Depuis la première femme qui fut formée de la côte d'Adam, il n'y eut jamais de dame si renommée. Elle le mérite bien, car de même que le maître endoctrine les jeunes enfants, ma dame la reine enseigne et instruit tous ceux qui vivent. D'elle descend tout le bien du monde, elle en est la source et origine. Nul ne peut la quitter qui s'en aille découragé. Elle sait ce que chacun veut et le moyen de plaire à chacun selon ses désirs. Nul n'observe droiture ou ne conquiert honneur qui ne l'ait appris auprès de ma dame. Nul ne sera si affligé qu'en partant d'elle, il emporte son chagrin avec lui [4]. »

Un tel dithyrambe dispenserait de tout commentaire. Il est bien

(3) Ces sculptures datent du tout début du XIIe siècle et prouvent l'ancienneté de la légende arthurienne. Elles permettent de reconnaître une expédition menée par Arthur pour récupérer la reine enlevée par un amant mystérieux, ou tout simplement en pleine fugue amoureuse.

(4) *Perceval le Gallois,* trad. Foulet, p. 191

évident que la femme décrite par Gauvain n'est autre que la puissante reine-duchesse Aliénor en qui l'auteur voit la maîtresse absolue des chevaliers. Ce serait également un argument de plus en faveur de la thèse qui fait de Chrétien de Troyes un familier d'Aliénor. On peut ajouter à cela que tout le *Lancelot* de Chrétien est bâti sur le thème de la souveraineté indiscutable : seule la reine a raison, seule la reine est belle, seule la reine peut récompenser ceux qui le méritent. Lorsque Chrétien de Troyes a composé son *Lancelot,* dans les années 1170, il fréquentait la cour de Poitiers : il était donc parfaitement normal qu'il prît modèle sur sa protectrice pour décrire un personnage féminin d'une aussi grande importance que Guénièvre. Et quand, plus tard, venu au service du comte de Flandre, il écrira son *Conte du Graal,* il se souviendra de celle qui lui a permis de connaître à la fois les légendes celtiques les plus authentiques et les raffinements de la casuistique amoureuse telle qu'on la pratiquait à la cour de Poitiers.

Ainsi, avec Chrétien, féal d'Aliénor, les grandes lignes du portrait étaient tracées. Toujours dans son *Conte du Graal,* Chrétien nous montre l'arrivée de Perceval à la cour d'Arthur : un chevalier vient de ravir la coupe de Guénièvre, tout en insultant le roi. C'est un geste d'une gravité exceptionnelle et qui répand la honte sur le royaume tout entier. La coupe de Guénièvre a une valeur symbolique : elle est à la fois la féminité de la reine et son pouvoir de souveraineté. Et comme le roi est incapable de réagir, que le sénéchal Kaï — le seul à vouloir laver l'affront — est piteusement désarçonné, ce sera au jeune Perceval qu'il appartiendra de venger la reine. On remarquera ainsi que la première entrée du futur héros du Graal à la cour d'Arthur est caractérisée par un geste d'allégeance envers la reine. Il y a encore là la marque du serment que doit prononcer tout chevalier du roi à la dame de son seigneur. Guénièvre est plus que jamais le portrait romancé d'Aliénor.

Les continuateurs de Chrétien de Troyes sont allés encore plus loin. L'aventure mythologique de Guénièvre enlevée par Méléagant et délivrée par Gauvain et Lancelot, telle que l'a rapportée Chrétien en 1170 dans son *Chevalier de la Charrette,* est devenue, dans les adaptations en prose, une illustration de la captivité d'Aliénor, par la volonté de son mari le roi Henry, et de sa délivrance par Richard Cœur de Lion, le roi-chevalier qui, lui, a pu également servir de modèle à Lancelot. Ainsi un thème mythologique servait à développer une situation politique. Cela n'a rien d'extraordinaire puisque les mythes peuvent toujours être réactualisés dans n'importe quel contexte.

On peut également faire des rapprochements entre la rivalité haineuse qui caractérise les rapports de Guénièvre et de Morgane, dans le *Lancelot en prose*, et l'animosité assez inexplicable qui exista toujours entre Aliénor et Constance de Bretagne, épouse de Geoffroy. Quant à la jalousie de Louis VII à l'encontre d'Aliénor, au moment de la Croisade, elle peut être retrouvée dans un roman arthurien archaïsant, le *Roman d'Yder* : le roi Arthur, voulant en avoir le cœur net sur la fidélité de son épouse, lui demande qui d'entre les chevaliers présents elle choisirait comme mari si, par malheur, lui-même venait à disparaître. Guénièvre tente de ne pas répondre à la question, mais comme elle y est obligée, elle finit par avouer qu'elle choisirait Yder. Alors le roi se sent pris d'une jalousie morbide et, par plusieurs fois, il essaye d'envoyer Yder dans des aventures qui ne pourraient que le conduire à la mort.

De toute façon, thème que symbolise Guénièvre dans les Romans de la Table Ronde rejoint celui que les contemporains d'Aliénor ont investi dans le personnage de la reine-duchesse, le thème de la Souveraineté. Dans le dernier volet du grand cycle arthurien, *la Mort du roi Arthur*, c'est vraiment Aliénor au faîte de sa gloire qui tient la vedette. Elle a en effet cinquante ans, mais elle a conservé tout l'éclat de sa beauté, et Lancelot du Lac en est plus que jamais amoureux, oubliant pour elle tous ses autres devoirs, tous ses scrupules, tous ses engagements moraux et religieux. Lancelot est le chevalier modèle, l'inconditionnel de la reine, celle-ci étant le personnage divin qui ne vieillit pas et qui assure l'immortalité à ceux qui lui obéissent dans une fidélité aveugle et quelque peu mystique. Le portrait que nous donnent les auteurs de cette Guénièvre légendaire n'est-il pas directement inspiré de celui que les chroniqueurs contemporains ont laissé d'Aliénor vers les années 1170, alors qu'elle était la reine de la cour de Poitiers ?

Le succès de Guénièvre est lié au succès d'Aliénor. Il en est le complément et c'est un juste retour des choses puisque Aliénor, par son action personnelle et son mécénat, avait contribué à lancer la légende arthurienne. Peu importe que le visage de la Gwenhwyfar archaïque soit un peu faussé dans ce jeu : il nous laisse le souvenir d'une grande dame qui ne s'est pas contentée de régner sur ses Etats, mais qui a voulu demeurer, pour la postérité, la souveraine des arts et des lettres de son époque.

Il ne faudrait pas oublier dans tout cela qu'Aliénor était comtesse de Poitou. C'était même son premier titre. Or le comté de Poitou a servi de cadre au développement d'une autre légende, qui est d'ailleurs du plus haut intérêt, celle de la fée Mélusine.

Certes, ce n'est que beaucoup plus tard, au XIVe siècle, que des œuvres littéraires firent connaître à l'Europe l'étrange histoire de cette Mélusine du Poitou. Ce fut d'abord Jean d'Arras, un féal des Lusignan, qui composa un grand roman destiné essentiellement à mettre en valeur la famille qu'il servait. Puis ce fut un certain Couldrette qui composa une chronique rimée sur le même sujet, en insistant d'ailleurs sur les éléments mythologiques dont la légende était imprégnée.

C'est en effet un personnage mythologique que Mélusine. Il remonte très loin dans le temps, et si l'on ne sait pas très bien discerner quelles en sont les origines exactes, l'Ecosse ou la Scythie, il est incontestable que Mélusine appartenait, dès le haut Moyen Age, à la tradition populaire du Poitou. Les lieux marqués par la légende, les contes oraux qui en font un personnage fabuleux, les superstitions qu'on a relevées dans toute la région, tout cela dénote une implantation profonde de Mélusine qui ne doit rien à deux œuvres littéraires. Au contraire, les œuvres littéraires en question n'ont fait que donner un corps à toutes les traditions orales qui circulaient.

Les grandes lignes de la légende sont simples. Mélusine, Méliot et Palatine sont les trois filles du roi d'Ecosse Elinas et d'une mystérieuse jeune femme, Pressine, rencontrée au bord d'une fontaine, et qui n'a jamais voulu dire ce qu'elle était ni d'où elle venait. Elinas a surpris son secret : c'est une fée. Comme il ne devait pas le savoir, Pressine le maudit, et elle disparaît dans l'Ile Perdue en emmenant ses trois filles avec elles. Mais au bout de quinze ans, Mélusine décide de venger sa mère, et après avoir obtenu la complicité de ses sœurs, elle use de ses pouvoirs magiques pour enfermer son père dans un endroit inaccessible. Pressine, furieuse de voir que ses filles se sont vengées sans elle, les frappe de malédiction, plus encore Mélusine qui est l'instigatrice du complot. Elle sera ainsi « serpent jusqu'à la ceinture » tous les samedis, et si quelqu'un veut l'épouser, il ne devra jamais connaître son secret. Alors Mélusine quitte l'Ile Perdue et arrive en Poitou. Elle rencontre Raimondin de Lusignan au bord d'une fontaine, le tire d'une situation désespérée, et l'épouse à la condition qu'il ne cherche pas à savoir ce qu'elle fera le samedi. Dix garçons naissent de cette union, dix garçons robustes, mais affligés d'étranges tares physiques : par exemple, Urian avait un œil au milieu d'une joue, Geoffroy avait une canine très longue, d'où son surnom de Geoffroy à la Grande Dent. Mais un jour, emporté lui aussi par la curiosité, à moins que ce ne soit par la jalousie, étonné par le fait qu'à chacune des absences de Mélusine correspond la construction quasi magique d'une église, d'un monastère ou d'un château, Raimondin suit sa femme dans la grotte où elle se retire tous les samedis. Là, il voit Mélusine, le bas du corps semblable à un serpent, se baignant dans une cuve de marbre vert. Mélusine s'aperçoit de la présence de Raimondin : elle se lamente, ses bras s'allongent et deviennent des ailes, elle disparaît enfin dans les airs en poussant un terrible cri de désolation.

Il s'agit évidemment d'un mythe très ancien. Mélusine semble d'ailleurs le doublet de Pressine. C'est la déesse qui accorde ses faveurs à un mortel à la condition de ne jamais être vue dans la réalité de son être. Le thème a été répandu partout, dans l'Antiquité classique comme dans les civilisations dites barbares. Mais ce qui est intéressant, ce sont certains détails qui rappellent l'histoire et la légende d'Aliénor, dont, ne l'oublions pas, les Lusignan étaient les vassaux turbulents.

D'abord, dans l'un et l'autre cas, il s'agit d'une femme bâtisseuse. On sait combien Aliénor a été soucieuse de faire construire de beaux monuments dans le Poitou et dans la ville de Poitiers. Elle savait trouver l'argent qu'il fallait pour cela. De là à conclure qu'elle pouvait utiliser des moyens magiques, il n'y avait qu'un pas : et c'était d'ailleurs un hommage rendu à celle qui avait été la protectrice et la bienfaitrice du Poitou. Ensuite, l'exil dans lequel se trouve Mélusine rappelle la période pendant laquelle Aliénor fut reine de France, en quelque sorte exilée dans un pays qui n'était pas le sien. Mélusine venge son père. Aliénor, qui n'avait nul besoin de venger Guillaume X, tenait cependant à continuer son œuvre et à maintenir la grandeur et la prospérité de ses Etats. Quant aux dix enfants de Mélusine, ils peuvent être comparés aux dix enfants qu'a eus Aliénor, tant avec Louis VII qu'avec Henry II.

On peut penser que la famille de Lusignan, l'une des plus puissantes du Poitou, a tenu à encourager la diffusion d'œuvres littéraires sur le sujet de Mélusine, car c'était donner ainsi une ancêtre féerique à leur lignée, ce qui était, à l'époque, sacrifier à une mode bien établie. Or, pour brosser le portrait d'une fée, que tout le monde connaissait dans le Poitou, ou tout au moins dont tout le monde avait entendu parler, il fallait utiliser un modèle qui offrît quelque vraisemblance. Et quel modèle plus prestigieux y avait-il en dehors de la fameuse comtesse de Poitou, reine de France et d'Angleterre, qui avait laissé tant de souvenirs dans la mémoire populaire?

De plus, le mariage de Mélusine et de Raimondin semble une habile transposition de celui d'Aliénor et d'Henry II. De même qu'Aliénor apportait à son époux les grandes richesses de ses domaines, son intelligence et sa propre volonté de puissance, Mélusine promettait à Raimondin le retour de sa fortune et l'enrichissement de son pays. Dans la légende, comme dans l'histoire, c'est une femme qui donnait l'occasion à un prince de devenir riche et puissant. Et le caractère ambigu dont on a doté Aliénor permettait cette transposition.

Mais c'est surtout sur le plan du mythe, par les résonances qu'il implique, que la comparaison devient intéressante. Mélusine est une sorte d'incarnation de la Déesse-Mère des origines : elle ressemble à la Morgane des Romans de la Table Ronde, et à la Keridwen des traditions galloises. Morgane est la « dame » de l'île d'Avalon, où elle règne sur une société idéale de type gynécocratique. Keridwen est la « dame » d'un château qui se trouve au milieu d'un lac. Or Mélusine vient de l'Ile Perdue, où règne la fée Pressine. Morgane est capable de métamorphoser son aspect : elle peut voler sous l'aspect d'un oiseau, d'une corneille pour être précis. Mélusine, tout en étant un être aquatique, s'envole finalement sous forme d'un oiseau. Keridwen est une véritable sorcière : elle sait faire bouillir le chaudron de science et d'inspiration, et surtout, elle peut se transformer comme elle le désire, en poisson, en animal terrestre ou en oiseau. Mélusine, comme Morgane et Keridwen, procède des deux mondes, terrestre et divin — à moins que ce ne soit le monde infernal, mais là, la culpabilisation apparaît sournoisement. Et ces personnages de la mythologie celtique, réintégrés dans le contexte médiéval, ont trouvé un correspondant historique à leur taille : Aliénor.

Et, comme n'importe quel héros mythologique, Aliénor n'est autre que l'incarnation des désirs projetés sur une image facile à retenir, facile à discerner. Tout ce contexte, qui caractérise Mélusine, aussi bien que Morgane et Keridwen, on le retrouve dans les grandes lignes de sa légende. On en a fait une familière du diable : il était normal que l'on vît dans cette femme exceptionnelle un être « infernal », car tout ce qui était incompréhensible au Moyen Age était automatiquement relégué dans les domaines diaboliques où il ne faisait pas bon s'aventurer. On oubliait que le *diable,* étymologiquement, est celui qui *se jette en travers,* celui qui inverse le mouvement de la machine mise en marche à l'aube des temps.

La grandeur du mythe de Mélusine réside surtout dans le fait qu'une femme vient sauver un pays du désastre. Il y a là, très nettement, une idée de messianisme au féminin, ce qui est conforme au culte marial si développé en Europe occidentale depuis le XIIe siècle. Mélusine est une Vierge Marie à l'usage des *païens* des campagnes. Dans les contes populaires de tous les pays, nombreux sont les exemples où nous voyons l'équivalence de Notre Dame et de la Fée, héritière des antiques déesses-mères. Or Aliénor a joué ce rôle, ne serait-ce qu'en tant que protectrice de ses vassaux inquiets des tentatives opérées, chaque fois que l'occasion se présentait, par le roi de France et par le roi d'Angleterre. Prise au piège du pouvoir, Aliénor s'en était magnifiquement tirée grâce à son intelligence et à son audace. Cet aspect audacieux de sa personnalité n'est pas le moins responsable de sa légende. Elle fut la femme qui osa se défaire d'une couronne pour en prendre une autre. Pourquoi, dans ces conditions, ne pas la hausser au rang d'une fée? Les auteurs des deux romans de Mélusine l'ont fait plus ou moins consciemment.

Mélusine, sous les traits d'Aliénor, est donc la Protectrice. D'après la légende du Poitou, lorsque Mélusine disparaît, elle revient cependant, certaines nuits, pour aider ses enfants et contribuer à quelque œuvre de construction. Elle est toujours présente, même si on ne la voit pas. Ce sont donc les caractéristiques d'une héroïne qui ne meurt pas, et à cet égard, on ne peut que la comparer au roi Arthur qui, lui aussi, ne meurt pas puisqu'il se trouve en état de dormition dans l'Ile d'Avalon d'où il reviendra un jour libérer les Bretons de la tutelle étrangère. Mélusine est donc l'aspect féminin d'Arthur comme Aliénor était l'aspect féminin du pouvoir détenu par Henry Plantagenêt. Et curieusement, en dépit de la faute commise par Raimondin, la fée n'a pas perdu ses pouvoirs et il s'établit entre elle et le peuple du Poitou une véritable complicité. Comment ne pas voir là la transposition de l'affection dans laquelle les Poitevins ont toujours tenu leur comtesse, après la faute commise par Henry, à savoir son éloignement et son emprisonnement? Comme Mélusine, Aliénor a disparu du devant de la scène par une faute de son mari. La coïncidence est trop précise pour être gratuite. La similitude entre une certaine idée qu'on se faisait d'Aliénor et le concept actualisé de Mélusine est encore renforcée par des considérations sur la valeur symbolique des personnages.

Mélusine est une *sirène*. Cette familiarité avec l'eau nous indique son aspect fécondateur. Elle est *aussi* poisson et participe d'une double nature. Or l'eau est l'origine de toutes choses. Mélusine est donc la déesse des commencements, elle se retrouve semblable à la description de Guénièvre que donne Chrétien de Troyes et sous laquelle nous reconnaissons Aliénor. Mélusine-Aliénor donne la vie, parce qu'elle est ambiguë. Si elle donne la vie, en vertu du fait que les divinités de la vie sont aussi des divinités de la mort, elle est nécessairement inquiétante. La sirène est celle qui conduit les humains sous les eaux après les avoir charmés par leurs chants, qu'elle soit maritime ou qu'elle soit fluviale. L'Autre-Monde est souvent représenté sous les eaux d'un lac ou de la mer et Mélusine risque fort d'entraîner avec elle les imprudents qui s'attardent à l'écouter. Il faut donc s'en méfier comme on se méfie du diable et de tout ce qui est ténébreux. Ainsi s'expliquent l'attirance et la répulsion qu'a exercées ce personnage féminin sur l'esprit du peuple.

De plus, Mélusine change son aspect et métamorphose ce qui l'entoure par la vertu de ses pouvoirs. Elle est donc la grande transformatrice, celle qui a la possibilité de re-créer le monde. Elle se hisse ainsi au rang des grandes déesses de la mythologie universelle, de ces déesses primordiales d'où tout ce qui est vivant et muable découle. Elle est la cause première. On voit encore ici cette sorte de fascination qui a fait d'Aliénor la grande reine absolue, celle qu'on attendait pour régénérer le monde, c'est-à-dire, sur le plan des réalités, la société aristocratique des chevaliers et des clercs qui voulait être reconnue comme telle et bénéficier d'un statut autonome. Mélusine peut, dans cette optique, incarner les forces présentes en l'être humain, forces qui le poussent à transgresser les tabous pour parvenir à une nouvelle étape de son histoire. Mélusine-Aliénor est la transformation de l'Histoire, la régénérescence des vieux concepts. Si elle n'est plus femme, elle est toujours sirène et elle gagne la possibilité de voler dans les airs, ce qui représente un formidable bond en avant dans la recherche d'une réalité profonde qu'on ne peut découvrir qu'*ailleurs,* c'est-à-dire en dehors du monde quotidien, dans un ciel autant symbolique que matériel dont la fluidité transpose les choses de la vie ([5]).

Or cette transformation du monde et de l'individu est réservée, nous l'avons dit, à certains privilégiés, c'est-à-dire à ceux qui appartiennent à la bonne société, à la classe des Dames, des Clercs et des Chevaliers. Il y a donc par derrière tout cela une idée

([5]) En fait le contexte originel de Mélusine était parfaitement païen. C'est Jean d'Arras qui a opéré cette transformation de la divinité païenne en femme-fée soi-disant historique, marquée cette fois par le Christianisme. En effet, Mélusine est bâtisseuse de monastères et d'églises, c'est la bienfaitrice des pauvres et des orphelins : elle se substitue à la Vierge Marie pour accomplir toutes sortes de miracles, et à ce titre, elle est une image rassurante. Cependant, il ne faudrait pas oublier que Mélusine a une origine beaucoup plus trouble : c'est la femme-serpent, et à ce titre, elle est quelque peu différente des fées dont nous parlent les conteurs populaires des campagnes. C'est en étant à la fois femme et serpent qu'elle peut pratiquer des œuvres magiques. Ses pouvoirs lui viennent de sa double nature, comme Merlin auquel elle doit être comparée. Rabelais, qui avait une assez bonne connaissance des traditions du Poitou, nous dit dans le *Quart Livre :* « Là trouverez témoins vieux, lesquels vous jureront, par le bras de saint Rigomé, que Mélusine, leur première fondatrice, avait corps féminin jusqu'aux seins, et que le reste, en bas, était andouille serpentine, ou bien serpent andouillique. » A travers la gouaille de Rabelais, on peut se rendre compte de la réalité de la légende dans ce Poitou du XVIe siècle, encore bien isolé des courants d'idées qui bouleversaient le monde. Cette double nature la rend dangereuse à ceux qui ne sont pas capables de supporter le poids du sacré. Or, dans le cadre de la *fine amor,* on retrouve à peu près la même chose : il y a aussi un interdit qu'il ne faut pas transgresser, car l'Amant ne doit pas voir sa Dame avant d'y être autorisé par elle. La Dame étant inaccessible, *divine,* est si *effroyablement* belle qu'il est presque impossible de la regarder, sinon après une lente initiation qui est une acquisition d'habitudes, d'accoutumances. Il est dangereux de contempler la divinité sans y être préparé : c'est la raison simple de toutes les initiations religieuses ou philosophiques, et cela correspond à ce désir de l'humanité, depuis l'aube des temps : contempler enfin ce qui est incontemplable, exprimer enfin ce qui est inexprimable.

d'initiation. La *fine amor* constituait une véritable méthode initiatique destinée à promouvoir aussi bien l'Homme que la Femme. Mélusine, si tant est qu'elle revêt certains caractères d'Aliénor, est l'Initiatrice, celle qui aide les chevaliers — et par conséquent les poètes, car ceux-ci sont assimilés de droit à la classe privilégiée même s'ils ne sont pas nobles — à découvrir leur identité au sein de la communauté idéale que la Femme prévoit et tente d'instaurer autour d'elle. Mélusine règne sur le Poitou de façon aussi secrète et aussi marginale qu'Aliénor lorsqu'elle tenait ses cours d'amour à Poitiers. Et la casuistique amoureuse permettait alors à tous de découvrir au fond des cœurs la petite étincelle qui pourrait embraser le monde et le faire passer de l'état endormi à l'état d'éveil. Mélusine réveille la terre du Poitou, engourdie sous l'hiver que symbolise Raimondin. Elle est le Printemps et fait germer tout ce qui est capable de croître et de prospérer. Mais un jour l'automne arrive : c'est Mélusine dans la grotte, découverte par Raimondin. Alors s'installe l'hiver qui est l'absence de Mélusine, avec cependant des lueurs d'espoir. Mélusine revient *pendant la nuit*. On sent sa présence réconfortante. Aliénor prisonnière du roi Henry ne devait guère être différente, sur le plan symbolique qui est celui de l'imaginaire et de l'inconscient collectif.

Tout cela nous montre le mystère qui entoure Mélusine et qui, de fait, entoure Aliénor d'Aquitaine. Sait-on vraiment ce qu'a pensé la reine-duchesse? Sait-on vraiment quelles furent ses actions réelles? Sait-on quelles furent ses impressions, quels furent ses sentiments? A moins de faire du roman, il faut se contenter de l'observer à travers ses œuvres et sa légende. Et surtout, il faut restituer à ce personnage hors pair sa dimension réelle, c'est-à-dire ne pas perdre de vue qu'elle ne s'explique que par le contexte dans lequel elle est intégrée, puisque, comme tous les héros, elle n'est que l'émanation symbolique d'un groupe social déterminé.

Le vrai problème est là. Les héros ne meurent jamais puisqu'ils n'ont d'existence réelle que dans la mesure où ils représentent un mode de pensée, un mode d'agir, un mode de vivre. Alors, à travers sa légende et sa vie, à travers ses multiples incarnations littéraires, que représente Aliénor?

Tout d'abord, elle incarne la conception qu'on commence à se faire de la Femme au XIIe siècle. C'était une révolution sur le plan des idées, car l'époque précédente avait tout fait pour donner de celle-ci une image péjorative. Au contraire, Aliénor, qu'elle soit Yseult, Guénièvre ou Mélusine, est la Femme qui renaît de ses cendres, celle qui affirme solennellement son droit à la liberté de penser et d'agir. On ne lui a pas laissé mener son action politique sans cause profonde. Il fallait que ce fût une femme qui dominât parce qu'on avait besoin d'un principe féminin dans la société en pleine mutation des cours européennes du XIIe siècle.

Mais si elle fut Femme, ce fut d'abord comme *Maîtresse,* ce terme traduisant le latin *domina* avec tous les sous-entendus que cela comporte. Détentrice d'une souveraineté effective sur l'Aquitaine et le Poitou, elle devient l'image de l'autorité qui *séduit* au lieu d'ordonner froidement comme le fait l'Homme. Maîtresse des cœurs avant d'être la maîtresse des corps, elle injecte dans la société de son temps une nouvelle forme de sensibilité. Elle devient alors la *Regina* qui n'impose plus sa volonté par la terreur mais par le charme qu'elle inspire à ceux qui jettent leur regard sur elle. C'est l'explication de l'intérêt qu'elle porta aux thèses de la *fine amor* et aussi la justification du fait qu'elle fut prise comme modèle d'héroïnes revêtues d'un aspect sacré.

Car il y a eu sacralisation, c'est évident. En réfléchissant sur le problème personnel d'Aliénor, on peut se demander dans quelle mesure elle n'a pas été une horrible mégère, âpre au gain, passionnée de pouvoir et finalement aussi *barbare* que ses deux époux. Personne n'a jamais prétendu en faire une sainte. Personne n'a prétendu voir en elle un ange de douceur. Ce devait être une *forte femme,* au caractère dominateur. Si elle n'avait pas possédé ce caractère dominateur, elle n'aurait pas pu s'opposer au monde androcratique qui était le sien et qui aurait tout fait pour la réduire au silence. Or, elle a dominé les hommes, même si, parfois, elle a dû s'incliner provisoirement devant les forces de répression.

C'est peut-être parce qu'a son aspect de maîtresse et de reine, on lui a ajouté celui de *Mère.* D'abord, le peuple voyait en elle une mère de nombreux enfants. Ensuite, conjointement au culte de la Vierge-Mère qui se développait, il était bon de présenter une image de marque maternelle. Cette image ne pouvait qu'être rassurante et rassembler autour d'elle le plus grand nombre d'adhésions. La Mère aime *tous* ses enfants et ne souffre aucune distinction — même si nous savons qu'Aliénor a nettement préféré Richard — entre ceux qui se réclament ses fils. Nous assistons à la naissance d'une nouvelle société fondée autour d'un pivot féminin, et même maternel.

En effet, Aliénor est la souveraineté. Elle est donc souveraine d'une société qui se cherche, et surtout qui cherche à résoudre le délicat problème du couple. Nous savons qu'elle a voulu réaliser le couple idéal avec Henry II. Nous savons que ses convictions étaient que l'Amour pouvait vaincre toutes les difficultés. C'était en somme prôner une politique de l'Amour face à l'ancienne politique de la Haine et de la Terreur. Plus que jamais, la légendaire opposition entre *Roma* et *Amor* se justifie. Le caractère romain n'est-il pas celui de l'autorité qui s'impose par tous les moyens, y compris par la force, et la devise de l'ancienne Rome n'était-elle pas : « diviser pour régner »? Au contraire de cette conception brutale d'une société obligée pour survivre de pratiquer l'agression sous toutes ses formes, on pensait qu'il existait une autre méthode, celle qui consiste à faire aimer les individus par eux-mêmes au sein d'un groupe social reposant sur la confiance et l'estime. C'était un rêve, bien sûr, une utopie de plus à ajouter à celles qui se sont fait jour au cours des siècles, mais ce rêve, entrevu au cours du XIIe siècle, n'est pas seulement une vue de l'esprit : il est significatif de la mutation qui s'opère en profondeur dans la civilisation occidentale.

Les contemporains d'Aliénor ont d'ailleurs beaucoup plus rêvé celle-ci qu'ils ne l'ont vue réellement : elle était, de son vivant, entourée d'une telle *aura* de mystère, et elle était en fait tellement inaccessible, que la cristallisation des tendances et des désirs en a fait un personnage de rêve. Les gens du XIIIe siècle, qui ne l'ont pas connue, ont ajouté encore à cette idéalisation, transposant délibérément tous les fantasmes que provoquait la Femme dans ce personnage qui avait été au centre même de la mutation sociale. Et puis, il y avait tout ce contexte passionné, à travers lequel on discutait plus que jamais du rôle que devait tenir la Femme. Aliénor avait été une femme libre : de ce fait, dans l'imagination populaire, comme chez tous ceux qui lui reprochaient confusément quelque chose, elle devenait fatalement une prostituée, de grande valeur certes, par le processus bien connu de la culpabilisation. Mais en devenant prostituée, la sacralisation aidant, elle ne pouvait être qu'attirante parce qu'interdite et coupable. La beauté du péché n'est plus à démontrer, et Aliénor, en un certain sens, a acquis toutes les qualités esthétiques qu'on peut trouver dans la faute. D'où la vision d'une Aliénor toujours radieuse et belle, symbole solaire hérité de la nuit des temps, pivot du monde et détentrice des pouvoirs autrefois dévolus au dieu-roi, incarnation de la société patriarcale.

Car à cette culpabilisation du personnage d'Aliénor correspond une véritable déification. C'était la mode de l'époque de diviniser ainsi la Femme, objet des désirs sexuels, mais également porte ouverte sur l'infini. Aliénor, étant reine, occupait déjà une place dans la hiérarchie sociale, et il n'y avait aucune raison de s'arrêter : elle pouvait franchir d'autres étapes et se faire plus que la médiatrice entre les hommes et les dieux, elle pouvait se faire déesse. Les poèmes des troubadours ont tous une odeur d'idolâtrie. L'image que nous ont laissée les contemporains d'Aliénor est une véritable idole. La Grande Prostituée de Babylone, l'Ishtar qui s'était offerte à Gilgamesh afin que celui-ci pût découvrir les secrets de l'Autre Monde, se réincarnait ainsi pour toute une cour d'admirateurs plus ou moins lointains et qui ne demandaient qu'à voir réapparaître la déesse des anciens jours.

Nulle œuvre ne rend compte aussi bien de cet état d'esprit qu'un récit gallois, rédigé à cette même époque sur des données traditionnelles, le récit de *Peredur,* qui est une version archaïque de la légende du Graal, et qui peut, en de nombreux points, être comparé au *Perceval* de Chrétien de Troyes. Tout au long de sa route, qui est d'ailleurs parsemée d'étapes initiatiques, à la façon des contes populaires, le jeune héros rencontre une femme merveilleuse, dont il tombera amoureux et qui surgira de nombreuses fois pour l'aider et le conseiller. Cette femme mystérieuse, dont les visages ne sont pas toujours identiques, c'est l'*Impératrice.* Ce n'est pas un hasard si l'auteur anonyme du récit la nomme ainsi. Au cours de l'histoire, Peredur, qui doit aller combattre un *addanc,* c'est-à-dire une sorte de serpent monstrueux qui garde un trésor dans une grotte, rencontre, « assise sur le haut d'un mont, la femme la plus belle qu'il eût jamais vue ». Elle lui adresse la parole, le mettant en garde contre les ruses de l'addanc : « Il te tuera, non par vaillance, mais par ruse. Il y a, sur le seuil de sa grotte, un pilier de pierre. Il voit tous ceux qui viennent sans être vu de personne, et, à l'abri du pilier, il les tue tous avec un dard empoisonné. Si tu me donnais ta parole de m'aimer plus qu'aucune autre femme au monde, je te ferais don d'une pierre qui te permettrait de le voir en entrant, sans être vu de lui (6). »

Il s'agit évidemment ici d'une sorte de serment de *fine amor :* l'Impératrice demande au jeune homme de lui jurer fidélité, et en échange de cette promesse, elle lui donne les moyens de vaincre tous les dangers. Le thème est celui de l'amour salvateur en même temps que celui de l'amour facteur de prouesse. Mais la maîtresse du destin, c'est l'Impératrice : elle détient tous les pouvoirs, magiques autant que temporels et spirituels. Le héros va devenir son homme lige, son chevalier servant, et c'est à ce titre qu'il pourra accomplir les différentes phases de sa mission. D'ailleurs tout cela mène à la création d'un couple privilégié, car, après avoir accompli de nombreux exploits, Peredur se retrouve en présence de cette femme mystérieuse. « Beau Peredur, lui dit l'Impératrice, rappelle-toi la foi que tu m'as donnée, lorsque je te fis présent de la pierre et que tu tuas l'*addanc.* — Princesse, tu dis vrai, je ne l'ai pas oublié. » Et l'histoire ajoute que « Peredur gouverna avec l'impératrice quatorze ans » (7).

Le pouvoir appartient donc à la Femme, et comme elle est libre, elle peut le partager avec qui elle veut. Le chevalier servant n'est que l'exécutant de ses volontés. C'est bien dans ce sens que le serment d'allégeance envers la Dame était prononcé. Mais la grande différence avec l'époque précédente où seul comptait le Seigneur, c'est que maintenant c'est la Dame qui occupe le sommet de la pyramide. Il ne s'agit pas de prétendre qu'Aliénor a servi de modèle pour cette impératrice du récit de Peredur — encore n'est-ce point impossible —, mais de montrer que tous les auteurs du XIIe siècle ont œuvré dans cette même direction : *féminiser* la société.

Entendons-nous bien : féminiser la société, cela ne veut pas dire constituer une société de femmes analogue à celle qu'on prétendait avoir existé au temps fabuleux des Amazones. Nous n'avons d'ailleurs aucune preuve de sociétés matriarcales à l'état pur. Mais il y a eu des moments dans l'Histoire où les sociétés se sont masculinisées à l'extrême, et d'autres moments où elles se sont au

(6) J. Loth, *Les Mabinogion*, II, p. 94-95.
(7) J. Loth, *Les Mabinogion*, II, p. 103.

contraire teintées de féminisation. C'est le cas au XIIe siècle : on voit surgir à la surface toutes les pulsions féminines inhérentes non seulement chez les individus eux-mêmes, mais dans les groupes sociaux qui reflètent, d'une certaine façon, les mentalités individuelles.

Aliénor symbolise cette *féminisation* de la société du XIIe siècle en Europe occidentale. La sublimation du personnage, que l'on peut constater dans les récits historiques comme dans les simples légendes qui la concernent, est au cœur même d'une tentative pour redonner au genre humain ce qu'il a perdu depuis longtemps : ses composantes féminines, c'est-à-dire tout ce qui a trait à la sensibilité, à l'affectivité, à l'intuition. Bien entendu, c'est encore une fois l'éternelle querelle entre la Logique et l'Instinct qui se développe par ce biais, la Logique passant, bien à tort, pour être essentiellement masculine, et l'Instinct relevant surtout, d'après ce qu'on dit, de la mentalité féminine.

C'est une fausse querelle dans la mesure où la Logique n'est que de l'Instinct confronté avec lui-même et se réfléchissant. Il n'y a pas de logique tournant à vide, dans une abstraction pure, et il n'y a pas d'instinct qui ne se prolonge en décision de l'esprit. De plus, c'est parce que, pendant longtemps, on a écarté les femmes des responsabilités et des décisions qu'on prétend qu'elles ne sont pas capables de logique. Tout est à remettre en cause dans une vue plus rationnelle de ce que l'humanité recèle de valeurs profondes. Certes, il est exact que les femmes sont plus douées pour tout ce qui relève de l'affectivité : la raison en est biologique parce que la maternité prédispose aux élans du cœur par opposition aux élans de l'esprit. Et toute femme est une mère en puissance, qu'on le veuille ou non. Ce sont toujours les hommes qui font la guerre, qui détruisent. Ce sont les femmes qui prêchent la réconciliation et qui veulent construire. L'attitude des hommes relève au contraire d'une constante application de l'instinct de mort. Mais les choses étant ce qu'elles sont, on est bien obligé de recourir à des simplifications dans toute classification : et au XIIe siècle, après la période où l'instinct de mort, c'est-à-dire une lutte sans merci pour détruire ce qui n'est pas soi, a été dominant, on en arrive à une conception plus féministe selon laquelle tous les êtres vivants ont le droit de coexister sous le soleil à condition qu'il y ait respect mutuel de la vie sous toutes ses formes.

La *fine amor*, si admirablement incarnée par Aliénor d'Aquitaine, peut être considérée comme un jeu, un divertissement à l'usage d'une société aristocratique qui s'ennuie et qui se pose des problèmes que n'ont pas le temps de se poser les basses classes de la société. C'est vrai dans la mesure où les élites intellectuelles se trouvaient uniquement dans cette classe aristocratique ou assimilée. Mais le phénomène dépasse de loin l'acrobatie littéraire ou les pirouettes de la casuistique érotique. En effet, insister sur le rôle fondamental de l'amour dans les rapports inter-individuels, fussent-ils les mieux hiérarchisés, c'est prendre conscience qu'une autre voie peut être ouverte, qui mène à la reconnaissance des pulsions internes dans une société qui a vécu trop longtemps sur des raisonnements abstraits provenant d'une réflexion désincarnée.

En un sens, cette prise de conscience correspond au désir de construire une société pour permettre à l'être humain de s'épanouir librement dans la satisfaction de ses tendances les plus respectables et les plus profondes. C'est prendre la direction inverse de la société de type androcratique, car celle-ci vise avant tout à intégrer l'être humain dans une société déjà organisée et régie par des rapports obligatoires existant depuis toujours et considérés comme exclusifs. En un mot, si la société androcratique, comme celle de la féodalité, était une société pour absorber les individus bon gré mal gré dans l'obéissance des lois fondamentales de la logique, la société rêvée par Aliénor et son entourage était une société faite à la mesure de l'être humain et pour la satisfaction de ses instincts.

Encore une fois, l'utopie est présente. La Terre des Fées, tant de fois décrite dans les vieilles légendes celtiques, tant de fois rêvée par les auteurs des Romans de la Table Ronde, demeure du domaine de l'irréel et de la spéculation la plus intellectuelle qui soit. Mais le fait d'y avoir attaché tant d'importance dénote la volonté de faire sortir cette utopie du monde de l'imaginaire et de la réaliser dans le quotidien. Les écrits du XIIe siècle, inspirés par Aliénor, ou témoignant de l'état d'esprit qu'elle manifestait, sont là pour nous montrer que ce problème s'est posé en termes précis. Féminiser la société, fût-elle une société fragmentaire d'intellectuels, de chevaliers et de dames oisives, c'était réaliser un monde *différent*, remplacer le système vertical qui prédominait, avec un chef, obligatoirement un père, donc un mâle, par un système horizontal où toutes les parties établissaient des rapports affectifs et sensibles entre elles avant d'en venir à la hiérarchie obligatoire. Il y a autant de différence entre la société telle qu'elle existait du temps d'Aliénor et celle qu'a rêvé d'instaurer la reine d'Angleterre, qu'entre un Etat centraliste à outrance, où les ordres sont des lois pour tous, et les pays de type fédéral, où les diverses régions, du moins en principe, s'administrent elles-mêmes, compte tenu de leurs particularismes et de leur originalité.

Voilà pourquoi l'histoire et la légende d'Aliénor d'Aquitaine sont importantes. La pensée de ce XIIe siècle en pleine mutation ne s'est pas perdue. On assiste vraiment à la naissance d'un nouveau système de philosophie où les composantes affectives jouent un rôle aussi important que les composantes logiques sans lesquelles aucune société n'est structurée. En quelque sorte, à partir du moment où les troubadours prennent comme divinité la femme souveraine, la société devient bisexuée, passant d'un patriarcat abusif à une gynécocratie idéale.

Tout y conduisait. Le rôle de « notre sainte mère l'Eglise », le développement du culte de la Vierge Marie, mère de Dieu, mais aussi de tous les hommes, la reconnaissance de la Femme en tant qu'être à part entière, cela n'a pas été sans effet sur la mentalité de tous les individus de toutes les couches sociales du XIIe siècle. Dans le domaine religieux, il y avait Marie, celle qu'on appelait Notre-Dame. Dans le domaine mythologique, toujours très proche de la religion et souvent mêlé à elle, mais également présent dans la profondeur de l'inconscient collectif des masses, il y avait Yseult ou Guénièvre. Dans le domaine politique, c'est-à-dire dans celui de tous les jours, il y avait Aliénor, incarnation de ce mythe ancien, personnification de la puissance divine faite femme.

Désormais, plus rien ne sera comme avant. Aliénor marque un tournant dans l'histoire de la civilisation occidentale. Elle a réussi, volontairement par son désir de puissance et par son intelligence, involontairement parce qu'elle était l'émanation de l'Histoire et la personnification du Mythe, à drainer les forces vives d'une société qui cherchait une nouvelle route à suivre. Les images symboliques qu'on a données d'elle sont les manifestations de tous les désirs refoulés d'une humanité qui ne se satisfaisait pas de son sort. Cela seul pourrait nous arrêter sur le personnage d'Aliénor.

Car bien qu'elle ne soit rien en elle-même, prisonnière qu'elle était de son éducation et du milieu qui était le sien, on ne peut s'empêcher de retrouver un peu de soi dans cette vie mouvementée, agitée de passions diverses, marquée par des événements considérables, meurtrie par les chagrins, ensoleillée par des joies de femme et de mère. Il ne faut jamais oublier qu'Aliénor était une femme, à tous les sens du mot. Elle a été la femme idéale pour tous, la mère idéale pour tous ses sujets, et pour ceux qui ne l'étaient pas.

Peut-être l'action d'Aliénor a-t-elle été un échec sur le strict plan politique? Elle a tenté d'agrandir et ensuite de sauver l'empire Plantagenêt. Elle n'y a pas réussi, car son fils Jean sans Terre l'a définitivement perdu. Mais est-ce vraiment pour ce rôle politique qu'elle doit être considérée comme une des grandes femmes de l'Histoire? Les échecs personnels ne comptent pas lorsqu'on examine la succession des événements qui se déroulent au long des siècles. Son rôle *mythique* a été beaucoup plus important, beaucoup plus durable parce qu'il a influé sur la mentalité des hommes et des femmes de l'Europe occidentale, et bien longtemps après qu'elle fut passée de vie à trépas.

Car le rêve dont elle a été le centre, en plein XIIe siècle, se poursuit de nos jours, et il est probable que ce rêve est à l'image du mythe : il ne peut mourir, même si, par moments, il est occulté de telle sorte qu'on ne le devine même plus. Aliénor d'Aquitaine, la deux fois reine de deux pays différents, mais la toujours souveraine des Troubadours, reste vivante à nos yeux. En fait, elle ne s'est jamais appartenue. C'est le destin des Héros de l'Histoire d'être la propriété collective des peuples et des poètes.

Bibliographie sommaire

Vital MAREILLE, *La Vie ardente d'Eléonore d'Aquitaine,* Paris, 1931.

Abbé Alphonse SUIRE, *Aliénor d'Aquitaine,* Niort, 1936.

Isaac de LARREY, *Histoire d'Eléonore de Guyenne,* Londres, 1788.

Palamède de MACHECO, *Histoire d'Eléonore de Guyenne,* Paris, 1822.

E. R. LABANDE, *Pour une image véridique d'Aliénor d'Aquitaine,* article paru dans le *Bulletin de la Société des antiquaires de l'Ouest,* 1952, p. 175-234.

Rita LEJEUNE, *Rôle littéraire d'Aliénor d'Aquitaine,* article paru dans *Cultura neolatina,* 1954, p. 5-57.

Reto BEZZOLA, *Les origines et la formation de la littérature courtoise en Occident,* Paris, 1958-1963.

Amy KELLY, *Eleanor of Aquitaine and the four kings,* Harvard, 1950-1959.

DELPECH, *Le divorce d'Aliénor d'Aquitaine,* Bourges, 1965.

Régine PERNOUD, *Aliénor d'Aquitaine,* Paris, 1965.

F. Mc Minn CHAMBERS, *Some Legends concerning Eleanor of Aquitaine,* article paru dans *Speculum,* 1941, p. 459-468.

Curtis Howe WALKER, *Eleanor of Aquitaine,* University of North Carolina, 1950.

Table des matières

Achevé d'imprimer le 24 octobre 1983
sur presse CAMERON,
dans les ateliers de la S.E.P.C.
à Saint-Amand-Montrond (Cher)

— N° d'impression : 1652. —
Dépôt légal : octobre 1983.

Imprimé en France